現代人のための
# ヨーガ・スートラ

著　者　グレゴール・メーレ
監訳者　伊藤　雅之

# 献　辞

ブラフマン、道(タオ)、神、本源など、
さまざまな名で知られてきたすべての師に、
そして、これらの名前がなくとも依然として、
無限で光り輝く、
力強くて静かで広大な〈空〉として私の魂に存在する、
すべての師に捧ぐ。

# 祈り

*Om*
*Vande gurunam charanaravinde*
*sandarshita svatma sukhavabodhe*
*nih shreyase jangalikayamane*
*samsara halahala mohashantyai*

*Abahu purushakaram*
*shankhachakrasi dharinam*
*sahasra shirasam shvetam*
*pranamami patanjalim*
*Om*

オーム
私は、最高の師の蓮華の御足に頭を垂れます。
自己実現という幸福を示してくださる師、
条件づけられた存在という大きな害毒によって
引き起こされた錯覚を、
まるでジャングルの医師のごとく取り除いてくださる師よ。

無限のヘビの象徴である師パタンジャリ、
幾千もの光り輝く頭を持ち、
人間の体となって(音の象徴である)ホラ貝、
(光を象徴する)円形の盾、そして(識別を象徴する)剣を持つ、
御身に私はひれ伏します。
オーム

# 監訳者まえがき

　本書は、全4部から構成されるGregor Maehle, *Ashtanga Yoga: Practice and Philosophy*, Australia, Kaivalya Publication, 2006のうち後半にあたる第3部、第4部を翻訳したものです。原著はアシュタンガ・ヴィンヤサ・ヨーガの実践者を対象として、前半がプライマリーシリーズのアーサナ（ポーズ）の詳細な説明、そして後半が本書の内容である『ヨーガ・スートラ』への包括的な解説となっています。

　グレゴール・メーレ自身が指摘している通り、ヨーガにおいては、実践と哲学的探究とはコインの裏表であり、その両面へのアプローチは不可分です。しかしながら、本書で扱われている内容はアシュタンガ・ヨーガという一流派を超えて、スピリチュアルな生き方を模索する幅広い読者にも興味深いものであると考え、日本語版では二冊の本としました。なお、原著の前半部は『アシュタンガ・ヨーガ 実践と探究』（chama監修）として同じく産調出版より刊行されます。

　本書が解説している『ヨーガ・スートラ』はきわめて難解な書として知られています。その大きな理由の1つとして、この経典が立脚するサーンキヤ哲学の難しさが挙げられます。サーンキヤ哲学では、プルシャとプラクリティから成る二元論を前提としています。私たちは、永遠不滅で形のないプルシャ（本書では、見る者、意識、気づき、観照者などと表現されています）なのですが、その真の自己をプラクリティの生み出した心（チッタ）と一体化してしまう傾向にあります。ここにすべての苦の原因がある、とサーンキヤ／ヨーガ哲学は捉えます。この一体化を離れ、プルシャのみが独立し、心のはたらきが止滅した状態がヨーガの目的であるサマーディと呼ばれるものです。

　サーンキヤ哲学の世界観では、人間の肉体のみならず、一般的な精神活動（知性や自我意識や思考）もプラクリティの側に位置づけ、プルシャと峻別する点で、西洋の「精神と物質」の二元論とは根本的に異なります。こうした二元論は、多くの読者にとって馴染みがなく、なかなか理解しづらいものであると思われます。しかしながら、プルシャ（意識／気づき）と心（知性や思考のはたらき）との区別は、『ヨーガ・スートラ』の理解にとって必要不可欠となります。逆にこの点への理解を深めれば、『ヨーガ・スートラ』を学ぶことが格段に容易

になるでしょう。日本語版付録1、2には、両者の関係を含むサーンキヤ哲学の原理を表す図、およびスートラ全体の流れをつかむために195章句を列挙してあります。これらを参照しながら、本書を読み進めていただければ幸いです。

　本書は、インド思想、哲学、神話などに関するきわめて豊富な知見が含まれ、また現代人にわかりやすい数多くの具体例が示されており、ヨーガを真摯に学びたい人にとっては必携の書となることでしょう。それでも、『ヨーガ・スートラ』自体がきわめて難解な書ですから、一般の読者にとって難しいと思われる箇所も少なくないはずです。そうした場合には、第1章からではなく、ヨーガの入門者用にまとめられたとされる「第2章　実践」から読み進めてもよいかもしれません。

　いずれにせよ、少しずつでも丹念に聖典を探究することは、ヨーガ実践者が行なう必須の日課である点は強調したいと思います。インドの聖者サッチダーナンダは次のように語っています。

　　『ヨーガ・スートラ』は、非常に凝縮度が高く簡潔である。急ぐことなく、細心の注意をこめてそれらを学び、それらに瞑想してほしい。その中の最も有益で重要と思われるものは、いくつか暗唱するのもよいだろう。これは、一般の小説のように、一度目を通しただけで投げ捨ててしまうような本ではない。また、大量の議論や哲学によって心を満たす学術書でもない。これは実用的なハンドブックなのだ。あなたはそれを手にするたびに、成長のための新しい何かを必ず吸収することができる。ゆっくりと、より深く理解することを試みよう。そしてわれわれの理解がいかに貧しいか、実践に取り組もう。ヨーガにおいては、実践は必須の要素である（スワミ・サッチダーナンダ著、伊藤久子訳『インテグラル・ヨーガ──パタンジャリのヨーガ・スートラ』めるくまーる社、1989年、5〜6ページ）。

　アーサナや呼吸法を繰り返し練習するように、聖典の探究も日々実践していただけることを切に願っております。

　本書に示された古代インドの偉大な叡智に多くの人たちがふれますように。そして本書が世界の平安の一助となることを心より祈念いたします。

愛知学院大学准教授　伊藤　雅之

# PREFACE

紀元前3102年、皇帝ユディシティラは皇帝の座を退いてクリシュナの死を待ち、暗黒の時代（カリ・ユガ）は始まった。暗黒の時代、物質主義と堕落は進み、古代の聖仙(リシ)たちはヒマラヤ山脈の奥地へと身をひそめた。

しかし、ヴェーダの指導者であるデイヴィッド・フローリーが指摘しているとおり、聖仙(リシ)たちは完全に姿を消したわけではない。彼らは遠くから人類を観察しているのである。聖仙たちが人類の知識、叡智、知性を持って戻ってくることができるかどうかは、私たちにかかっている。私たちは全力を尽くして、新たな黄金の時代（サティヤ・ユガ）を導かねばならないのである。

本書は、古代のダルマを復活させようという試みである。そして、ヨーガがかつての栄光を取り戻すための一翼を担おうというものである。

すべての人たちがこの幸運を経験することを願って。

カリ・ユガ期5108年、輝く14夜の9日目、
パルグニーの宿オーストラリア、パース

グレゴール・メーレ

## ヨーガ・スートラとヴィンヤサ・システムは、コインの裏表である

　1996年、マイソールのアシュタンガ・ヨーガ・リサーチ・インスティテュートへの研究旅行の最中、私はアシュタンガ・ヨーガの師、K.パタビ・ジョイスにアシュタンガ・ヴィンヤサの技法に対するさまざまな経典の関連性について尋ねた。彼は「これはパタンジャリのヨーガである」の言葉とともに、このインスティテュートが最も重要視している書が古代の賢者であるパタンジャリが編纂した『ヨーガ・スートラ』であることを指摘した。K.パタビ・ジョイスは、『ヨーガ・スートラ』は難しい書であり、真剣な探究がなければ理解できるようにはならないだろうと語った。そして、長期にわたって毎日『ヨーガ・スートラ』を研究するよう私に勧めたのである。『ヨーガ・スートラ』の研究とともに日々アシュタンガ・ヴィンヤサの実践を行った私は、やがて『ヨーガ・スートラ』とヴィンヤサの技法はただ同じコインの裏表なのだということを認識するようになった。
　それが、本書の主要テーマである。ヨーガの実践を成功させるためには、実践と哲学を分けて考えることはできない。実際に、実践への新たなアプローチは常に哲学が発端となり、また哲学に必要な知性を養うのは実践なのである。事実、『ヨーガ・スートラ』の中では、シャンカラがスヴァーディヤーヤやヴィチャーラと呼ぶ哲学的探究は、それ自体が実践の一形態であり自由への道のきわめて重要な要素であると言われている。
　本書はこの両面を再び1つにし、歴史上は1つのシステムであったというのに時の流れを経て変わってしまったものを元に戻そうと力を尽くすものである。

# 目　次

献辞 ……………………………………（ii）
祈り ……………………………………（iii）
監訳者まえがき ………………………（iv）
PREFACE ………………………………（vi）
ヨーガ・スートラとヴィンヤサ・システムは、コインの裏表である…（vii）
日本語版付録1：ヨーガ・スートラの195章句 ……………（ix）
日本語版付録2：サーンキヤ哲学における25の原理 ………（xvi）

## 序　章　ヨーガの歴史と系譜 ………………………… 1
4つの時代／現代の実践者にとって4つの時代の持つ意味／退行あるいは進化

## ヨーガ・スートラ ………………… 11

### 第1章　サマーディ
1.1～1.51 ……………………………………………… 12

### 第2章　実　践
2.1～2.55 ……………………………………………… 90

### 第3章　超自然力
3.1～3.55 ……………………………………………… 180

### 第4章　独　存
4.1～4.34 ……………………………………………… 239

用語解説 ……………………………… 283
ヨーガの師と聖仙の紹介 …………… 288
参考文献 ……………………………… 290
日本語版付録3：『ヨーガ・スートラ』関連文献と本書の特徴 …… 295
索引 …………………………………… 299
著者・監訳者プロフィール ………… 303

# 日本語版付録 1

# ヨーガ・スートラの 195 章句

## 第 1 章 サマーディ

1.1 さて、ヨーガの権威ある教えを始めよう。
1.2 ヨーガとは、心のはたらきを止滅することである。
1.3 その時、見る者は本来の姿にとどまる。
1.4 そうでない時は、心のはたらきと同じ形を帯びるように見える。
1.5 心のはたらきには 5 種類あり、苦しみを伴うものと伴わないものがある。
1.6 5 種類の心のはたらき（心の波）とは、正しい認識、誤った認識、概念化、深い睡眠、そして記憶である。
1.7 正しい認識とは、直接の知覚と推論と聖典の証言から成る。
1.8 誤った認識とは、対象への誤った像を投影することである。
1.9 概念化とは、言葉だけによる知識であり、対象は存在しない。
1.10 深い睡眠とは、目覚めた状態も夢を見る状態も否定された心のはたらきである。
1.11 記憶とは、過去に経験した対象が心の中に保たれることである。
1.12 これらの心のはたらきの止滅は、実践と離欲によって起こる。
1.13 実践とは、止滅の状態にとどまるための努力である。
1.14 実践は、長い間、中断することなく、心を傾けて行って初めて堅固な状態になる。
1.15 離欲とは、見たり聞いたりする対象に対して欲望を持たないことを習得することである。
1.16 最高の離欲とは意識を認識することから起こり、グナの現れに対する渇望がないことである。
1.17 対象のあるサマーディとは、熟考、考察、歓喜、私であることに関わるものである。
1.18 もう 1 つのサマーディは心のはたらきを静める実践をした結果起こり、潜在印象だけを残す。
1.19 肉体を持たない者、プラクリティに没入する者には出現の意図がある。
1.20 他の人は、信念、情熱、記憶、サマーディ、叡智を通じて、アサンプラジュニャータ・サマーディを得られる。
1.21 大変熱烈に実践する者にとって、サマーディは近い。
1.22 熱烈な者はまた、穏和、中位、強烈に分けられる。
1.23 あるいは、イーシュヴァラへの祈念によって。
1.24 至高の存在とは意識の特別な形であり、煩悩、業、業報、業遺存に影響されることのないものである。
1.25 至高の存在は、すべてを知っている点でまさるものがない。
1.26 時間の制限を受けることがない至高の存在は、他の師たちにとっても師である。
1.27 至高の存在の表現が、聖音オームである。
1.28 オームを繰り返し、その意味への念想がなされなければならない。
1.29 この実践によって内なる自己を知り、障害はなくなる。
1.30 障害とは心の迷いのことであり、病、厳格さ、疑い、不注意、怠惰、放縦、誤った視点、ある状態を到達できないこと、その状態にとどまることができないことを指す。

*1.31* 障害によって、苦悩、失望、体の不安定さ、呼気と吸気の乱れが生じる。
*1.32* これらの障害を排除するには、1つの原理を実践することである。
*1.33* 心の清澄は、他人の幸福への親しみ、不幸へのあわれみ、徳への喜び、不徳への無関心を抱くことで生じる。
*1.34* あるいは、息を吐き呼吸を止めることによって。
*1.35* また、五感を超える知覚の発達も、心の集中の助けとなる。
*1.36* 心の安定は、悲しみを超えた輝く光を知覚することでも得られる。
*1.37* 欲望のない人間を瞑想することによっても、心は安定する。
*1.38* 夢の対象や夢を見ない睡眠の状態を瞑想することによっても、心は安定する。
*1.39* 適切ないかなる対象を瞑想することによっても、心は安定する。
*1.40* 極小の微粒子から宇宙全体に至るまで、いかなる対象にも心が集中できたときに熟達は成し遂げられる。
*1.41* 心の波が少なくなれば、知覚されるもの、知覚する過程、知覚する者のいずれであろうと、まるで汚れのない水晶のように目を向けたいかなる対象も、心は正しく映しているように見える。この状態を同一性と呼ぶ。
*1.42* 熟考のサマーパッティとは、言葉、対象、知識が概念化を通して混ざっているサマーディである。
*1.43* 記憶が浄化されれば、心の本来の状態がなくなってしまったかのように、対象だけが光り輝いて現れる。これが超熟考のサマーパッティである。
*1.44* 同様にして、微細な対象に基づく考察のサマーパッティと超考察のサマーパッティも説明される。
*1.45* 微細な状態は、根本原質において完結する。
*1.46* これらすべてが種子のあるサマーディである。
*1.47* 超考察のサマーパッティの輝きによって、内面は浄化される。
*1.48* そこで叡智が真実となる。
*1.49* この知識は聖典や推論を通して得た知識とは異なり、特殊なものを対象とする。
*1.50* この知識から生じる潜在印象が、新たな条件づけを行う。
*1.51* これらもまた止んだ時には、心全体が止滅の状態となり、対象のないサマーディとなる。

## 第2章 実　践

*2.1* 行為のヨーガは、苦行、自己の探究、至高の存在への祈念から成る。
*2.2* 行為のヨーガは、サマーディに近づき煩悩を弱めるために行うものである。
*2.3* 煩悩とは、無知、自我意識、欲望、嫌悪、そして死への恐怖である。
*2.4* 無知とは休眠したり、弱まったり、中断されたり、活動したりしている他の源である。
*2.5* 無知とは、一時的なものを永遠なものとして、不純なものを純粋なものとして、苦しみを喜びとして、そして非自己を自己と見なすことである。
*2.6* 自我意識とは、見る者と見ることを同一のものとして認識することである。
*2.7* 欲望とは、快楽に執着するものである。
*2.8* 記憶された苦しみから起こる煩悩を、嫌悪と呼ぶ。

(x)

2.9 死への恐怖は賢者ですら感じるものであり、存在の持続を願望するために生まれる。
2.10 微細な状態の煩悩は、心の消滅によって打ち壊される。
2.11 煩悩から生じる心のプロセスは、瞑想によって打ち消すことができる。
2.12 行為が煩悩に基づくものであれば、カルマは現在と未来において経験される。
2.13 この煩悩の根源であるカルマの貯蔵所が存在する限り、出生、寿命、(快楽と苦悩の)経験という形で成果がもたらされる。
2.14 これらの成果は、原因の良し悪しによって快楽に満ちたものにも痛み多きものにもなる。
2.15 識別知のある者にとって、すべては苦である。なぜなら、グナのはたらきによる衝突、変化を通しての苦悶、潜在印象が原因となる痛みがあるからである。
2.16 未来の苦は、避けることができる。
2.17 避けなくてはならない(苦の)原因とは、見る者と見られるものの結合である。
2.18 見られるものは光、活動、不活発という質で作られ、元素と感覚器官で構成される。これは、経験と解脱を目的に存在する。
2.19 グナには、粗雑、微細、現れる、現れていないという4段階がある。
2.20 見る者は純粋な意識である。それは観照する現象の形を帯びているように見えるが、実は何の影響も受けていない。
2.21 見られるものは、まさしくその本質からして見る者の目的のためだけに存在する。
2.22 解脱したプルシャに関する限り、見られるものは消滅する。しかし、他のまだ束縛されている人にとっては現れたままの状態である。
2.23 (見る者と見られるものの)結合は、所有者と所有されるものという2つの能力の本性を理解する根拠となる。
2.24 この結合の原因は、無知である。
2.25 無知がなくなることで、見る者と見られるものとの混合は止む。この状態は独存、見られるものからの独立と呼ばれる。
2.26 解脱のための手段は、永続的な識別知である。
2.27 識別知を得ている者には、7段階にわたってこの究極の洞察力が生じる。
2.28 ヨーガの諸部門(八支則)を実践することで不純なものが取り除かれ、知識と識別の光が現れる。
2.29 禁戒、勧戒、アーサナ、調息、制感、集中、瞑想、サマーディが、ヨーガの八支則である。
2.30 非暴力、正直、不盗、禁欲、不貪が禁戒である。
2.31 出生、場所、時期、状況の種類に妥協することなく、5つの禁戒を普遍的に実践するのが大誓戒である。
2.32 清浄、知足、苦行、自己の探究、至高の存在への祈念が勧戒である。
2.33 対立する思考がこれらの禁戒と勧戒の妨げとなるなら、対極にあることを熟考するべきである。
2.34 欲、怒り、または愚かさから生じ、すでに引き起こされ、あるいは容認されてしまった、暴力性などのような障害となる思考は、穏やかなものであれ中庸のものであれ激しいものであれ、一層の苦痛と無知をもたらす。なぜなら、この認識が対極にあるものを高めることだからである。

2.35 非暴力を確立した人がいるところでは、すべての敵意はやむ。
2.36 正直を確立したならば、行為とその成果は言葉と一致する。
2.37 不盗を確立したならば、すべては宝石となる。
2.38 禁欲を確立したならば、活力が得られる。
2.39 不貪を確立した人は、過去と未来の出生に関する知識を得る。
2.40 清浄であれば、自分の体は守られ他人に汚されることはない。
2.41 心の清澄さから喜び、1点集中の状態、感覚の制御、自己を知る準備が生じる。
2.42 知足から、この上ない喜びが生じる。
2.43 苦行は不純物を破壊し、それによって体と感覚器官に超能力がもたらされる。
2.44 自己の探究を確立することで、自らの選んだ神との交わりが生まれる。
2.45 至高の存在への祈念によって、サマーディは成就する。
2.46 アーサナは安定していて、なおかつゆったりしたものでなければならない。
2.47 アーサナの確立は、努力がやみ、無限への瞑想によって得られる。
2.48 アーサナにおいて、相反して対となるものに攻撃を受けることがなくなる。
2.49 アーサナが成し遂げられたならば、プラーナーヤーマを実践する。プラーナーヤーマとは、吸気と呼気を通して動揺を取り除くものである。
2.50 外的保持、内的保持、そして中間の保気がある。空間、時間、数を観察することで、呼吸は長く微細になる。
2.51 内的領域および外的領域が超越すれば、第4(のプラーナーヤーマ)である。
2.52 こうして、輝きの覆いが取り除かれる。
2.53 その時、心は集中に適したものとなる。
2.54 心が外側から引き寄せられれば、その時感覚はそれに追随し、感覚の対象となるものから離れる。これがプラティヤーハーラである。
2.55 そこから感覚に対する最高の統御が起こる。

## 第3章 超自然力

3.1 集中は、心をある場所に固定することである。
3.2 そのダーラナーで対象への気づきが途切れることなく流れれば、これが瞑想である。
3.3 その瞑想において、心の修正をまったく受けることなく対象だけが輝き出れば、それがサマーディである。
3.4 もしこれら3つを同時に行えば、それはサンヤマと呼ばれる。
3.5 サンヤマに熟達すれば、知識の光が輝く。
3.6 サンヤマは、いくつかの段階を追って行う。
3.7 これら3つの支則は、(第2章で説明のあった)これより前の支則に比べて内的なものである。
3.8 しかし、ダーラナー、ディヤーナ、サマーディも、種子のないサマーディに比べれば外的支則である。
3.9 心の揺らぎによる潜在印象が(心の活動の)止滅の印象に置き換えられれば、心のはたらきが停止する瞬間が起こる。これは、止滅への転変として知られている。

3.10 心の活動の止滅という印象を繰り返し適用することで、心は静かに保たれる。
3.11 散乱した状態の心が1点集中に変われば、これを心のサマーディへの転変という。
3.12 過去に弱まっていった想念と次に起こっている想念が類似していれば、これが心の1点集中への転変である。
3.13 これによって、元素や感覚器官に関する特性、出現、状態の転変もまた説明されたのである。
3.14 過去、未来、現在において常に存在する本質は、対象そのものと呼ばれるものである。
3.15 転変の違いは、連続性における相違が原因で起こる。
3.16 3種の転変に対してサンヤマを行うことで、過去と未来の知識が生じる。
3.17 言葉、言葉の説明する対象、および言葉の背後にある概念は、常に混同されている。これら3つに連続してサンヤマを行えば、すべての生き物の意思伝達を理解することが可能となる。
3.18 潜在印象を直接認識することで、過去世の知識が得られる。
3.19 他人の考えや思考に対してサンヤマを行うことで、その人の心の状態すべてを知ることができる。
3.20 思考の基盤となる対象は、このサンヤマでは明らかにならない。
3.21 自ら肉体の形態に対するサンヤマを行うことで、外から見られる能力が抑えられる。これは、体から観察者の目へと伝わる光を中断することで生じる。
3.22 カルマの成果には、すぐ起こるものと引き伸ばされるものがある。カルマに対してサンヤマを行う、あるいは前兆を観察することで、死期を知ることができる。
3.23 親しみ、あわれみ、喜びに対してサンヤマを行うことで、人はそうした力を得る。
3.24 ゾウの強さに対してなど、どんな形であろうと強さに対してサンヤマを行えば、この強さを得ることができる。
3.25 対象が微細であろうが、隠されたものであろうが、あるいは遠くにあろうが、より高度な認識の輝く光を対象に向けることで、それらを知ることができる。
3.26 太陽に対してサンヤマを行えば、全宇宙に関する知識が生じる。
3.27 月に対してサンヤマを行えば、星の配置に関する知識が生じる。
3.28 北極星に対してサンヤマを行うことで、星の運行を知ることができる。
3.29 へそのチャクラに対してサンヤマを行えば、医学的知識が得られる。
3.30 のどの穴に対してサンヤマを行えば、空腹と渇きがやむ。
3.31 クールマ・ナーディーに対してサンヤマを行えば、完全な堅実性が得られる。
3.32 頭の中の光彩に対してサンヤマを行うことで、シッダを見ることができる。
3.33 そうでなければ、光の上昇する輝きからすべてを知ることができる。
3.34 心臓に対するサンヤマを通して、心の理解は得られる。
3.35 他の目的を果たすための経験は、本来はまったく異なる知性と意識を誤って1つにしてしまうことと定義されている。それ自体のために存在しているものに対してサンヤマを行うことで、プルシャに関わる知識が得られる。
3.36 そこから、照明智や超自然的な聴覚、触覚、視覚、嗅覚、そして味覚が生じる。
3.37 これらすべては心のはたらきのための力であるが、サマーディには障害となる。

3.38 束縛の原因を緩和し、心がどのように動いているのかを知ることで、心は他人の肉体へ入ることができる。

3.39 ウダーナの流れを支配すれば、水、泥、とげに煩わされなくなり、死の際には上方に昇る。

3.40 サマーナの流れを支配すれば、光彩が得られる。

3.41 空間と聴覚の関係に対してサンヤマを行えば、神聖な聴覚が得られる。

3.42 空間と体の関係に対するサンヤマを行うか、あるいは綿の繊維のように軽さという質を持つ対象に対してサマーパッティを行えば、空間を移動することが可能になる。

3.43 「大脱身」とは粗雑な肉体を離れ、想像を超えたところで機能する技法である。大脱身を遂行することで、輝きを覆っていたものは壊される。

3.44 要素は、粗雑、本質、微細さ、内在、目的という5つの特性から説明することができる。5つの特性に関して連続してサンヤマを行えば、要素を支配することができる。

3.45 こうしてサンヤマを行うことで、8つのシッディが得られる。これらは、要素の特質によって妨げられるものではない。

3.46 肉体の完成とは、美しさ、力強さ、優雅さ、そしてダイヤモンドの堅固さである。

3.47 知る過程、本質的な性質、自我、内在、目的に対してサンヤマを行うことで、感覚の支配を得る。

3.48 そこ(感覚の支配)から、心が動くように速く体を動かす能力、肉体からの独立、そして出現の原因の支配が生じる。

3.49 知性と意識の違いを知ることで、すべての存在の状態を統治し、全知を得る。

3.50 統治と全知に対してさえも最高の離欲を行うことによって、未来のカルマの種子は破壊され、その結果独存が得られる。

3.51 天人からの招待を受けても、高慢さや執着を生み出してはならない。再び望ましくない結果をもたらすことになってしまうからである。

3.52 瞬間とその連続に対してサンヤマを行うことで、識別から生まれる知識が生じる。

3.53 これにより、種類、特質、空間での位置が同一である2つの対象を識別できるようになる。

3.54 識別知があれば、人を超越させることができる。識別知とはすべてに対する理解力があり、時間を超えたものである。

3.55 知性が意識と同様に清浄になれば、解脱へと導かれる。

# 第4章 独 存

4.1 超自然力は前世の行い、薬草、マントラ、苦行、サマーディから生じうるものである。

4.2 根本原質を通して、新たな生へと転変する。

4.3 私たちの行為は、新たな肉体の動力因ではない。ただ、農夫のように障害を取り除くものである。

4.4 生成された心は、1つの私であることからのみ生じる。

4.5 1つの心が、生成された心による異なる活動を導く。

4.6 シッディを蓄積する5つの方法のうち、瞑想から生じるものにはカルマの残余がない。

4.7 ヨーギのカルマは白くも黒くもなく、その他の人のカルマには3種類ある。

4.8 3種類のカルマの結果、条件づけが生じ、それがまた付随した行為を生み出す。

4.9 記憶と潜在印象は、たとえ誕生、時間、空間によって引き離されていようともつながっている。
4.10 これらの潜在印象と記憶には、始まりがない。欲望とは、始まりのないものだからである。
4.11 潜在印象は原因、結果、基盤、裏づけとなる対象によって保たれている。これらがやめば、潜在印象もなくなる。
4.12 過去と未来という概念は、単に特性の進路の違いのために存在するものである。
4.13 3つの時間の状態は出現している状態、あるいは微細な状態であり、グナによって形成されている。
4.14 対象の本質は、転変の統一性によって生み出される。
4.15 同一の対象が、さまざまな心によってまったく違った形で表される。これで、心と対象は2つのまったく異なるものであることが証明される。
4.16 対象は、1つの心に依存しているとは言えない。依存しているのなら、その心に認識されない時には対象はどうなると言うのか。
4.17 心は、対象が心を色づけしているかどうかによって、対象のことを知っていることもあれば知らないこともある。
4.18 不変の意識は、意識を支えるもの、すなわち揺れる心について常に知っている。
4.19 心は、気づきの光を持ってはいない。それが見られるものの本質だからである。
4.20 そして、心と外にある対象の両方を同時に確かめることはできないのである。
4.21 心への気づきが第2の心から来るものであれば、無限の後退と記憶の混乱へとつながるはずである。
4.22 気づきを知性に対して発する過程において、意識は知性の形を帯びるように見える。
4.23 見る者と見られるものによって色づけされることが、心の目的である。
4.24 心は無数の潜在意識の条件づけに色づけされているが、他のために存在するものである。なぜなら、心は集合して働くからである。
4.25 区別を理解する人は、自分の本質について疑問を抱くことがなくなる。
4.26 その時、心は識別知に傾き、解脱はもはや遠くはない。
4.27 潜在印象によって、隙間には他の思考が起こる。
4.28 潜在印象は、煩悩と同じプロセスで除去することができる。
4.29 永続的な識別知の中において、瞑想から得たどんなものからも自分自身を切り離せば、雲という特質を散り散りにするサマーディに入る。
4.30 このサマーディから、煩悩の形態とカルマがやむ。
4.31 その時、覆いとなる不純物が知識の無限性から取り除かれ、知りうる事柄は取るに足らないものになる。
4.32 このようにしてグナは目的を達成し、一連の転変は終結する。
4.33 転変の終結を通して、瞬間が構成する連続は終わる。
4.34 グナが目的を失って根源へと戻れば、その時独存が起こり、純粋な意識が本来の姿のうちに安住する。

日本語版付録 2

## サーンキヤ哲学における 25 の原理

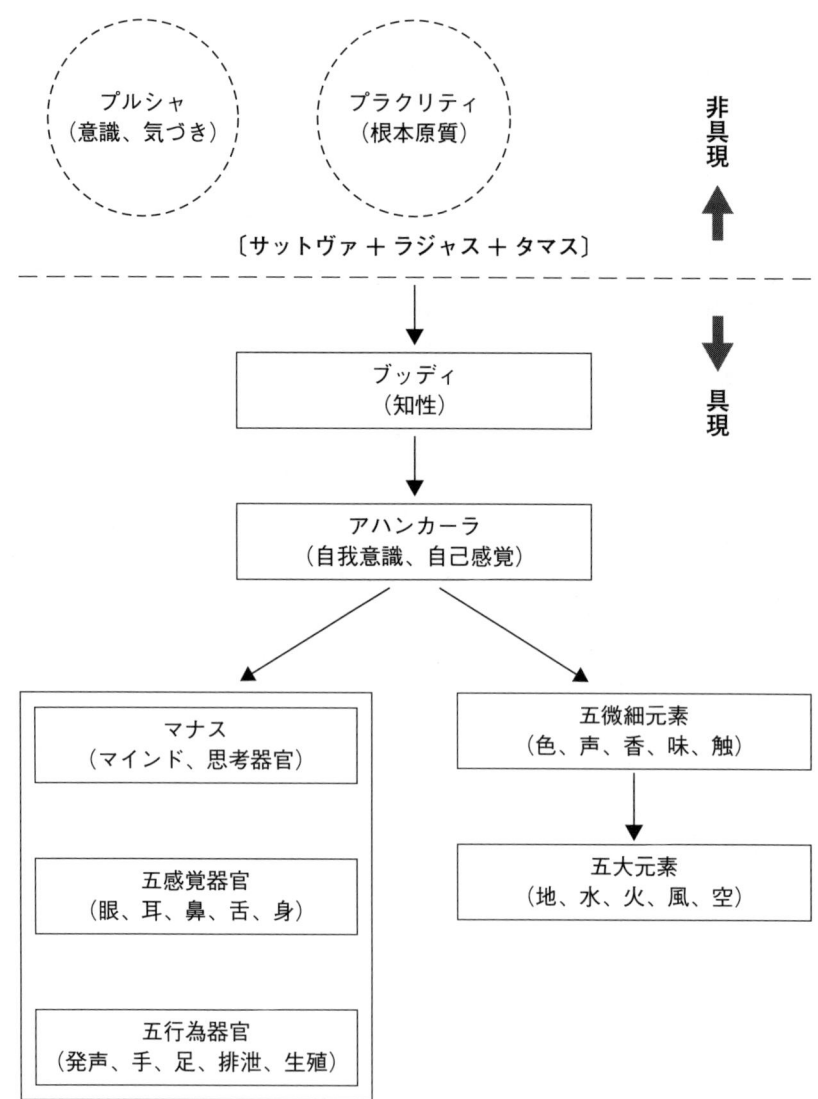

序章
# ヨーガの歴史と系譜

THE HISTORY AND LINEAGE OF YOGA

ヨーガの歴史は、4つの段階に分けて理解することが可能である。それぞれの段階をより細かく分類することもできるのだが、それではあまりに詳細にわたってしまい本書の目的にそぐわない。
　ここでは、読者が共感しやすいと思われる歴史的観点に沿って考えたい。ヨーガの歴史に関する段階を、「自然主義」、「神秘主義」、「哲学」、「技術」という4つに分けて見てみよう。

## 第1段階　自然主義

　太古の初め、人は自らに調和し、自然とともに生きていた。概して皆、人間に内在している真実、神聖なる本来の姿に触れていた。人々は真実、美、価値を自分自身の中や自分の周りに見出し、宗教も哲学もさして必要とはしなかった。
　この時代に編纂された経典が『ヴェーダ』であり、中でも最も重要なものが『リグ・ヴェーダ』である。『リグ・ヴェーダ』は生命、私たちに与えられた肉体、そして私たちの生きる地球を称賛する賛歌から成っている。私がこの時代を「自然主義」と呼ぶのは、人々の生活がシンプルで自然であったからだ。
　自然主義の時代、大半の人々は心(マインド)を筋肉のように用いていた。つまり、必要な時のみ心を動かしていたのである。心を働かせる必要のない時は、心の動きは停止していた(ニローダ)。この時代、人々は当然のこととして本来の姿にとどまっていたのである[1]。自然主義の段階を特徴づけるものが、この心の止滅である。
　しかし、時を経るとともに調和のとれた自然主義の時期は衰退していった。人々が本来の姿とつながりを持つことはなくなり、同時に聖職者による身分制度の持つ力が増大した。
　このヴェーダの段階の終わりには、宗教は陳腐な制度にすぎなくなり、人々はある種の満足感を維持するためにすら聖職者への支払いをせねばならなかった。

## 第2段階　神秘主義

　第2段階の初めには、失われた幸福を求め自分自身に問いかけるため、多くの人々が社会に背を向けて森に入った。多くの者が心の止滅の状態(ニローダ)を失い、心は1点集中(エーカーグラ・チッタ)するようになった。止滅の心に比べて1点集中

---

[1] 『ヨーガ・スートラ』1.3

の心が不利なのは、常に何かを考えているという点である。しかし、1点集中の心は今日の支配的な心と異なり、明快な解決に到達するまでは1つの事柄について考えることができるという多大な利点を持つ。

　この時期には、瞑想を通して自由を得た聖仙(賢者)と呼ばれる師(マスター)が多く存在し、師の周りには多くの弟子たちが集まった。実際、『ラーマーヤナ』や『マハーバーラタ』にある言葉を信じるなら、当時は都市と同様に人々の集まっている森があったということだ。

　この段階では、まだ多くの人々は瞑想によって心を静めることができた。師の話を聞くだけで、人々は目覚めることができたのである。この時期の師たちは、ニローダつまり心を止滅して教えを説いた。現実の本来の姿に対して、自発的な洞察力を指し示した。こういう師を自然に理解するためには、弟子の心が少なくとも1点集中(エーカーグラ)でなくてはならない。言い換えれば、弟子は「成熟した魂」の持ち主でなくてはならない。「成熟した魂」とカギカッコに入れて書いたのは、真の自己(魂)は永遠に自由で不変だからだ。成熟度が増加することも減少することもない。

　この時代に編纂された経典は『ウパニシャッド』であり、これは師と弟子の間の神秘的な対話によって成り立つ。「ウパニシャッド」とは師のそばにすわるという意味であり、「神秘主義」とは隠されたもの、言葉で言い表されないものを表現することを意味する。「隠された」という言葉が使われていることで、ヴェーダの時代、自然主義の時代には何も隠されてはいなかったが、神秘主義の頃には本来の姿に関する知識をかなり失っていたことがわかる。次第に、こうした神秘主義の時代は衰退する。

## 第3段階　哲　　学

　哲学の時代が始まると、大多数の人間は集中する能力を失い、散慢な心(ヴィクシプタ・チッタ)を持つようになった。散慢な心を持つ者には、止滅の心(ニローダ・チッタ)を持つ師を理解することはできない。散慢な心は、混乱して揺れる心とも呼ばれるが、こうした心を持つ者は、1点集中の心を持つ師に何をなすべきかを体系的に説明してもらう必要がある。散慢な心の持ち主には、もはや真実を自然に把握することはできないのだ。

**カピラの登場**

　この難局に立ち向かったのが聖仙カピラであり、彼は人類初の体系的哲学である

サーンキヤ哲学を開祖した。人々はもはや真実を自然に見出すことができないため、体系的な段階を経て真実に到達する必要があったのだ。カピラが成し遂げた偉業は、いかなる宗教的影響もまったく受けることなく、完全に合理的で科学的な方法を用いて弟子を解脱（げだつ）へと導く瞑想体系を考案したことである。カピラの出現は、哲学の時代、哲学的段階の始まりを示すものであった。

この段階には多くの偉大な師が登場し、さまざまな解決法を提示した。これら提示された解決法やシステムは、表面上は異なっていてもすべてウパニシャッド期の聖仙たちが唱えた1つの真実を具体化するものであった。仏教、ヨーガ、ヴェーダーンタ、タントラなど、その後出現した新しい学派の哲学の多くは、カピラのサーンキヤ哲学を基盤として作り上げられたものである。

## パタンジャリの登場

カピラの出現後千年ほどして、新たに偉大なる師、パタンジャリが登場した。パタンジャリの生涯についてはほとんど知られていないが、神話の中にパタンジャリについての話がある。シヴァ神が、ある日、妻のウマにヨーガについて講話をした。ヨーガは大変な秘義であったため、話をする場所として人里離れたジャングルが選ばれた。話を終えたシヴァ神はやぶの中から物音を聞き、周りを調べて千の頭を持つ無限のヘビ、アナンタが逃げようとしているのを見つけた。シヴァ神はアナンタを捕らえ、こっそり盗み聞きをした罰として、人間のところに行き新たに得た知識を人間に伝えるよう告げた。

アナンタはすぐさま新たな任務に乗り出し、ある村に近づいた。村人たちは千の頭を持つヘビを見て恐怖に逃げ去り、中にはアナンタに石を投げ始める者もいた。アナンタがシヴァ神のもとに戻って事の次第を話すと、シヴァ神は千の頭を持つヘビの容貌に人間は恐怖を抱くのだと説明し、アナンタに人間の姿を取るよう勧めた。この忠告に従ったアナンタはパタンジャリという名を使い、その後人間に快く受け入れられた。このように、パタンジャリは無限のヘビの現れと見なされているため、彼は伝統的に半身は人間、半身はヘビとして描かれている。

アナンタ自身、完璧なヨーギであると考えられている。アナンタの仕事の1つはヴィシュヌ神の寝床の役割を果たすことだが、ヴィシュヌは時に信じがたいほど重く、その寝床は非常に頑丈でなくてはならない。同時に、神には大変柔らかな寝床が必要である。これら両方の役割を果たすために、柔らかいと同時に頑丈なとぐろを持つアナンタはまさに適任であった。こうしてアナンタは、ヨーガ・スートラ *2.46* の「アーサナ（座法）は安定していて、なおかつゆったりしたものでなければならない」が意味するところを体現しているのである。

しかし、パタンジャリは『ヨーガ・スートラ』の作者であるだけではない。聖仙ヴィヤーサは聖歌の中で、パタンジャリを次のように称賛している。

　　最高の聖者であるパタンジャリの前に、頭を垂れるのだ。
　　心が明晰になるようヨーガの指導を行い、
　　言葉が明瞭になるよう文法の指導を行い、
　　体が健康になるよう医学の指導を行ったパタンジャリの前に。

　パタンジャリはパーニニ作文法書の注釈書である『マハーバーシャ』の作者であり、またアーユルヴェーダについての主要教本『チャラカ・サンヒター』も彼の作とされている。
　しかし、西洋の学者はこれら3冊の書物はそれぞれ別の人物が書いたものであると考えている。それぞれ異なる世紀に書かれたものであると思われる根拠があるからだ。伝統的には、パタンジャリのように偉大な師は実は完璧な人間、シッダ（成就者）であり、不死であるか、あるいはいつでも望む時に姿を現すことができると考えられている。パタンジャリが千の頭を持つ無限のヘビから人間へと姿を変えることができたことを認めるのなら、彼が自分の選んだ時期と場所に姿を現すことができたと信じるのも難しくはない。

### ヴィヤーサの登場

　パタンジャリの後しばらくして、次なる師ヴィヤーサが登場した。ヴィヤーサは不死であったと思われる。そうでなければ、あれほど大量の書を生み出せるとは思えない。誕生当時の名はクリシュナ・ドゥヴァイパーヤナだが、ヴェーダ・ヴィヤーサ、あるいは単にヴィヤーサという名で知られている。ヴェーダ・ヴィヤーサとは、「ヴェーダの分割者」の意味である。〔クリタ・ユガ、トレーター・ユガ、ドヴァーパラ・ユガの後に43万2千年間続く〕第4の段階であるカリ・ユガ期の初めには人類の記憶力は著しく退化し、膨大な『ヴェーダ』すべてを覚えていることができなくなってしまった。ヴィヤーサは、『ヴェーダ』を『リグ・ヴェーダ』、『ヤジュル・ヴェーダ』、『サーマ・ヴェーダ』、『アタルヴァ・ヴェーダ』の4つに分割し、それぞれを別のゴトラ（家系）に割り当ててそれを守るよう託した。ヴェーダはこうして、ヴィヤーサの功績で守られたのである。
　ヴィヤーサは、『マハーバーラタ』の〔全18巻〕10万詩節を作ったと言われている。これは、人類史上最大の量の文学作品であると同時に、『バガヴァッド・ギーター』、『ブラフマ・スートラ』と並ぶ、今日のインドで最も大きな影響力を持つ哲学文書で

ある[2]。ヴィヤーサは、主に神話で構成される36の『プラーナ』を編纂したとも考えられている。

ヴィヤーサが現在の私たちにとって重要なのは、彼は『ヨーガ・スートラ』の権威ある注釈書、『ヨーガ・バーシャ』の著者だからである。『ヨーガ・バーシャ』はきわめて重要な意味を持ち、この注釈書と『ヨーガ・スートラ』で1冊と見なされているほどだ。ヴィヤーサの注釈書がなければ、パタンジャリのかなり不可解なスートラはもはや理解不可能であっただろう。つまり、パタンジャリの意味するところを理解できるのはヴィヤーサのおかげなのである。

ヴィヤーサ以後の歴史的注釈者たちは、ボージャ王を除いて皆ヴィヤーサの注釈書を認め、『ヨーガ・スートラ』に直接注をつけるのではなく、ヴィヤーサによる注釈書を解説している。おそらくヴィヤーサはインド史上最も重要な師であり、伝統的に神聖な人物と見なされている。彼は、古代の知識を復活させるために、人類のさまざまな時代に現れると言われている。ヴィヤーサは万能の天才であり、インド哲学界におけるレオナルド・ダ・ヴィンチと言えるだろう。

現在驚くことに、20世紀の注釈者の中に、『ヨーガ・スートラ』の解釈に関してヴィヤーサやその他古代の大家たちに異議を唱える者がいる。これほど傑出した知的で神秘的な偉人たちに現代のヨーガ実践者として私たちが「異論」を唱えるのであれば、それはこれら偉人の高みまで登った時のみであろう。そうでなければ、貴重なヨーガの実りを手に入れるのは難しい。

ヴィヤーサについて理解しておかねばならないもう1つの大切な点は、ヴィヤーサが一見相反する哲学の学派について権威あるテキストを著していることである。たとえば、ヴィヤーサは『ブラフマ・スートラ』を編纂してヴェーダーンタ哲学という学派の開祖となるが、「ヨーガ・スートラの注釈書」を書くことで対抗するサーンキャ／ヨーガ学派にも貢献している。欧米の学者たちは、同一人物が相反する学派の哲学についての注釈書を書くという考えに混乱を覚え、2人以上のヴィヤーサが存在したという見解を提案している。しかし実は、ガウダパーダ、シャンカラ、ヴァーチャスパティミシュラなどヴェーダーンタ学派の師の多くは、表面上は相反する学派と考えられるヨーガについての解説を著し、ヨーガ学派の師もまたヴェーダーンタに関する解説を提供している。なぜなら、すべての哲学体系は『ウパニシャッド』の教えにある唯一の真実を表現しているからである。だが、これらは真実のバリエーションではあっても真実そのものではない。真の神秘家はこの点を理解している。人によって好む体系があるかもしれないが、他の体系を通してでも真

---

[2] 『ラーマーヤナ』については、『マハーバーラタ』とともに前述した。『ラーマーヤナ』は『マハーバーラタ』よりも後に記されたものだが、創作されたのはそれよりもずっと早い時期である。

実を理解することができるし、他の体系に貢献することもできるのだ。

　神秘体験をしたことのない学者たちには、この点を理解することができない。彼らは、正しいか誤りかというゲームに捕われているのだ。意識（consciousness）の論理によると、正（ある特定の立場）、反（反対の立場）、合（正と反の結合）、そしてこれらすべてを否定することは、同時に起こりうる。どれも真実とはなりえないからだ。真実とは意識であり、それはどんな立場も持たず正も否もなく、ただ気づき／覚醒（awareness）なのである。これを真に理解すれば、ヨーガの目的は達成される。

**アディ・シャンカラの登場**

　次に現れる師を最後に、哲学の時代は締めくくられる。その名はアディ・シャンカラだが、シャンカラ・バガヴァットパーダ（師ゴーヴィンダ・バガヴァットパーダにちなんで）、あるいはシャンカラ師を意味するシャンカラーチャーリヤの名で呼ばれることが多い。シャンカラは4つの僧院を建立し、それぞれの僧院長は今もシャンカラーチャーリヤの称号を受け継いでいる。シャンカラ作とされている書物の中には、実際は僧院長たちによって書かれたものもあるが、シャンカラがきわめて多くの書を残したことに変わりはない。

　シャンカラは真の天才であった。彼は12歳で師に主要な『ウパニシャッド』に関する解説を書くよう言い渡され、それらは今も権威ある書となっている。シャンカラの主要作品に、『ブラフマ・スートラ』の注釈書『ブラフマ・スートラ・バーシャ』がある。シャンカラは、今日では彼の主要テーマであるアドヴァイタ・ヴェーダーンタ哲学の師として知られている。

　シャンカラによるヨーガへの多大な貢献は、パタンジャリの『ヨーガ・スートラ』に対するヴィヤーサの注釈書に復注をつけ、『ヴィヴァラナ』を著したことである[3]。この書は、ヨーガ哲学の描写において最高のものの1つであり、シャンカラの才能が見事に表現されている。シャンカラとともに哲学の時代は終わりに近づき、世界は一層の衰退を経験していった。

# 第4段階　技　　術

　自然主義の時代の人間は止滅した心（ニローダ・チッタ）を持ち、神秘主義の時代の人間は1点集中の心（エーカーグラ・チッタ）を、哲学の時代の人間は散漫な心（ヴィクシプタ・チッタ）を持っていた。それに対して、最後の時代の人間は概して

---

3　注釈書についての注釈書であり、復注書と呼ばれる。

惑わされた心（ムーダ・チッタ）を持っている。

「惑わされた(infatuated)」というのは、ここでは自分の体、富、外見、家族関係で頭が一杯になっていることを指す。こうした態度には、物質主義と虚栄心が関連している。ここで大切なのは、惑わされた心は自己を自らの体と同一視するという点だ。物質主義とは、人間存在を身体にまで単純化する哲学である。富に取りつかれるのは、気まぐれな体に心を奪われているためであり、虚栄心とは外見で頭が一杯であることだ。家族関係に悩むのは、同じ遺伝子を持つ人間とより関わりを持つことを意味する。

この最後の段階は、技術（テクノロジー）の時代と呼ばれるものである。サンスクリット語の「タントラ」は「技法（テクニック）」を意味する。哲学、そしてそれにも増して神秘主義や自然主義は人々の頭から離れ、新しいタイプの教えは技術のみに関するもの、すなわち、いかに物事を行うかに関心を持つ。

主に技法を説明し、哲学を強調することのないこの時代の経典はタントラと呼ばれ、およそ700から800ある。西洋人はタントラの大半は明らかな性的技法に関する取り組みであると捉えているが、タントラをそうしたごく限られた内容だけに絞って考えるのは正当ではない。しかしこうした捉え方は、確かに惑わされた西洋人の心がどのように働いているのかを示すものではある。少し例を挙げるだけでも、『シヴァ・スートラ』、『ハタ・ヨーガ・プラディーピカー』、『シヴァ・サンヒター』、『ゲーランダ・サンヒター』など、シャンカラの後に書かれたヨーガ解説書のほとんどはタントラである。

技術の時代にも、多くの師によってヨーガの哲学・思想学派は維持された。ヴァーチャスパティミシュラは10世紀に、ヴィヤーサの注釈書や他の伝統的哲学体系に解説をつけ、際立った貢献を果たした。ヴィジュニャーナビクシュもまた、サーンキヤやヴェーダーンタに注釈をつけ、最も重要な注釈書の1つとなる『ヨーガ・ヴァーティカ』を15世紀に書いた。最近では、20世紀にハリハラーナンダ・アーランヤがヴィヤーサの注釈書に優れた注釈をつけて大きな貢献を果たしている。本書を執筆する際には、これらの書すべてを参照した。

# 現代のヨーガ実践者にとって4つの時代の持つ意味

『プラーナ聖典』によると、人類は黄金の時代（ヴェーダの時代）に始まり、堕落の時代を経て、現在暗黒の時代（カリ・ユガ）にいる。ヨーガ経典の変遷をたどれば、これらの段階が理解できるはずだ。

黄金の時代には人々は止滅の心（ニローダ・チッタ）を持ち、必要な時のみ考えて

その他の時には神聖な源である魂（ハート）の中にとどまっていた。第2の時代には人々は1点集中の心（エーカーグラ・チッタ）を持ち、止滅の心を持つ師のいくつかの指導により根源に戻ることができた。第3の時代では、人々の心は散慢な状態（ヴィクシプタ・チッタ）へと変わった。この時代に指導をした師は、人々の心を1点集中の状態に戻すよう働きかけた。そして私たちが現在生きている第4の時代では、人々の心は惑わされた、物質的な状態（ムーダ・チッタ）まで堕落した。今日の師たちは、私たちには永遠で不死の神聖な中核となるものがあることをまず教えなくてならない。散慢な心の第3段階ではその存在を思い起こすことができたのだが、惑わされた心はそれを忘れてしまったのである。

哲学の探究のためにはまず、私たち同様に、惑わされた心の時代を生きた指導者が教えたことを理解しなくてはならない。これらの師には、ヴァーチャスパティミシュラ、ヴィジュニャーナビクシュ、ハリハラーナンダ・アーランヤが含まれる。彼らの教えを理解して初めて、パタンジャリ、ヴィヤーサ、シャンカラという哲学の時代（散慢な心の時代）の師の教えを紐解くことが可能となる。こうした師の教えを吸収した後に、ヤージュニャヴァルキヤ、ヴァシシュタ、カピラといった、それ以前の1点集中の心の時代を生きた師のことを理解できるのである。これらの師たちのシンプルな魂のメッセージを理解すれば、止滅の心に到達し、私たちの本来の自己が認識できるのである。

# 退行あるいは進化

ヨーギは個人レベルにおいて、人類の経験してきた歴史的進展を逆転しなくてはならないと言えるだろう。同様に、ヨーギは個人として、宇宙の進化の動きを逆転しなくてはならないとも言える。サーンキャ哲学では、世界の進化の過程を下へ外へという動きとして描いている。ここでの進化は、最も高次で微細なビッグバン以前の状態（プラクリティ）から始まっている。

この自然の本源は、知性（intelligence）へと進化する。知性から自我（ego）が生まれる。自我から空が起こり、空から風が、風から火が、火から水が、そして水から地が起こる。進化の過程では、前の微細なものから粗雑で鈍いものへと進んでいく。

人間の体では、これらの過程はチャクラを通して表される。純粋な知性に関わるサハスラーラ・チャクラ、純粋な自分、自我に関わるアージュニャー・チャクラ、空に関わるヴィシュッダ・チャクラ、風に関わるアナーハタ・チャクラ、火に関わるマニプーラ・チャクラ、そして水を表すのがスヴァーディシュターナ・チャクラである。最後に、地の要素は一番下にあるムーラーダラ・チャクラを通して表さ

れる。この過程すべてを進化と呼ぶが、これは気づきの退化とともに進む。ムーラーダーラに到達する時には、世界が顕現するが自己理解は失われる。この進化の動きは、下へ外へと向かうものである。

　ヨーギの退行の過程は、この動きを内へ上へと逆転するものだ。地、水、火、風、空のチャクラを通して内へ上へと進み、自我を知性へ、知性を根源であるプラクリティ（自然）へと再び吸収するのである。そうすれば、自由と歓喜の状態である、意識と気づきという本来の状態の中にとどまることになるのだ。

# ヨーガ・スートラ

PHILOSOPHY: THE YOGA SUTRA

# 第1章 サマーディ

心を1点に集中することのできるいわばヨーガの上級者に向けて、教えが説かれている。まずヨーガの目的を「心のはたらきの止滅」と定義し、さらに、その内容について解説する。そして、心のはたらきを静めるための一連の技法が具体的に示されている。最後に1.41からは、サマーディ（の諸段階）について詳しく言及する。

## 1.1 さて、ヨーガの権威ある教えを始めよう。

ここで「さて」と訳しているサンスクリット語のathaは、権威ある書の始まりを示している。たとえば、『ブラフマ・スートラ』は「さて、意識についての探求を始めよう」という意味の節で始まっている。パタンジャリによる文法書の『マハーバーシャ』は、「さて、音についての探求を始めよう」と始まる。athaという語を使うことで、著者は他の誰かの理解していることを伝えているのではなく、テキストに著す主題に精通していることが含意される。つまり、著者はこうした記述ができる状態にあるということだ。これは、後の世代のすべてのヨーギがパタンジャリを権威として受け止めているという事実にも反映されている。

次に、「ヨーガ」という言葉の定義である。パーニニ[1]によると、ヨーガ (yoga) という語はyujir yoge、あるいはyujir samadhauという語根に由来していると考えられる。yujir yogeに由来すると考えれば、ヨーガとは「結合」あるいは「結びつける」の意味になる。『バガヴァッド・ギーター』では、ヨーガはこの意味で用いられている。『ギーター』の教えでは、すべての現象の根底には1つの深遠な現実があり、それが至高の存在である。ここではヨーガとは、この根底にある深遠な現実と自分を結びつけること、あるいはそこに交わり1つになることを意味する。あらゆる現象にはただ1つの真実が含まれ、それゆえヨーガは結合を意味すると捉えるすべての経典や瞑想体系のことを非二元論的（2つではない、という意味）、あるいは

---

[1] パーニニは、古典サンスクリット文法の第一人者である。パーニニの『アシュターディヤーイー』の中には2千の語根が挙げられていて、グナやヴリッディという規則を頼りにそれらから動詞、名詞、さまざまな語尾などを作ることができる。西洋の学者によるとパーニニは紀元前500年頃の人物だが、インドの伝説によると6000年以上も前に生きていたということだ。パタンジャリは、パーニニの『アシュターディヤーイー』の注釈書『マハーバーシャ』(偉大な解説書) を著している。インドでは通常、ヨーガの師のパタンジャリと文法家のパタンジャリは同一人物であると理解されている。しかし、西洋の学者の中にはこの説に疑いを持っている者もいる。本書では、敬意をこめて伝統的なインドの見解に従いたい。ヨーガは、こうした伝統的文脈の中で理解されるべきものだからである。

一元論的 (monistic、mono ／単一という意味から派生) であるという。

　ヨーガ (yoga) という語の由来となりうる語根の２つ目は *yujir samadhau* であり、これは「熟慮 (contemplation)」あるいは「専心 (absorption)」という意味になる。『ヨーガ・スートラ』で用いているのは、実はこちらの意味である。『ヨーガ・スートラ』の基本概念では、根本原質 (プラクリティ) と意識 (プルシャ) という２つの異なる現実が存在する。ヨーガとは、この２つを区別することを可能にする熟慮を意味する。この２つのカテゴリーを根本的に区別し、ヨーガの意味は熟慮であると考える経典や瞑想体系を二元論的であるという。この詳細については後述する。

　聖仙ヴィヤーサが明確に述べていることから、『ヨーガ・スートラ』ではヨーガを２つ目の意味に当たる専心／熟慮の意味で捉えていることがわかる。『ヨーガ・スートラ』の注釈書、『ヨーガ・バーシャ』の中で、ヴィヤーサはすべてのスートラについていかなる誤解も生まれないよう明確な解説を施している。私たちは、主にヴィヤーサの著書からスートラ (章句) の意味を理解するのである。多くのスートラはあまりに簡潔で不可解であり、ヴィヤーサの説明なしには理解は難しい。すでに述べたようにヴィヤーサの注釈書は大変重要であり、パタンジャリの『ヨーガ・スートラ』とヴィヤーサの注釈書をあわせて１冊の書と考えられているほどだ。

　現代のヨーガを学ぶ者は、歴史的にヨーガの学派はパタンジャリのスートラから成るだけでなく、ヴィヤーサの注釈書やその他さまざまな復注書があることを理解しておくことが不可欠である。ヴァーチャスパティミシュラ (９世紀)、シャンカラ (８世紀)、ヴィジュニャーナビクシュ (15世紀) の復注書は権威あるものであり、20世紀のハリハラーナンダ・アーランヤによる注釈書も奥深さで際立っている。ヴィヤーサ以後のすべてのヨーガの師はヴィヤーサの注釈を認め、その注釈書にさらに注釈を加えている[2]。

　聖仙ヴィヤーサはスートラ *1.1* へのコメントにおいて、ヨーガは専心、熟慮を意味する (ヨーガはサマーディである) と述べている。また熟慮とは、心 (チッタ) の潜在能力であると説明している。この潜在能力はほとんどの場合眠っていて、訓練と発達を必要とする。つまり、ヨーガは心を訓練する科学であり、このような訓練を必要とする人々のためのものなのである。この訓練を必要とせずとも、すべての現象にただ１つの真実を見出すことのできる人々もいる。そういう人はヨーガを飛び越え、代わりに意識の科学であるヴェーダーンタの世界に入ればよい。ヴェーダーンタについては、聖仙ヴィヤーサが『ブラフマ・スートラ』の中で説明している。

　本来の姿を認識できない人々には、ヨーガを学ぶことを助言したい。ヨーガとは、

---

2　直接パタンジャリのスートラに説明をつけた (『ラージャ・マルタンダ』) ボージャ王 (10世紀) は除く。

曇った心に自己認識の訓練を与える過程である。つまり、ヨーガの探究は自分の無知を認め、真実を見つけるためにはまず自分自身を変える必要があることを理解するところから始まる。

『ブラフマ・スートラ』と『ヨーガ・スートラ』に著された２つの道は、いずれも正しくも間違ってもいない。それよりむしろ、２つは異なる学習者に向けられたものなのである。上達した魂を持つ者には、『ブラフマ・スートラ』にある道（ヴェーダーンタ）がよい。より混乱した心を持つ学習者には、ヨーガでまず心を明晰にすることを勧める。

続いてヴィヤーサは、心（チッタ）は５つの異なる状態において存在すると述べている。すべての人々は、これら５つの状態のうちいずれかの状態に偏る傾向にあるが、それを徐々に変えることは可能である。この５つの状態をよく理解することが非常に大切だ。これを理解することで、ヨーガの道と教えをしっかりと理解することができ、そもそもヨーガの知識がいかにして考え出されたのかがわかるのである。

心の５つの状態とは、落ち着きのない心（クシプタ）、惑わされた心（ムーダ）、散慢な心（ヴィクシプタ）、１点集中の心（エーカーグラ）、そして止滅の心（ニローダ）である。この５つの状態を説明するに当たり、心の持つ３つの特質について簡単に検討する必要がある。

前述したように、ヨーガでは、根本原質（プラクリティ）と意識（プルシャ）というともに現実的で永遠である２つの異なるものが存在すると考えられている。西洋科学の概念の中でプラクリティの表現するものに最も近いのは、ビッグバン以前の状態、つまり宇宙が現れる前の状態である。プラクリティは（それ自体が永遠で、創造されたものではないが）「創造」、あるいは「創造者（すべてを生み出し、創造する母体）」とも訳されている。

プラクリティは意識（プルシャ）に近づくことで活動を起こすと言われ、３つの特質（グナ）の助けを得て世界を顕現する。以下が３つの特質である。

　　　タマス　　——　重さ、怠惰、かたまり
　　　ラジャス　——　動き、活力、活動力
　　　サットヴァ　——　軽さ、知性、叡智

すべての現象と物質は、これら３つのグナを合わせて作られる。グナは、ある意味で西洋科学における素粒子の陽子、中性子、電子と対比して考えることができる。これらは不思議なことだが、元素総数105すべてを形成し、つまりはすべての物質を構成する。とはいえ、両者はまったく同じ質のものと考えることはできない。なぜ

ならグナは、自我やマインドをも構成するものだからである。

　落ち着きのない心（クシプタ・チッタ）の状態では、ラジャスが支配的になる。この心は活動過多、過度の動き、次々と移る思考を伴う。この状態の心は、想像上の敵を倒すなど強い嫌悪を感じることによってのみ集中することができる。落ち着きのない心はヨーガには至極不適切であり、この状態の心に支配されている者がヨーガを始めることはまずない。それでもヨーガを始める場合は、ただ敵を倒す魔術的な力を手に入れるのを期待してのことである。

　２番目の惑わされた心（ムーダ・チッタ）の状態では、タマスが支配的である。この心は鈍くもうろうとしていて欺かれていることが多く、身体、富、家族、部族、あるいは国家のことで頭が一杯である。タマスによって心は重くなるため、ここに述べたような明らかに一体感を感じるもの以外は見ることができない。

　惑わされた心はヨーガには不適切であり、強い欲望を通してしか集中できない。惑わされた心を持つ者がヨーガを始めるのは、概して外見がよくなるなど肉体的利益のため、あるいはより勤勉に働いて一層の仕事を成し遂げようという金銭的利益のためである。

　３番目の散慢な心（ヴィクシプタ・チッタ）では、支配的となるグナはない。むしろ、心のはずみによってラジャス、タマス、サットヴァのいずれかの支配を受ける。この心の状態は混乱した心、あるいは揺れる心とも呼ばれ、「ニューエイジ」に共感を持つ人々の間に典型的な心である。これらの人々は、すべては真実であり意味のあることだと捉え、「誰も皆、自分の真実に従って生きるべきだ」と信じている。何かが起こればそれは「意図された」ことだと考えるのだが、実際には、おそらくは単に集中が足らなかったために特定の結果が得られなかっただけなのである。

　散慢な心の支配を受ける人は懐疑的な日和見主義者であり、多くの真実が存在し、唯一の真実を知ることなど不可能だと信じている。むしろ、心地よく過ごすために単に状況に応じて心の在り方を調整しているのである。このような心の持ち主は、真実を垣間見ることがあっても、新たな障害物が現れるとその真実を投げ出し、別の考えに従うのである。

　散慢な心に捕らえられると深遠な現実を認識することは永久にできず、そのため信念にすがることが多い。この心の状態では成り行きでしか集中を得られず、しかもすぐに集中が途切れてしまうため、サマーディなどの高度なヨーガには不適切である。

　ヨーガとは、最も深く横たわる現実を直接知覚し理解する助けとなる科学である。これから考えると、信念にすがるのはヨーガの試みに矛盾する。信念にすがれば常に現実に信念を重ね合わせ、そのため決して正しい結論に至ることはないからだ。

しかし現実的には、多くのヨーガ学習者は散漫な心の状態でヨーガを始め、ヨーガ的な生活のほとんどを散漫な心から１点集中の心に変化させることに費やすことになる。

4番目の１点集中の心（エーカーグラ・チッタ）の状態では、サットヴァが支配的になる。ヨーガを通して、心はよりサットヴァ性の状態になる。純粋なサットヴァの状態に到達すれば、純粋な知性も獲得することになる。この知性が、現実をありのまま見るのに必要なものである。スートラ3.55では、次のように表現されている。

**知性が意識と同様に清浄となれば、解脱へと導かれる。**

１点集中の心の状態で生まれた者は、比較的短期間の実践と研究によって自由を得ることが可能である。この状態の心は、低次のサマーディである対象を持つサマーディ（サンプラジュニャータ・サマーディ）に適する。偉大な師たちの多くは、この種のサマーディの状態から教えを生み出しまとめ上げたのである。しかし、私たちは妙技に打ちのめされてはならない。ヴィジュニャーナビクシュが言っているように、「心の変化は徐々に得られるものであり、突然に得られるものではない」のである。

最後は、「止滅」の心（ニローダ）である。この状態では特に支配的となるグナはなく、心は本源、つまり根本原質（プラクリティ）へと再び吸収される。この状態の心にある者は、永久に自分自身の本来の姿、つまり意識の中にその身を置く。この段階では、より高次のサマーディである対象のないサマーディ（アサンプラジュニャータ・サマーディ）に到達する。止滅の心（ニローダ・チッタ）は、ヨーガの目標地点である。この心を持った師たちが、最も高度な経典である『ウパニシャッド』を生み出したのである。なぜなら、ニローダの心を持つ者は、思考が知性の妨げをすることがないため、心の底まで見通し、神聖なる真実の声を聞くことができるからだ。このため、『ウパニシャッド』は啓示であり神聖なる権威と見なされているのである。

スートラ1.1では、ヨーガのテーマが紹介されている。その中に重要な用語と概念が多く含まれ、最初は混乱するかもしれない。もし分かりにくいようであれば、次に進む前にもう１度最初に戻ってこのスートラの説明を再度読むことをお勧めする。初めは読むことが困難に思われても、ひるむことはない。努力に値するだけの結果がついてくるはずだ。

## 1.2 ヨーガとは、心のはたらきを止滅することである。

　この1.2のスートラで、パタンジャリはヨーガを定義している。この定義に照らし合わせると、ヨーガを結合と解釈するのでは意味を成さないことは深く考えるまでもなく理解できる。ここではヨーガは結合というより、私たちの心の表面を澄みきった状態にして、何に向けられていようとそれを映し出すことができるようにするための努力、あるいは鍛練と定義されている。

　たとえば、次のように考えてみよう。湖面が静止していれば、湖はものを映す鏡のようになる。湖に石を投げ入れれば、さざ波が起こって映った像はゆがめられる。湖は心を表し、さざ波は心のはたらき、心の波を表している。この心の波は生存のためには必要かもしれないが、奥深くにある本質を認識したいと思う時には障害となる。最も奥深くにある核心を映し出すためには、心の波が静まって心が静止しなくてはならない。心のはたらき、あるいは心の波が実際に何であるかについては、スートラ1.5から1.11で詳しく述べる。

　次に、パタンジャリの心の概念に目を向けよう。サンスクリット語のchitは意識あるものを指している。否定の意味を表す接頭辞aがついたachitという語は、無意識を意味する。(サーンキヤ哲学の信奉者が一般に使うantahkaranaという言葉ではなく) chitta (チッタ) という語を使うことで、パタンジャリは、心は無意識のものであり、心の中には意識は存在しないという考えを表明しているといえよう。

　多くの点でパタンジャリは、哲学ではなく心理学、あるいはG.フォイアーシュタインが「心理技術 (psychotechnology)」[3]と呼ぶものを提示している。哲学的な問題に関してパタンジャリは、1つの例外 (イーシュヴァラ) を除いて全面的にサーンキヤ哲学の見解を受け入れている (イーシュヴァラに関しては後述する)。ヨーガとサーンキヤの類似はきわだっており、S.ダスグプタは「カピラのサーンキヤ哲学とパタンジャリのヨーガ哲学は大変よく似ており、同一の体系が2つの異なる形を取ったものと考えることができる」と述べているほどである[4]。

　サーンキヤ哲学を開祖したのは聖仙カピラである。欧米の学者によると、カピラは紀元前1300年頃の人である[5]。インドの言い伝えでは、彼はもっと昔に生きていたとされている。サーンキヤとは順番、番号、数え上げることを意味し、この哲学はすべての創造を1つの首尾一貫した体系として説明しようとした人類最初の試み

---

3　G.Feuerstein, *The Yoga Tradition*, Hohm Press, Prescott, Arizona, 2001
4　S.Dasgupta *Yoga as Philosophy and Religion*, Motilal Banarsidass, Delhi, 1973, p.6
5　G.Feuerstein, *The Yoga Tradition*.

である。したがって、その点からサーンキヤは、すべての哲学的体系における古代の源と呼べるだろう。

パタンジャリの時代や『バガヴァッド・ギーター』の時代には、サーンキヤがまだ哲学の主流であった。今日ではいく分時流からはずれているように思われるが、ヴェーダーンタ、ヨーガ、仏教、タントラなど現代のインド哲学の多くはサーンキヤ哲学を基盤として成り立っていることは覚えておかなくてはならない。サーンキヤを理解すれば、これら後に続くすべてのアプローチを理解するのも容易になる。

残念なことに、カピラ編纂の経典『シャシュティ・タントラ』は現存していない。パタンジャリの残したものとの隔たりを埋めようと思えば、カピラの書のずっと後に書かれたイーシュヴァラクリシュナによる『サーンキヤ・カーリカー』に依拠せねばならない。『サーンキヤ・カーリカー』は、すべてのヨーガ学習者にとっての必読書である[6]。このテキストはわずか73節とかなり短く、そのため比較的取り組みやすい。『サーンキヤ・カーリカー』の中では心のことをアンタハカラナと呼んでいるが、これは内的器官を意味する。その反対が外的器官、すなわち体である。

内的器官は3つの構成要素からできている。

## 1．マナス

マナスはマインド、すなわち思考原理を指す。「人間（man）」という言葉は、マナス（manas）に由来する。マナスは感覚の入力したものを集め、それまでのデータと比較して、認識した対象が何であるかを特定する。しかし、暗闇の中ではロープをヘビに間違えることもある。遠くにある柱を人間だと思うこともある。生存のためにマインドは迅速に感覚データを処理し、この過程で正確さは失われることになる。たとえば、道路を渡っている時に大きな金属音が近づいてくるのを聞けば、人は急いで移動する。マインドによってトラックの音のようだという指図がなされるため、少し待ってその物音が本当は何なのかを深く調べることもない。このような状況では、実は物音は頭上を飛行する航空機であるとか、近くの建設機械であるとかを認識する前に反応する傾向にある。マインドはたえず反応を促すので、その結果私たちは、ちょっと立ち止まって本当は何が起こっているのかを理解することはない。

## 2．アハンカーラ

アハンカーラ（ahamkara）は自我、自我意識を指す。アハン（aham）は私を意味し、カーラ（kara）は配役係、製造者を意味する。あわせると、私を作る人（I-maker）の

---

[6] See G.J.Larson, *Classical Samkhya*, 2nd rev. ed., Motilal Banarsidass, Delhi, 1979; or *Samkhya Karika of Isvara Krsna*, trans. Sw. Virupakshanada, Sri Ramakrishna Math, Madras.

意味になる。自我は、思考原理の認識を所有する代理人 (agent) である。「トラックが近づいていると認識しているのは『私』であり、安全な歩行を進めているのも『私』である。そうしなければ、『私』は死んでしまう」と自我は語りかけるのである。

## 3．ブッディ

　ブッディ (buddhi) は知性 (intellect)、知能 (intelligence) を指し、この語は目覚めを意味する動詞の語根budhに由来する。ヨーガでは、知性は知能の中心を意味する。たとえて言うなら、知性とは、鉄鉱石と火があれば、内燃エンジンを思いつきトラックを組み立てるところまで理解する主体である。ヨーガの原動力となるのは、知性（ブッディ）である。ヨーガとは、意識（プルシャ）そのものを認識できるまでに知性を洗練し、研ぎ澄ませて精度を高める過程である。これについては、『ヨーガ・スートラ』の3章と4章で詳しく考察する。

　スートラ1.2最後の用語は、ニローダである。これは「統制 (control)」とか「抑制 (restraint)」と訳されることが多いが、ヨーガの文脈ではそれでは意味を成さない。また、ヨーガを学ぶ者を誤った道に導きかねない。私たちが心を統制し抑制するなら、心を統制しようとする実体が存在しなくてはならない。この実体は活動をしているはずであり、世界に介入することのない純粋な傍観者である意識ではありえなくなる。しかも心を抑圧するためには、この実体には自由に使える意志力があるはずである。このような行為をすることが可能な実体は自我しかない。心を抑圧し、統制し、抑制する過程は、自我を強めることになるだろう。しかしながら、自我こそが意識を認識する妨げとなるものなのである。

　意識を認識するのは、心の波を受動的に停止し、静め、止むのを通してである。これは洞察力、叡智、知性そして知識を通してのみ可能となる。スートラ1.16には、完全に身を委ねること (surrender) によってニローダの状態は生み出されるとある。これは、最高の離欲（パラヴァイラーギャ）に他ならない。したがって、ここではニローダを止滅 (suspension)、停止 (cessation) と訳す。「抑制」という言葉のような、外からの攻撃の意味が暗示されることがないからである。

　止滅の心（ニローダ・チッタ）の状態では、対象のない、超意識のサマーディ（アサンプラジュニャータ・サマーディ）が生まれる。スートラ2.45では、サマーディもまた至高の存在へ身を委ねることによってもたらされると書かれてある。〔アシュタンガ・ヴィンヤサ・ヨーガを創立した〕シュリ・K.パタビ・ジョイスの師であるシュリ・T.クリシュナマチャリヤは、これがサマーディに到達する最高の方法であ

ると信じていたのである。

　これらすべての考えは、サマーディは身を委ね、執着を離れ、認識する行為であり、心の揺れをなだめ、静め、停止し、沈黙することによって知ることだと示している。ニローダの説明に統制、抑制、抑圧、制止という言葉を使えば、自我や意志の力によって生ずる心の動揺をほのめかすことになる。このような方法で瞑想を行っても、解脱に向かうのでなく自己中心的な行為へとつながるだけである。

　この2番目のスートラで、パタンジャリは最も高次のサマーディのみがヨーガを適切なものにすると述べている。低次のサマーディである対象のあるサマーディ（サンプラジュニャータ・サマーディ）と、高次のサマーディである対象のないサマーディ（アサンプラジュニャータ・サマーディ）という2つの形のサマーディはまったく異なるため、パタンジャリにはこれら2つを別の段階に区分することもできたはずである。しかし、そうした区別をするのではなく、スートラ1.2でヨーガを対象のないサマーディとして定義し、スートラ3.3では対象のあるサマーディを定義している。対象のないサマーディについては、次のように理解できる。すなわち、サマーディの中で最も高次であるこのサマーディは、私たちの本来の姿であり、意識の中にとどまる意識である。これは経験ではなく、むしろ永遠で創造されることのないものであり、始まりも終わりもない。実践することもできなければ、生み出されることもない。私たちの中核であり、起源であり、運命なのである。それは今現在も私たちの住まうところなのだが、無知なためにそれがわかっていない。この最も高次のサマーディがヨーガの目的地点であり、真のヨーガである。

　〔スートラ2.28以降に説明される〕ヨーガの八支則とは、私たちを本源へと連れ戻す手段であり、対象のあるサマーディはここに含まれる。このため、この1.2のスートラでは、ヨーガは心の止滅（ニローダ）という本来の状態であると定義され、スートラ3.3においてサマーディでは対象をありのまま認識することと定義されている。要約すれば、対象のないサマーディ（アサンプラジュニャータ・サマーディ）がヨーガの目的地であり真のヨーガなのである。対象のあるサマーディ（サンプラジュニャータ・サマーディ）の実践は、その目的地への通過点なのだ。

## *1.3*　その時、見る者は本来の姿にとどまる。

　瞑想は、内面へと向かう退行の行為である。瞑想の第1段階は、自分の体を観察することである。観察することによって観察者、つまり見る者と見られるものとは異なることが認識できる。そして自分は体なのではなく、むしろ体を所有しているのだということがわかる。

次の段階は、マインドを観察することである。この観察が確立されれば、マインドとの同一視は否定される。なぜなら、見る者つまり観照者は、見られるものの外側に存在しなければならないからである。ここから次に、もっと深いところにある自我を観察するようになる。この観察は最初のうち大変難しいが、瞑想を実践することによって間もなく、私たちの中にあって「私」と主張する機能を観察し、分離し、探究できるようになる。コンピューターにたとえると自我（アハンカーラ）はOS〔コンピューターでソフトウェアの実行を管理する基本的なプログラム〕であり、その上でアプリケーションソフトである体やマインド（マナス）が作動する。体とマインドは、自我という背景があってこそ機能する。実際に、サーンキヤ哲学では、体とマインドは自我から進化したものだと考えられている。

自我を観察できるようになれば、私たちは自我ではなく、もっと深くに横たわるものであるとわかるようになる。ここでいう次の層というのが知性（ブッディ）である。コンピューターのたとえに当てはめれば、知性はハードウェアのようなものである。ハードウェアはそれ自体で存在可能だが、OS（自我）やアプリケーションソフト（体とマインド）はハードウェアなしでは機能しない。サーンキヤ哲学では、自我は知性（ブッディ）から進化したものだと考える。知性とは、自我より先にできた、より深いところに位置する層なのである。知性には、「私」という観念はない。知性は、純粋な叡智である。

ここで、もう1段階先の瞑想に進む。知性は、いったん研ぎ澄まされれば観察できるようになる。そして知性は、外側にある主体に観照されていることを認識する。この外側にある主体が、意識（プルシャ）あるいは自己（アートマン）と呼ばれるもので、これは気づき（awareness）から成り立っている。気づきには形も実質もなく、したがって観察することも見ることもできない。この意識が見る者であり、最も深いところにある究極の層なのである。この意識は、古代の聖仙たちや解脱した師たちによって事実として確認されている。いかなる瞑想家も、これを試してみることができるのだ。

このスートラでは、真のヨーガの状態に至って心の揺らぎが静まれば、見る者すなわち気づきが本来の姿の中にとどまると語っている。もしパタンジャリが、「その時、見る者はそれ自身を経験する」と言っていれば、理解するのも簡単だっただろう。だが、それでは言葉の使い方が間違っている。その理由は、以下のとおりだ。

人間とは、一方の意識（プルシャ）と、もう一方の具現（プラクリティ）との橋渡しをする存在である。私たちの中核を成す意識は他を知覚しても知覚されることはなく、私たちは自分の姿を現象の世界に投影する。そして、自我意識を持った体／マインドなどの現象を自分自身であると信じるのである。

自己の本来の姿の中にとどまるというのは、ただ自己を外へと投影することをやめることである。外へ投影するというのは、知覚したものと自分を同一視することを意味する。この投影をやめることが中核にとどまることであり、それは世界や自分の体とマインドが過ぎ去っていくのを観照することを意味する。見る者の本質は、気づきである。気づきという自分の本来の姿の中にとどまるのは、ただ私たちは気づきであることを理解し、それを見失わないようにすることなのだ。

　ここまでの内容を理解できていないようであれば、理解できるまで読み直してみてほしい。ここには、ヨーガの秘密が隠されている。扱われている概念や、使用されている簡潔な専門用語は時に読者には難しいかもしれないが、事実を正確に述べなくては教えの核心は失われてしまう。S.ダスグプタは、「私は、哲学的な意味の正確さを損なう危険を冒してもイギリス人を満足させたい、という誘惑に抵抗をしてきた。インド哲学の概念の多くは、英語で正確に表現するとどうしようもなく難解になってしまう」と述べている[7]。

　以下が、この1.3の概念についての概要である。

　私たちの中核には不変で無限の至福と気づきがあり、これが真の本質、真実、本来の状態、意識、あるいは自己と呼ばれるものである。私たちは誤って心のはたらきと自分を同一視し、そのためこの状態を認識していないのだ。心のはたらき（ヴリッティ）が止めば、私たちは本来の状態へ戻るのである。

　ヴィヤーサは注釈書の中で、そうは見えなくとも意識は常にそれ自体の中にとどまっている、という重要な見解を述べている。ヴィジュニャーナビクシュはこれについて、復注書の『ヨーガ・ヴァーティカ』の中で次のような例を使って説明している。そばに何もない状態で水晶を見つめれば、私たちは水晶自体を見ることができる。しかし、水晶のそばに赤いバラを置けば、水晶はバラの色を帯び、水晶を見つめる私たちにはバラしか見えない。しかし実際は、この過程で水晶の本質が変わったわけではまったくない。

　同様に、対象のないサマーディ（アサンプラジュニャータ・サマーディ）の状態のときには、意識はそれ自体の中にとどまっている。実際には、意識は常にそれ自体の中にとどまっているのに、そうは見えないだけなのである。水晶同様、対象によって色づけされたように見えているのだ。そして水晶同様、物体を除けば意識自体は変わっていないことが理解できるのである。

---

7　S.Dasgupta, *Yoga as Philosophy and Religion*, Motilal Banansidass, Delhi, 1973.
　（高島淳訳『ヨーガとヒンドゥー神秘主義』せりか書房、1979年）

## 1.4 そうでない時は、
##     心のはたらきと同じ形を帯びるように見える。

　ここでいう「そうでない時」とは、見る者が意識という本来の姿にとどまっていない時を指す。そういう時に見る者は、内容がどうであれ心の形を帯びているように見えるのである。

　スートラ1.3の説明にあったように、これはただそのように見えているだけであることを覚えておかねばならない。実際には、赤いバラを反映している時も水晶は変わることはない。しかし、水晶自体は色を持たないため、水晶を見た時に認識するのはバラの色と構造であり水晶自体でない。つまり、赤いバラの持つ特質が水晶に重ね合わされ、水晶を赤いバラだと思ってしまうのである。

　同様に、思考の波が心という湖の表面にさざ波を起こせば、その色や形が純粋な気づき／意識という本来の姿に焼きつけられる。磁石が金属を引きつけるように心は対象を引きつけ、間違った印象を引き起こす。これらの対象や思考には色、形、構造、特質があり、それら対象を映し出す気づきがこういう性質を持つものとして誤って認識されてしまう。これが、人間の不幸と苦しみの原因である。

　先日私は、「私は頭の中の小さな声を聞いています」というステッカーが車に貼ってあるのを目にした。私たちは日々何百万ものことを考えている。現代心理学では、人間は何千もの自我と個性を持っていることが認められている。実際、私たちは一瞬一瞬変わり、少しずつ異なった個性（ヴァーサナー）が表に現れる。

　私たちの多くの異なる思考と個性は、頭の中の小さな声のようなものだ。これらの思考を誤って（自我と呼ばれることもある）「私である」（アスミター）と思ってしまうと、問題が生じる。たとえば、私たちが日々描く何千もの思考も、その思考と自分自身を結びつけて考えたり、その思考を自分のものと認めたりすることがなければ、問題とはならない。聖人であっても、殺人やヘロインの使用を考えることはあるかもしれない。しかし、それらと自分を結びつけることがないため、その考えを自分の持つ考えだとすることはない。殺人やヘロイン常用という思考と自分とを同一視することで、問題は起こるのだ。同一視して初めて、行動が伴う。この同一視や連結が、自分は現象であると考える間違った認識（ヴィパリャヤ）である。この間違った認識は、私たちは気づきであるだけだという正しい知識（プラマーナ）が認識（再認識）されない間は持続されることになる。

　社会を平和に保ち、監獄を空にして裁判官や警察の仕事をなくす早道は、人々に瞑想とヨーガ哲学を教えることである。私たちは永遠で無限であり、完全なる自由を示す不変の気づきを所有するということを永続的に理解できれば、心のはたらき

と自分自身を同一視することは阻まれる。

　この同一視が続く間は、頭の中の声を聞くことをやめるものは何もない。その声がアドルフ・ヒットラーに600万人ものユダヤ人虐殺を言い渡し、同様にジョセフ・スターリンに2千万人もの自国民を殺すよう命じたのである。白人たちは頭の中の声を聞き、世界中の何百万もの有色人種を殺害してきた。この声はまた、キリスト教徒に宗教裁判や聖戦で「異教徒」を殺すよう告げたのである。これらの行為はすべて、J.クリシュナムルティの「心（マインド）の歴史は残虐行為の歴史である」という言葉に集約されている。

　これらの行為が過去になされ、今なお続いているのは、私たちが頭の中の声と自分を同一視するからである。心は生存のための道具であり、先手を打って攻撃を回避するため常に他を支配しようとする。心が私たちを競争や戦争へと導く。自分自身を外側に投影して心のはたらきと1つになるのは、精神的な服従につながる。ヨーガでは、精神的な服従は誰かに操られることを意味するのでなく、自分自身の心に欺かれることを意味する。私たちは自分自身の心の奴隷なのである。手厳しい言葉ではあるが、心の恐怖政治に命を奪われた犠牲者を少しでも振り返って見れば、この言葉の正当性がわかるだろう。

　一方、意識には特質がない。私の中にある意識は、他の誰の意識とも同じものである。意識を認識することが平和につながり、皆のためになることをしたいという願望をもたらすのである。

## 1.5　心のはたらきには5種類あり、苦しみを伴うものと伴わないものがある。

　このスートラの前に、パタンジャリは自由と心への服従に関する概念を定義した。ここでは、「はたらき」（ヴリッティ）という言葉を分析する。ここで大切なのは、ヴィヤーサが注釈書に書いた主な考え、およびヴィヤーサが読者に理解してもらいたいと考えた用語について解説することである。

　ヨーガ・スートラ2章で、パタンジャリは煩悩（クレーシャ）の5つの形態の定義をしている。5つの煩悩とは、無知、自我意識、欲望、嫌悪、恐れである。ヴィヤーサの注釈書は、2つの重要な見解で始まっている。まず1つ目は、苦しみを伴う心の揺らぎはこれら5つの形態の煩悩（クレーシャ）から起こるということである。心の揺らぎは平安、幸福、満足からは生まれないことを理解することが重要である。2つ目の見解は、苦しみを伴う心のはたらきは潜在印象（サンスカーラ）を生じさせるというものである。ここで、ヨーガにおける潜在印象という概念について考えて

みよう。

　もし私たちが怒ると、その感情は潜在意識に印象（imprint）を残す。次に同じような状況に遭遇した時、心はその状況を過去に蓄積されたデータと比較し、この場合であれば「もう一度怒れ」と潜在意識が私たちに指図をする。前回怒ったことによって誰かを傷つけたとしたら、再びそうなる可能性が高い。以上説明をした潜在印象と記憶との違いは、潜在印象には自覚的に近づくことができない点にある。経験や感情はすべて、潜在意識に印象と傾向を残し、そのため何度も繰り返され、現れる傾向にある。犯罪常習者にとっては、ここが大きな問題である。

　ヨーギにとって、これら潜在印象（サンスカーラ）は大変重要である。今日作り上げた印象が、明日の行動を決めるからだ。これらの印象は心のはたらき（ヴリッティ）によって生じるのだが、この印象によって新たな心の波が生み出される。心の揺らぎは潜在印象を新たに作り続け、こうしてヴィヤーサの言うように心の波とサンスカーラは車輪のように回転し続けるのである。

　このため、ヨーギは心が1点集中（エーカーグラ）、あるいは止滅（ニローダ）の状態になるよう集中する。1点集中とはヨーガにつながる思考の波のみが存在することを意味し、止滅とは思考の波がまったくない状態を意味する。

　苦しみを伴う心のはたらきは、現実を誤って認識（ヴィパリャヤ）することにつながる。こうして次には無知（アヴィディヤー）、自我意識（アスミター）と苦（ドゥフカ）が生み出される。苦しみを伴わない心のはたらきは、現実を正しく認識（プラマーナ）するよう導く。そして、識別知（ヴィヴェーカ・キャーティ）と独存（カイヴァリャ）へとつながるのである。

## 1.6　5種類の心のはたらき（心の波）とは、正しい認識、誤った認識、概念化、深い睡眠、そして記憶である。

　心のはたらき（ヴリッティ）と潜在印象（サンスカーラ）の違いは、前者は自覚的なものであり意識的に近づき思い起こすことができる点にある。なぜ夢のない睡眠もここに含まれるかについては、後で説明する。

　『マーンドゥーキャ・ウパニシャッド』では、心の4つの状態が示されている。それらは目覚めている状態、夢を見ている状態、夢を見ない睡眠、そして（ヨーガでアサンプラジュニャータ・サマーディと呼ぶ）超越的な状態である。この1.6のスートラで夢のない深い眠りについて言及するのなら、なぜ目覚めている状態と夢を見ている状態については言及しないのだろうか。答えは簡単である。なぜなら、『マー

ンドゥーキャ・ウパニシャッド』はヴェーダーンタ哲学の経典であり、主に意識や超越的状態を扱っているからである。他の3つの心の状態、すなわち目覚めている状態、夢を見ている状態、夢を見ない睡眠は幻想であり、実在しないものと表されているのだ。

　一方、『ヨーガ・スートラ』は心について研究し、意識（プルシャ）を認識するためには心をどのように変化させる必要があるかについて指導している書である。このため、パタンジャリは目覚めている状態と夢を見ている状態を別のカテゴリーに分類したのである。

　目覚めている状態では正しい認識が成されるはずなのだが、概念化に関しては通常正しい認識と誤った認識が混在する。夢を見ている状態とは、主に概念化の1つであり、正しい認識と誤った認識が散在している。

　こうして心のはたらきを分割することがなぜ重要なのかは、それぞれの思考の波を説明すれば明らかになるだろう。

## 1.7　正しい認識とは、直接の知覚と推論と聖典の証言から成る。

　正しい認識とは、ある対象が現れ、それを心が正しく認定する過程を指す。認識とは、知覚とそれによって続いて行う過程のことである。心は、過去に認識された対象と現在ある対象を比較することによって認定をする。正しい認識は3つの方法で行われる。

　第1の方法は直接の知覚（プラティヤクシャ）であり、これが最も重要である。直接の知覚には2種類ある。感覚を通した認識と、超感覚的な認識である。感覚を通した認識では、対象となる物体を五感で知覚し、正しく認定する。

　これは、まれにしか起こらない。なぜなら、心は感覚の入力したものをすべて変形させるからである。たとえば、水晶体を通して目に光線が入ると、光線は交差し、対象は網膜で上下逆になって描かれる。赤ん坊にとって物をつかむのが難しいのは、このためだ。しかし、触覚を通してデータが心の中に入り、心は次第に視覚の受け取った像を逆にすればいいのだと思うようになる。つまり、2つの感覚は実際の像について同一でない情報を与え、心がそれを実際に最も近いであろうと思われる形に擬態するのである。

　別の例を挙げよう。網膜上で視神経の目への入口には、盲点がある。黒点のある白い紙を視野中で動かせば、これは明らかだ。ある地点で黒点が消えてしまうのである。これは、心はこの部分から感覚データを受け取らず、そのため盲点の部分を

**目の網膜に投影された像は、反対になっている。**

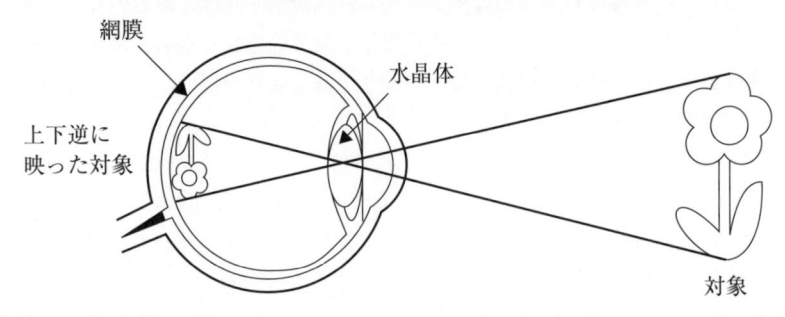

図：網膜／水晶体／上下逆に映った対象／対象

埋めているであろうと思われるものをそこに代入するからである。この場合は周りの色、すなわち白で埋めるのである。

　これは、心がどのように働いているかをうまく説明する例である。心は、最も可能性が高いと思われるものに応じて現実を模倣する。心にとって可能性が高く思われるものとは、周囲や過去から集めたものである。ヨーガではこれを、過去や環境を通して対象を色づけすると言う。

　これはまさしく、人種差別主義、性差別主義、ナショナリズムなどの先入観がどのようにして生まれるかと同じことだ。ある民族的背景を持つ人々が取る一定の行動についてあらかじめ聞いていると、その民族的背景を持つ個人に出会った時に、心はその行動をその人に投影する。そして彼らはまったく異なる行動を取りうる別々の個々人であることがなかなか認識できないのである。

　直接の知覚のうちの2つ目のタイプは、ヨーギにとってより重要である。感覚を通した認識は深遠な現実（ブラフマン）、意識（プルシャ）、あるいはただあるがままの対象（心の投影したものでなく、対象そのもの）を理解したい時には役に立たない。心は感覚の入力したものを修正するため、私たちの中にある真実は感覚では理解できないのである。

　心は、頭の中に世界地図を作りあげる。しかし当然、世界すべてをその地図の中に含むことはできない。しばらくの間、住んでいる街と市街図とを比べれば、市街図は単に現実を下手に模倣したものにすぎないことに気づくだろう。街を出歩くのに役立ちはするが、地図は街そのものではない。

　私たちの本来の姿を経験したいと思ったら、心を迂回して、いわゆる神秘体験、すなわちサマーディをする必要がある。サマーディでは、心に操られることなく現実が直接経験される。詳しくは後述するが、まずは3種類の正しい認識に話を戻そう。

正しい認識の第2のタイプは推論あるいは推理（アヌマーナ）である。煙があれば、火のあることが推理される。松の木からヤシの実が落ちれば、重力の存在が推論される。生命の存在から意識の存在を導き出し、死への恐れから過去に死を経験したことを推論するのである。推論には、理論と正確な論理が用いられる。推論の有効性は、知性の質によって決まる。

知性も根本原質（プラクリティ）の具現化されたあらゆるものと同様、怠惰（タマス）、熱狂（ラジャス）、叡智（サットヴァ）で構成される。推論は、知性がサットヴァに支配されている時のみうまく使うことができる。知性は、ヨーガを実践し経典を研究することで叡智（サットヴァ）に満ちてくるようになる。

正しい認識の方法の3つ目は、正当な証言（アーガマ）である。これには、専門家によるものと聖典による証言の2種類がある。事実を直接経験することができず、理性を通して推論することもできなければ、残された道は直接経験した誰かに尋ねることである。たとえば、犯罪捜査ではその多くの部分を目撃者に頼ることになる。目撃者とは、直接目撃している場合にのみ有益なのである。

ヨーガについて知りたければ、ヨーガの権威による証言を探し求めなくてはならない。ヨーガの権威のことを、ヨーガ・アーチャーリヤと呼ぶ。アーチャーリヤには次のような意味がある。

　　必要な経典を研究した人
　　推奨された方法を実践した人
　　その方法に成功した人
　　自分の経験したことを伝えられる人

これはとりわけ、サマーディを経験してもヨーガの研究も実践もしてはいないヴェーダーンタ学派の師は、ヨーガの権威とは呼べないことを意味している。このことは、しっかり覚えておく必要がある。ヨーガを学ぶ者は、神秘体験をすれば、突然すべてにおける権威になると思いがちだからだ。妙な話だが、神秘家自身もそう思っている場合がある。

一方、神秘体験をしたヴェーダーンタの師がヨーガの研究と実践も行っていれば、その師はヴェーダーンタについてもヨーガについても権威であると言えよう。ヴィヤーサやシャンカラがその具体例である。ヨーガ・アーチャーリヤの定義を見れば、このような人物を探すことは難しいことがわかるはずだ。実際、そうした存在はきわめて稀である。

現実そのものを知覚したいと思い、なおかつサマーディを経験できず、推論でき

るほど知性が発達していず、ヨーガ・アーチャーリヤを見つけることができなければ、正当な証言の2つ目のみが助けとなる。

この2つ目というのが聖典（シャーストラ）による証言である。しかし、どんな経典でもよいというわけではない。解脱について扱っている聖典を、モークシャ・シャーストラという。モークシャ・シャーストラにはいろいろあり、おそらくその中で最も重要なものが『ウパニシャッド』、『バガヴァッド・ギーター』、『ブラフマ・スートラ』、『ヨーガ・スートラ』だが、その他にも多くの経典が存在する。これらの中で『ヨーガ・スートラ』が、ヨーガの権威あるシャーストラ（ヨーガを扱った経典）である。

ヨーガについて学びたければ、『ヨーガ・スートラ』を避けては通れない。『ヨーガ・スートラ』は、解脱したヨーガの師が周りにいない場合は唯一の信頼できる証言であり、そればかりか『ヨーガ・スートラ』を研究することで注目すべき結果が得られるのである。

『ヨーガ・スートラ』の研究をし、続いてその内容を実践してみれば、まもなく真のヨーガ・アーチャーリヤとはどういう人なのか認識できるようになる。また、スートラの研究によって、知性がサットヴァ性になり推論に使えるようになる。しかし何より重要なのは、『ヨーガ・スートラ』の研究によって、やがては現実を直接知覚すること（プラティヤクシャ）、すなわちサマーディに導かれることになるのだ。つまり、聖典の研究は3つのタイプの正しい認識すべてにつながるのである。

## *1.8* 誤った認識とは、対象への誤った像（イメージ）を投影することである。

誤った認識とは、私たちが対象を知覚した後、心が感覚の入力したものと過去に集めたデータを対比し、対象を誤って認定することである。

たとえば遠くにある柱を見て、それが人間だと思ってしまう。暗闇の中で床の上にあるロープを見つけて、ヘビだと思う。自分の体を知覚し、それが本来の姿であると信じる。誤った認識の持つ問題とは、誤りを犯したとたんに正しい認識ができなくなってしまうことだ。生存を保障するため、心はまたたく間に結論を出してしまうのである。

私たちがロープをヘビだと思ってしまったとたん安全なところに逃げ、それ以上深く調べることはないだろう。多くの場合、状況に関して最初に下した判断に満足してしまうが、それは似たような状況で起こった過去の経験に基づく先入観であることが多い。

誤った認識の多くは取るに足らないことであるが、無知、自我意識、欲望、嫌悪、恐れという5つの煩悩を引き起こすこともある。

たとえば肌の色、国籍、性別、社会的地位、宗教は、ヨーガにおいては根本原質（プラクリティ）に属する特質であり、真の本質である意識ではない。それらの特質を誤って本質的なものだと知覚し、自分とを同一視すれば、異なる特質を持つ個人や集団と争いを起こしがちになる。意識という本来の姿を忘れさえしなければ、どこかの集団に属することは決して悪いことではない。しかし、社会的集団に属すことが本質的で最も深いアイデンティティであると思うと、自動的にその集団に属さない人々と争うことになるだろう。社会や国家のアイデンティティは本来の自分とは何の関わりもないことを理解していれば、争いは終わるだろう。このように、誤った認識は多くの煩悩を生み出すため、打開しなくてはならないのだ。

ただよい点は、正しい認識が達成されれば誤った認識は打ち壊されるということである。ヘビの例で考えると、ヘビだと思っていたものは実はロープだと誰かに教えられ、その場に戻ってもう一度見直しロープであることがわかれば、その瞬間に誤って投影されたヘビという像は消える。対象（この場合のロープ）はまったく変わっていない。ヘビからロープへ、誤ったものから正しいものへと変わったのは、対象の見せかけなのである。このように、誤ったものと正しいものが共存することはないのだ。

## 1.9 概念化とは、言葉だけによる知識であり、対象は存在しない。

正しい認識と誤った認識は、ともに実際の対象が基盤となるものだった。概念化では言葉が用いられるが、言及している対象は存在しない。私たちがある人の良い点、悪い点について話す場合には、その人の行った行為について言及しており、それで善と悪を認識していると思っている。だが実際には、善や悪などというものは存在しない。一つ一つの良い選択、悪い選択が集まっているだけである。

企業が新しい企業イメージを生み出そうとすれば、新しいロゴを作ったり、新たな宣伝活動を展開したり、車を新しい色にしたり、あるいは留守番電話に新しい曲を使用するというような戦略がとられる。これらすべてが一緒になって企業イメージの概念が作り出されるが、実は企業イメージという対象自体は存在していない。それぞれの出来事があるだけであり、それらをまとめ上げて1つの概念となっているのである。

私たちの言語というのは、概念化に大きく依存している。ある程度までは概念化

も有益であるが、混乱を招くことも多い。「こうなる定めだったんだ」という感嘆の声をしばしば聞くが、これは運命というあいまいな観念を示している。しかし、それは単なる概念にすぎない。実際には、運命という概念が示すものなどこの世に存在しない。

また、「うまくいくように」という言葉もよく発せられる。これと同じ的確さで「悪くなるように」と言うこともできる。行きあたりばったりの出来事に善あるいは悪を割り当てるのは、私たちが変化に対応しようとする中での単なる概念化にすぎない。生きていくうえで概念化は有用ではあるが、ヨーガで真実を経験するためにはゆくゆく捨て去らねばならないものだ。有用な概念の例として、ヴィヤーサは意識(プルシャ)を挙げている。意識とは単なる言葉にすぎない。意識という対象は存在しない。意識とは経験する者、見る者、すなわち純粋な気づきである。この気づきにより、対象は認識される。気づきは対象でないため、これを認識することはできない。それらが対象であるなら、意識ではないのだ。気づきとは、純粋で帰属するものを持たないものである。これに関しては後で詳しく述べる。

ここでは、意識は対象ではなく、「意識」という言葉は概念であるということを理解するだけで十分である。意識は主体であり、このため認識の対象とはなりえない。しかし、多くの人々は意識の概念がなくては解脱に行きつくこと自体不可能だ。この概念なくしては、師は弟子に何を探し求めるべきかを説明することすらできない。

意識の概念は、私たちが意識の中にとどまるやいなや解脱の概念とともに消えてなくなる。意識の中にとどまる状態には、「意識の中にとどまる」という言葉は含まれてはいないのである。しかし、言葉を使わなければ意思伝達はできない。

## *1.10* 深い睡眠とは、目覚めた状態も夢を見る状態も否定された心のはたらきである。

夢を見ない睡眠を心のはたらきの1つとして扱うのは、最初は不思議に思われるかもしれない。しかし、これにはいくつか理由がある。ヴィヤーサは、人は起きている時に「熟睡した」とか、「あまり眠れなかった」とか、「どんよりした眠りだった」などということを話すと説明している。これは、心を軽さ(サットヴァ)、活動(ラジャス)、あるいは鈍さ(タマス)のうちのいずれが支配的だったかに関して、記憶があることを示している。つまり、睡眠中の心の状態に関する知覚があり、その後それを認識しているということである。そもそも認識がなければ、睡眠後に睡眠の質を覚えているはずはない。

それでは、どのようにして睡眠中の心の状態は説明されるのか。これに対してパ

タンジャリは、この状態の心では目覚めの世界も夢の世界も否定されていると答えている。『マーンドゥーキャ・ウパニシャッド』については既に述べたが、この中で神聖な音節である「オーム」は4つの部分から成ると説明されている。オームの最初の部分はAであり、目覚めの状態を表す。2番目のUは夢を見ている状態を表し、3番目のMは夢を見ない睡眠を表す。そして4番目となるオームの後の沈黙は、超越的な第4位〔究極原理〕の状態(トゥリーヤ)を表している。ガウダパーダは著書『マーンドゥーキャ・カーリカー』の中で『ウパニシャッド』について説明し、アドヴァイタ(二元論的でない)・ヴェーダーンタ哲学体系の基礎を築いた。

　ガウダパーダは、目覚めの状態は夢の状態では否定されているので実在しないものであり、また夢の状態は目覚めの状態では否定されているので実在しないものであると説明している。私たちは目覚めている時には夢の中の経験は現実ではないと思い、夢の中では目覚めの世界は現実ではないと思っている。つまり、どちらも実在しないものなのだとガウダパーダは結論づけたのである。深い眠りの状態では、目覚めの状態も夢の状態も存在せず、目覚めの状態や夢の状態では深い眠りは存在しない。つまり、この3つはすべて実在しないものなのだとガウダパーダは述べている。

　同様の見解を、古代の道教の師である荘子が弟子に謎かけの形で語っている。午後の昼寝から目覚めた荘子は、蝶になった夢を見たと弟子に話した。荘子は弟子に、自分は本当に蝶になった夢を見た荘子なのか、それとも荘子になった夢を今現在見ている蝶なのかと問うたのである。

　この問いに、納得できるような回答をすることはできない。荘子が実際に荘子であるという説を裏づける証拠はすべて、目覚めの状態から得られるものばかりだからである。しかし、目覚めの状態の経験は、蝶であるという夢の経験によって否定された。第3の公平で影響を受けない現実から、荘子が本当は何であるかに関する証拠を持ってくるようにと彼は弟子に語りかけた。弟子たちにはそれができず、彼が本当に荘子であるかどうかを荘子に納得させることはできなかったのである。

　ガウダパーダが興味を示したのは、公平で影響を受けない現実である。ガウダパーダによると、この本当の現実とは超越的な状態(トゥリーヤ)であり、それは常にそこに存在するものである。この状態では他の3つの状態は認識されているが、他の3つの状態では4つ目の超越的な状態に気づいていない。ヨーガでは、この超越的な状態を対象のないサマーディと呼んでいる。それ以外の点では、パタンジャリは3つの状態は非現実的だとするガウダパーダの見解に賛同してはいない。しかし、夢のない深い睡眠では目覚めと夢のどちらも否定されている、という点では両者の意見は一致している。

パタンジャリは、夢のない睡眠における心のはたらきはやがては打開しなくてはならない障害であると語っている。これは、対象のないサマーディ（アサンプラジュニャータ・サマーディ）に反するからである。解脱へ到達するには、対象のないサマーディが永続的なものにならなくてはならない。深い眠りの中での心のはたらきがあるかぎり、対象のないサマーディは永続的にはならないのである。

## 1.11 記憶とは、過去に経験した対象が心の中に保たれることである。

　ヨーガにおける記憶（スムリティ）の定義は、自覚的に近づくことのできる精神的な状態のみに関わるものである。無意識的な心の状態は、潜在印象（サンスカーラ）として扱われる。
　記憶とは、ここまでで述べた正しい認識、誤った認識、概念化、深い睡眠という４つの心のはたらきを思い出すことである。
　睡眠とは、記憶に近づくことで推論される心のはたらきである。眠っている間は普通無意識であり、直接的に経験することはできない。睡眠中の心の状態は、記憶を通して認識される。
　正しい認識、誤った認識、そして概念化は、初めにそれぞれの状態が起こった時のことを指している。その後、これらすべては記憶となる。正しい認識と誤った認識では対象が存在するため、この２つの認識と記憶を区別するのは容易である。
　概念化は実際の対象について言及するものではないため、記憶と重なる点が多い。その場で概念を理解するのでなければ、概念化の中に記憶された信念を含む場合が多い。

## 1.12 これらの心のはたらきの止滅は、実践と離欲によって起こる。

　スートラ1.2でまずヨーガの定義をし、定義に出てきたヨーガ、心、はたらきという言葉の意味が後に続くスートラで定義された。このスートラでは、残る用語である「止滅」について扱う。
　パタンジャリはこのスートラで、実践（practice）、そして離欲（detachment）という２つの方法を組み合わせることで心の波は止むと語っている。ここで大切なのは、「そして」という言葉である。２つのうちのいずれかの方法のみを適用したのでは、心を極端な状態に導くことになるからだ。ただ実践を行うだけでは、「この練習方法

のみが正しい」、「アシュタンガ・ヨーガのみが正しいヨーガである」、「マイソールスタイルのみがヨーガのクラスに適している」、「私の崇拝している神のみが真の神である」、「資本主義のみが正しい経済体系である」、「民主主義のみが正しい政治体系である」といった信念を生み出しがちになる。

　これらの発言すべてに共通しているのは、真実は1つだけで他のすべては排除されると信じている点である。ヨーガではこれを、太陽の態度と呼ぶ。こうした態度は、プラーナが右の鼻孔から始まる太陽エネルギー経路（ピンガラー）を流れる時に支配的になる。これは、原理主義的傾向と呼ぶこともできる。この態度では、自分自身が良しとする観点と異なる態度であっても正しいことはありうる、ということが認められなくなる。これは心のわなであり、ある極端な真実への道を心に押しつけることで真実を見つけ出したと信じているのだ。

　しかし、実践をせず離欲のみを行ったのでは、逆のわなへ陥る。これは、「すべての道は1つの目的地へとつながる」、「すべてがヨーガである」、「すべては神聖で清らかだ」、「誰も皆、自分自身の真実に従って生きなくてはならない」、「誰も皆、自分自身の成すべきことをしなくてはならない」、「すべての見解、哲学、宗教は正当である」といった信念を生み出すのである。これらの発言に共通しているのは、多くの真実があり、真実は1つしかないということはありえないと信じている点だ。ヨーガではこれを月の態度と呼び、左の鼻孔から始まる月の経路（イダー）をプラーナが流れる時に支配的になる。月の態度では、私たちの持つ天性の能力を使う前に放棄してしまい、自分自身を変えることはできない。なぜならこの態度に従えば、私はありのままでよく、何も変える必要などないし、実際誰も皆そのままでいいのだ、ということになるからである。月の態度が極端になると、誤った見解を認識することができなくなり、特に一般には許容範囲かもしれないが自分にとってはふさわしくない見解や価値観を拒絶することができなくなってしまう。

　もし誰も皆そのままでいいのなら、なぜ人類の50パーセントは貧困の中で暮らしているのだろうか。なぜ、何千年もの間、私たちは常に戦争状態を生きてきたのだろうか。なぜ、刑務所も精神病棟も人々で一杯なのだろうか。なぜ、地球は人間を振り落とそうと怒っているかのごとく、変動しているのだろうか。月の態度は相対主義であると言える。ある角度からだけ見るとすべては真実であり、何事もさして心配する必要はない。相対主義は心のわなであり、極端な真実への道を心に押しつけることで真実を見つけ出したと信じているのである。ヨーガにおいては、心がどちらの極端な状態にあっても真実を見つけることはできない。極端な心に促されることなく、中心に落ちついていて初めて見つけることが可能となるのだ。

　ヨーガでは、中心となる存在はブラフマン、プルシャ、（心臓の中枢を意味する）フ

リダヤなどさまざまな名で呼ばれる。それはスシュムナーとも呼ばれるが、これは体の中心にあるエネルギー経路のことである。この中心にあるエネルギー経路をプラーナが流れる時には、心は太陽の極端な状態からも月の極端な状態からも解放され、思考の波は止滅する。この状態に到達するために、パタンジャリは実践と離欲をともに実行することを勧めているのである。これら2つはある意味相反するものであり、矛盾して聞こえるだろう。実際相反するべきである。そうでなくては、心は何が起こっているのかを解明してしまい、それではまたもや現実の模倣でしかなく、真実そのものを見つけたことにはならないからである。

この矛盾をそのままにしておくようにするために、避けなくてはならない態度が2つある。1つは、離欲を実践することである。離欲とは実践に相反するものであり、物事にしがみつく手をゆるめることである。手放すことは、練習できることではない。ただそのままにして、身を委ねるのである。もう1つしてはならない態度とは、実践からの離欲を実行することである。実践からの離欲では、ただ離欲がそこに残るだけで自分自身は相対主義に戻ってしまう。これもまた心のわなである。

## *1.13* 実践とは、止滅の状態にとどまるための努力である。

パタンジャリは、心の波を止滅するための二重の方法を説明した後、ここでまず2つのうちの実践を定義している。私たちはすでに止滅の心（ニローダ）を垣間見たことがあるかもしれないが、それでは十分ではない。安定して止滅の心の状態にとどまっていなくてはならないのだ。ヴィヤーサによると、安定とはニローダが穏やかに流れていく状態を指す。その穏やかな流れの中にとどまろうとする努力が、実践（アビヤーサ）である。この努力は、力強く熱意に満ちたものでなければならない。『ブラフマ・スートラ』の著者であるヴェーダーンタの師、ヴィヤーサが、穏やかな流れの中にとどまるための努力や精神や熱意を勧めているということには驚くかもしれない。しかし、もう1人のヴェーダーンタの師、シャンカラは、ここでは努力、精神、熱意は同じことを意味していると述べて、ヴィヤーサの著述を確認している[8]。

パタンジャリのスートラとヴィヤーサの注釈書によって、シャンカラの次の詩が思い出される。「大志を抱く者は、これ（瞑想）を注意深く実践しなくてはならない。そうすれば自分でうまく統御でき、自然に湧き上がるように本来の歓喜が現れる」[9]。

---

8　*Shankara on the Yoga Sutras*, trans. T.Leggett, Ist Indian ed., Motilal Banarsidass, Delhi, 1992, p.97.
9　*Aparokshanubhuti of Sri Sankaracharya*, v. 125, trans. Sw. Vimuktananda, Advaita Ashrama, Kolkata, 1938, p.68

3人の師は皆、努力、実践、精神を実行すれば「本来の歓喜」、「穏やかな流れ」、「止滅の心の状態」が自然に現れ出ることについて、繊細で深遠な理解を示している。これは2つの事実を示すものである。1つ目は、昔はヴェーダーンタとヨーガの間に現代のヴェーダーンタの師が主張するほどの差はなかったということだ。2つ目は、「自然なままでいるだけであり、人工的な努力などまったく必要ない」という、現代の師たちによる教えにありがちで、ヒッピー世代の考えに大変心地よく適合する信念は、ヴェーダーンタ学派の創始者たちである、ヴィヤーサやシャンカラの教えを基にしたものではないということである。ただありのままでいるというのは、何年もの実践と探究を積んだ後の大変高度な状態だ。ただ、心の気まぐれに従っているという心に服従するだけの状態とは違う。詳細については後述するが、内なる自由（サマーディ）は外的な枠組みと規律、つまり実践によって到達されるものなのだ。外的な枠組みや規律は必要ないとする現代の師たちの主張は、明らかに多くの人々を引きつけるが、そうした態度は内面における独断的姿勢や限界へとつながるものである。

## 1.14 実践は、長い間、中断することなく、心を傾けて行って初めて堅固な状態になる。

　私たちは、しばらく実践した後に突然、実践の努力をしても過去の条件づけに圧倒されていると気づくことがあるかもしれない。そして突然、怒りや欲、自尊心、欲望、ねたみの気持ちが高まり、これだけヨーガをした後になぜこんなことが起こりうるのかと思うかもしれない。このような感情に屈するのを避けるには、どうすればよいのだろうか。

　パタンジャリは、実践をしっかり堅固な状態にまですることを提案している。このような状態は、突然成し遂げられることではない。まずは、実践で良くもなれば悪くもなることを経験しなくてはならない。進歩したかと思えば、前の状態に後戻りすることもある。本当に安定した状態に至るには、長い間中断することなく、心を傾けて実践を続けなくてはならないのだ。

　では、長い間とはどれくらいを意味するのか。1年では長いとは言えない。10年でまずまずと言える。数十年なら現実的だろう。古代の聖仙たちは概して長いあごひげを生やした姿で描かれ、生涯にわたる研究と実践を重ねた後に束縛からの解放を得たと言われている。確かに、若くして信じがたい叡智を手に入れた師もいる。たとえば、シャンカラは12歳の時に『ブラフマ・スートラ・バーシャ』を著している。しかし、これが通例ではなかったことは、シャンカラがインドで神聖な生まれ

と考えられている事実からもわかるだろう。

　普通は、数年の実践でヨーギが真実の中に落ち着くことはない。「長い間」というのは、どんなに長くかかろうとも実践することを約束し、どんなに進歩のつまずきが感じられようともうろたえないことを意味する。『バガヴァッド・ギーター』には、すべての行為は至高の存在によってのみ遂行され、行為の成果や結果は至高の存在のものであるという説明がある。実践しているのは私ではないと認めることができるのなら、結果を期待することもない。

　パタンジャリは、実践しているのはプラクリティ（根本原質）であり、私たちはただそれを観照しているだけなのだと言っている。『バガヴァッド・ギーター』には、至高の存在がプラクリティを動かし、つまり、すべての行為を実行しているとある。いずれの姿勢にしろ、ヨーガでどこかに到達しようという考えを放棄すれば、今この瞬間に目的地に到達するのである。実践がいかに長くかかるかは、もはや問題ではない。なぜなら、私たちはすでに到達しているからだ。

　中断することなく実践するというのは、毎日正式な練習を行うことである。大変利口な人物が、「しかし、疲れている時、疲労困憊で練習する時間も元気もない時に練習をしたところで、健康に害があるだけ」と話していた。この考えは道理にかなったものではあるが、なぜ疲労困憊で練習する時間も元気もないのかを自分に問いかけてみなくてはならない。おそらく、金銭を求めることに時間を費やしすぎているか、社会生活にエネルギーが注がれすぎているかであろう。あるいは、前日夜遅くに食事をしたり、食べ過ぎたりしたのかもしれないし、十分な休養がとれていないのかもしれない。H.アーランヤは、中断されない実践とは、絶えず実践することだと言っている。つまり、ここでは〔一定時間行う〕正式な練習のことではなく、一瞬一瞬に心をこめて、気づきを高めていくことを言及しているのである。

　パタンジャリが実践の確立のための要素として挙げている3つのうちの最後は、心を傾けて実践することである。間違った態度で実践するというのは、たとえば理由は何であれ練習しなくてはいけないので練習するが、実際は練習を嫌っているような状態を指す。具体的には、以下のような場合である。

　他人に望まれるように、よい体に鍛えなくてはならないと考える。
　他人よりうまくポーズができるように練習すれば、自分は他人より優位になると考える。（瞑想やサマーディの実践についても、同じことが言える。）
　肉体的に、精神的に、あるいはスピリチュアルな点において、他人より有利になりたいために練習する。

心を傾けて実践するとは、実践ができることに感謝の気持ちを持ち続けるということだ。この人生でヨーガに出会えたのは、大変な幸運である。ヨーガについて聞いたことがない、あるいは正しいヨーガに出会ったことがない人たちは大勢いる。戦争状態にある国に住む人々、経済危機の中で暮らす人々もいる。どちらの場合でも、ヨーガの実践をするのは難しい。
　また、体が不自由であったり、精神錯乱であったりすると、ヨーガをすることはより困難だろう。こういう点を頭に入れておくとよいだろう。これらのどれにも私たちが当てはまらないのなら幸運なことであり、ただ実践を続け、それに心を傾けるだけでいいのである。

## *1.15* 離欲とは、見たり聞いたりする対象に対して欲望を持たないことを習得することである。

　実践についての説明が終わり、次にパタンジャリは心を静めるもう1つの方法について定義をしている。実践をしても欲望を持ち続けていれば、どこかの時点で必ず、欲望を果たすことに実践で得た力を使ってしまう。
　20世紀には、心に欲望が湧き出れば、すぐさますべての欲望を満たさなくてはならないと提案する著名な指導者たちが登場した。こうして得た満足感から、心の静けさが得られるというのである。ここで問題なのは、欲望とは心（マインド）の中にあるということだ。魂は満足が具現化したものであり、満足感など必要ない。
　一方、心は甘やかされた子どものような反応をする。すべての要求が満たされれば、新たに3つの要求が現れる。ついには世界全体が、感覚的な満足を供給して欲をなだめる巨大な機械のように見える。
　幸福は外的満足の中に見出されるものではなく、魂の静けさの中にのみある。心の欲望を満たせば、次のような間違った2つのメッセージを発することになる。

　実際には、自由は自らの内側にあるにもかかわらず、心の欲望を満たすときに永遠の幸福は見い出されると明言する。
　心の欲望に屈することで、心が私たちに与える影響力を大きくしている。

　心の要求や欲望の成就に依存しているわけでは決してないことを認識できれば、私たちはより自由で幸せになる。暴飲暴食のように、欲望の言いなりになると、精神を弱体化させる影響がある。一方、外的刺激に依存しなくても自由を求めることは可能だと理解すれば、信じられないような力と精神的な明晰さがもたらされる。

ネルソン・マンデラやマハートマ・ガンジーの生涯がその例である。
　離欲は、4つの段階を経て発展していくと言われている。その段階とは以下のとおりである。

1. 欲望を満たすことで自由になるのではなく、もっと多くの欲望を作り上げるだけだという考えを受け入れる。
2. すべてではないまでも、いくつかの執着（物）を解き放つことに成功する。
3. 表面的には、すべての執着から解放される。種子はまだ心の中に存在し、適当な対象が現れると再び芽を出す可能性がある。
4. 離欲を習得する。パタンジャリが言っているのは、この段階のことである。この段階には徐々に到達できる。

　離欲は、2つの異なるタイプの対象から得られる。1つ目は目に見える対象である。これは他人の肉体、おいしい食べ物、アルコール、ドラッグ、金銭、不動産、衣服、そして執着する可能性のあるあらゆる富や権力である。
　2つ目は耳で聞くことのできる対象である。これは、『ヨーガ・スートラ』の3章で述べられるヨーガによる達成やヨーギの能力すべてを指す。アーサナや瞑想の達成、サマーディや悟りなどの観念もそうである。つまり、サマーディに到達したいという欲望は結局、サマーディへの道を妨げるものなのである。欲望を持つことは、自らの心とともに未来にいることを意味する。だがサマーディとは、未来という考えから解き放たれることなのだ。

## 1.16 最高の離欲とは意識を認識することから起こり、グナの現れに対する渇望がないことである。

　最高の離欲とは成し遂げるものではない。意識（プルシャ）を知れば、自然に起こるものである。そうすれば、それまでに執着していたものすべては、本来の姿が持つ輝きに比べてうす暗く、陳腐に見える。サーンキヤ哲学によると、私たちの知るものと知りうるもののすべては、根本原質（プラクリティ）の3つの特質（グナ）によって表される。グナの組み合わせによって、目に見える粗雑な世界、目に見えない微細な世界、私たちの体、マインド、自我、知性は姿を現す。グナによって生み出されない存在には2つあり（タットヴァ）、どちらも外に現れるものではない。その2つとは、すべてのものの生じる元となる根本原質、つまり世界の基盤（プラクリ

ティ)、およびすべてのものを観照する意識(プルシャ)である。

観客が席に着くと舞台上に姿を現すダンサーのように、プラクリティは意識に見られるとグナを通して世界を現す。このように世界を表明することを経験と呼び、これが束縛をもたらす。本当は私たちは永遠なる意識であるが、表された現象が自分なのだと誤って思うことで、束縛を受けるのである。

ある意味人間とは、自分が信じるもの、なるだろうと思うものになると言うことができる。意識(プルシャ)は永遠に自由だが、人は本来の姿を忘れてしまい、自分は現象(世界、体、心など)なのだと思い始める。これが束縛と呼ばれるものであり、苦悩をもたらす。私たちは常に、永久不変の状態を通して幸福に到達しようとするが、現象とはすべて一時的なものである。パートナー、友人、家族はいつか死ぬ。自分自身の体は衰え、死に絶えるだろう。家も車も老朽化し、積み上げてきた富がすべて誰かの手に渡るときがいつかやってくる。私たちがしばらくの間束縛を経験し(正統派(オーソドックス)の出典によると30兆回もの転生をする)、その経験が十分になれば自分自身のことを意識、つまり自由であると認識するようになる。こうして意識を認識することで、グナの具現化された現象への渇望はすべて止む。これが最高の離欲である。

どんなにがんばって試みても、この離欲の型は決して生み出すことはできない。これは、神秘的体験をすることでしか得られないのである。そうすれば、まるで巨大な岩が山頂から転がり落ちて決して戻ってこないように、グナはその具現化されたものとともに私たちからはがれ落ちていくのである[10]。

## 1.17 対象のあるサマーディとは、熟考、考察、歓喜、私であることに関わるものである。

心を静める方法について説明したパタンジャリは、次に2つのタイプのサマーディについて定義している。スートラ1.1で、ヨーガという言葉がサマーディ(*yujir samadhau*)と同じ語根を持つことは学んだ。ヴィヤーサはヨーガとサマーディを同義で使っており、しばしばサンプラジュニャータ・サマーディでなくサンプラジュニャータ・ヨーガとして説明している。

スートラ1.2では、パタンジャリはヨーガを心のはたらきの止滅(ニローダ)と定義した。これは、ヨーガの真の状態は高次のサマーディ、つまり対象のないサマーディ(アサンプラジュニャータ・サマーディ)であり、これがヨーガの目標地点でも

---

10 ヴィヤーサの『ヨーガ・スートラ』2章27節への注釈。

あることを意味している。第1のサマーディは、第2のサマーディへの通過点である。パタンジャリは大半の章句において、第1のサマーディを第2のサマーディ、つまり解脱へ至るための道として扱っている。

　第1のサマーディは、サンプラジュニャータと呼ばれる。サ(sa)は「ともに」を意味し、プラジュニャーは「叡智」や「洞察力」と訳されることが多い。これは、対象をあるがままに知覚する知性の能力である。この文脈では、プラジュニャーは認識(cognition)を意味し、つまり対象を意識することを指している。サンプラジュニャータに最適な訳は認識のサマーディであるが、対象のあるサマーディと呼ぶこともできる。このサマーディでは、知性が認識を行っているのである。「認識する」は知性が対象に集中していること、あるいは対象を意識していることを意味する。

　第2のタイプの高次のサマーディはアサンプラジュニャータ・サマーディ(超認識サマーディ)といい、このサマーディでは人は対象の認識を超越して、意識の中にとどまるのみである。これは、対象のないサマーディとも呼ぶことができる。「無意識のサマーディ」という表現を訳に使用する場合もあるが、私たちはこの状態の時には意識自体とともにいるのであり、「無意識のサマーディ」という表現はきわめて混乱を招くものである。ヒッピー世代はこの状態を「宇宙的意識(cosmic consciousness)」と呼ぶが、こちらのほうが「無意識のサマーディ」よりも適切な表現である。これら2つのサマーディについてはこの後も多くを語ることになるので、「認識」とか「超認識」とかいう言葉を多用することは避け、代わりに一般によりなじみのある「対象のある」と「対象のない」という言葉を使用する。しかし、より正確な訳も頭の中に入れておく必要がある。

　このスートラの中で、パタンジャリは対象のあるサマーディを定義している。定義づけにおいてパタンジャリは、瞑想の対象がどれほど表面的、あるいは内面的なものであるかに基づく4段階にわたる深さのレベルを説明している。

　第1段階は熟考(ヴィタルカ)と呼ばれ、大変控えめな形のサマーディである。実際、ヴィタルカ・ディヤーナ(熟考の瞑想)と呼ばれることも多い。瞑想とサマーディの境界は、はっきりとせず曖昧である。熟考のサマーディとは、ヨーガで粗雑な対象(gross object)と呼ぶ物質的対象に集中することである。「対象」という言葉を使用するのは、紛らわしいかもしれない。なぜならヨーガでは、純粋な意識以外のものはすべて対象と呼ばれるからである。知性や自我さえ対象なのである。これに対し、気づきは主体、観照者であるため、対象ではない。

　たとえば月を対象にして、熟考のサマーディを実践しているとしよう。この場合の月は、粗雑な対象である。熟考とは、サマーディの間に月に関するあらゆる概念について考察が行われていることである。たとえば月に集中している間に、銀色の

光、湖に映る月、月の堅さ、月の表面、月の軌道、月が潮や私たちの体液に与える影響、月と精神異常の関係などについて考えるのである。それがすべてである。パタンジャリは、最初のバーを大変低い位置に定めている。他に何も考えず月に関する概念のみを熟考し、心が対象である月との同一性（サマーパッティ）に到達すれば、厳密には、これはすでにパタンジャリの言うサマーディなのである。

次の段階は、最初のサマーディに到達した後に行う。考察のサマーディでは、微細な対象に集中する。これは音、心臓のチャクラ、頭の中のきらめき、概念などのように、物質の形をしていないもののことである。第1のサマーディは熟考し（deliberating）、1つの対象について深く集中して思考を巡らす実践であった。考察のサマーディでは、考察（reflecting）、あるいは熟慮（contemplating）をする。これは、はるかに深遠で捉えがたい行為である。真の意味が湧き上がるのを受け身で待つのに近い。『ヨーガ・スートラ』の概念の背後にある真の意味を理解したいのならば、この段階のサマーディを用いる必要がある。真の意味は、つかみとることも支配することもできず、それが現れ出るまで考察を続けなくてはならないのである。

対象のあるサマーディの3つ目は、歓喜に満ちた（アーナンダ）サマーディである。微細な対象が理解できれば、歓喜が起こる。微細な対象を理解することで、自由の一瞥が得られるからである。この段階になって初めて、いつの日か自由になると思えるだろう。そして、自然に幸福が湧き上がるのである。その対象、つまり幸福感を対象にサマーディを行えば、それが歓喜に満ちたサマーディである。それは、経験自体についてのサマーディなのである。

4番目の対象のあるサマーディは、「私であること（I-am-ness）」を対象に行う。「私は歓喜を経験している」と言うのは、誰だろうか。この私であることに集中するのが、4つ目のサマーディである。自己感覚の機能である私であることに関して深く考えるなど、最初は奇妙に聞こえるかもしれない。しかし、これは「私は何て素晴らしく大きな自我を持っているのか」と考えることではない。自己感覚（自我意識）への瞑想とは、もっと違ったものである。ヨーガではまず、体を観察することを学ぶ。この観察ができるようになれば、自分自身は体ではなく、体から独立した観察する主体であることがわかる。そうでなければ、体を観察することはできない。次に、自分の思考を観察し始める。次第にその観察を達成し、自分と切り離して見知らぬ人の思考でもあるかのように観察できるようになると、自分は思考ではないと理解できる。体でもなく、マインド（マナス）でもないとすると、私たちは一体何なのか。体と心を所有すると主張する主体は、アハンカーラ（自我）と呼ばれるものである。アハンカーラには誤って見る者（純粋な意識）と見られるもの（心）を混合するはたらきがあり、これが自己感覚、すなわち私であること（アスミター）と呼ばれ

るものである。

　対象のあるサマーディの最終段階では、瞑想はこの純粋な自己感覚について行われる。これは純粋でなくてはならない。「私は偉大だ」、「私はだめだ」などの考えと混合されてはならないのである。私は誰なのか、何者なのかという議論や思考が起こることなく、サマーディが私という純粋な概念上で維持されれば、いくつか根本的なことが明らかになる。1つは、自己感覚とは無知、自分のことを知らないことに基づくものだということだ。深く自我に入っていけば、それは知性／知能から起こるものであることがわかる。知性が一旦見つかれば、その中で何が現実で何がそうでないかについての識別知が生じる。そしてここから次第に、意識（プルシャ）の認識、つまり解脱が起こるのである。この最終段階については、次のスートラで述べられている。

## 1.18 もう1つのサマーディは心のはたらきを静める実践をした結果起こり、潜在印象だけを残す。

　ここでパタンジャリは、2番目に高次のサマーディ、本書では対象のないサマーディ（アサンプラジュニャータ・サマーディ）と称しているものについて定義している。

　このスートラでは1.2にあるヨーガの定義を取り上げ、それについて詳しく述べている。長時間持続して心の波を止滅（ニローダ）していれば、それは対象のないサマーディの状態である。また、対象のないサマーディが永続的になれば心は永遠に止滅の状態となり、これは解脱を意味する。

　対象のないサマーディだけが、この効果をもたらすことができる。対象のある（サンプラジュニャータ）サマーディのように心が対象にとどまっている限り、心の波は集中していて（エーカーグラ）、止滅（ニローダ）の状態にはない。つまり、対象のあるサマーディは、解脱を生み出すことはできないのである。

　湖に石を投げ入れれば波が生じて湖面がゆがめられるように、心にある対象は思考の波を生み、たとえ1点集中（エーカーグラ）の状態であっても心の湖面を波立たせる。それでは、本来の姿を映し出すことには使えない。私たちに本来の姿を見せてくれるのは、対象のないサマーディだけなのである。

　ヴィヤーサは、スートラ1.16で言及されている最高の離欲は、このサマーディへの手段であると言っている。これは矛盾をはらんでいる。1.16では、この最高の離欲は意識を知ることで起こると述べられているのだ。しかし、意識そのものを認識

することは、対象のないサマーディを通してのみ可能なのである。

　この矛盾については、以下のことを理解しておかねばならない。

　一時的な対象のないサマーディである神秘体験は、決して強制されるものでも到達できるものでもない。何かをしたからといって、神秘体験が起こるわけではないのだ。神秘体験は見る者の潜在意識にある条件づけ、あるいはむしろその欠如によるところが大変大きく、特定の人間に一体何によってこの体験がもたらされるのかはまったく定かではない。このことは、『ヨーガ・スートラ』の中で多くの異なる技法が提案されていることからも分かる。一方で、神秘体験は予想できないということから、これは神の慈悲によって授けられるものだと考えられるようになってきたのである。

　いったん神秘体験をすれば、人生で今まで行ってきたどんなことも、この体験をもたらすことはないということがわかる。人間は、このような壮大さを表すには小さすぎる。唯一人間にできることは、この表現しがたいことが起こりうる状態に自分を持っていくことなのである。

　最高の離欲と心を静める実践は助けとはなるが、直接結果を引き起こす原因とはならない。むしろ招くのである。招待客（アサンプラジュニャータ・サマーディ、あるいはそれを垣間見ること）が到着すれば、意識は知られるところとなる。この知識から永続的な最高の離欲が生まれ、そこから永遠に意識の中にとどまること（解脱）へとつながるのである。

　しかし、こういう状況が起こる前にもう一度心をよく見ておく必要がある。すでに述べたように、心は思考のはたらき、または波（ヴリッティ）と呼ばれる意識的な活動と、潜在印象（サンスカーラ）と呼ばれる無意識の活動から成る。潜在印象は、思考と行為の結果である。神秘体験（わずかな時間のアサンプラジュニャータ・サマーディ、あるいはそれを垣間見ること）が心を止滅する、あるいは心の止滅により神秘体験がもたらされるが、その体験が私たちの潜在印象を破壊することはない。したがって、サマーディが終われば、心は後に残った条件づけ（サンスカーラ）から再び現れるのだ。

　こういう状況になっても、落胆することはない。対象のないサマーディを最初に１時間しただけでこの条件づけを根絶しようというのは、多くを望みすぎである。信念を持って、この道を歩み続けなくてはならないのだ。

　対象のないサマーディが永遠になれば、過去の条件づけは取り除かれ、煩悩の種子と呼ばれるものは破壊される。この種子からは新たに、無知の行為とグナの現れを渇望する気持ち（生命の渇望）が芽生える。これがニルビージャ・サマーディである。

この詳細については後述する。

## 1.19 肉体を持たない者、プラクリティに没入する者には出現の意図がある。

このスートラと次のスートラでは、2つのタイプの対象のない（アサンプラジュニャータ）サマーディについて考察している。スートラ*1.20*では、ヨーガの実践とヨーガの意図である解脱とともに生じる対象のないサマーディを説明している。

解脱とは何かしら、現れているものの領域を離れること、あるいはその領域を越えることを意味するものである。『サーンキヤ・カーリカー』では、最終的な認識とは「私でない（*na asmi*）」という概念であると述べられている。これは、仏教での教えのように私を滅却することを意味しているのではない。ヨーガでは、私（I）と自我意識（egoism）は心と同様に永遠で終わることのないものである。これは、ヨーギが自分自身を意識（プルシャ）として認識すれば、私であること、自我、心と自分自身との一体化がなくなるということを意味している。「私」という概念、「私は個人であり、この世界で独立したアイデンティティを持つ」という無知な概念を乗り越えれば、「私」は意識であるとは言えなくなる。そうなれば、「意識はある」と言えるだけだ。

しかし、「意識がある」と言ったところで、部分的には間違っている。なぜなら意識には、存在、非存在、どちらでもない、あるいはどちらをも超越する、といった概念が含まれているからだ。そこで、『サーンキヤ・カーリカー』では「私でない」とだけ言っているのである。これは私を滅却するということを意味しているのではなく、むしろ私はもはや「私である」という言葉で説明できるものではないということを認識したことを意味する。

私でないことを認識するとは、独立して表に現れる個人のままでいたいという欲望を超えたことを意味する。広大な大洋でいられるというのに、なぜ小さな水滴でいたいと望むのであろうか。私たちを引きとめているのは、私であるいう足かせを失いたくない恐怖と無知のみなのだ。

ヨーガを探究し、理解し、実践し、認識した真のヨーギは、私でないことの反対に位置する「出現する」という意図を失う。出現するとは、独立した個人のままでいたいという自分の願望を維持することを意味する。それは思い違いである。伝統的な解釈によれば、このスートラは、人は無知により何度も生まれ変わるということを意味する。出現とは純粋な意識の持つ歓喜を侵すものであり、真のヨーギはこの願望を解き放つのである。

このスートラに暗号のように組み込まれたメッセージの1つが、「ヨーガの意図を持ってはいるがヨーガの実践をしなかった者には、将来的に具現化したいという願望が残る」ということである。このような人々は2つのカテゴリーに分けられるのだが、1つは肉体を持たない者、もう1つがプラクリティに没入する者である。両者はともに大変高度で神秘的な状態であり、長い間維持されるものである。しかし、潜在印象（サンスカーラ）はこれらの状態で消されることはなく、また、「私である」という考えを乗り越えているわけでもない。そのため、こういう状況を経験している者は次第に後退し、再びマインドと自我に捕らえられるのである。

　このスートラで説明する最初のカテゴリーは、肉体を持たない者である。これは肉体を必要とせずとも存在する、強力な存在である。これらは昔から、たとえば神のようなものであると理解されている。インドで「神」という言葉を使う場合、キリスト教での神やイスラム教のアッラー、『ウパニシャッド』のブラフマンと混同してはならない。これらはすべて単数であり、唯一神しか存在しえない。インドのヴェーダ期における神々は、ギリシャ神話の神（ゼウス、クロノス、ヘラ、アフロディテ、アポロンなど）や、ローマ神話の神（ユピテル、サトゥルヌス、マルス、ウェヌス、メルクリウスなど）、古代ゲルマン神話の神（トール、ボータン、ロキ、オーディン、フレイヤなど）になぞらえられる。

　ヴェーダの神々は、自然の力を表現したものである。ヴァルナはネプトゥヌスと同様に、海洋を表す。インドラはトールと同様に雷を、アグニはロキと同様に火を表している。ヴェーダの神々は確かに、出現の予定や意図を持っているのである。古代の創世神話を読むと、「神々」の生活は人間の生活にきわめて似ていて、実際最近のメロドラマに出てくる主人公の生活のようであることがわかる。キリスト教の神やアッラー、ブラフマンは純粋な存在そのものであり、予定も意図もなく何かになる必要もない。これらの神とヴェーダの神々とは、確かにまったく異なるのである。

　パタンジャリと『ヨーガ・スートラ』の注釈を書いたヴィヤーサによると、神々はアサンプラジュニャータ・サマーディを極端に長く力強く続ける状態にある。しかし、潜在印象（サンスカーラ）は残ったまま消えることはなく、喜びが長く続く状態にあるため、自由を切望することはない。自由を切望するのは、人間のように喜びと痛みを両方ちょうどいい具合に与えられているからなのである。神々の持つ美点が使い果たされれば、神々は条件づけを受けた力ない状態に戻ることになる。

　もう1つのカテゴリーはプラクリティラヤといい、根本原質（プラクリティ）に没入する者を意味する。これもまた大変高度で神秘的な、対象のないサマーディの状態である。プラクリティとは世界の根源で姿が現れ出ることはなく、この広大な宇

宙すべてを生み出したものである。しかし、プラクリティ自体は現れるものではなく、対象ではない。「私はすべてとともにあった」、「私はすべての源とともにあった」、「私はすべての中に存在した」というような表現は、この状態を表すものである。現代にもこうした経験をして現在指導を行っている者もいるが、ここから解脱へ導かれることはなく、またそれは伝統的なヨーガでもない。

　解脱は自分自身を意識として認識することによってもたらされるものであり、具現の源（プラクリティ）に没入することとはまったく違う。プラクリティは永続的な生成であり、これと1つになることは生成を意図すること、予定することへとつながる。人々はここから自分を切り離さなくてはならず、永遠で創造されもしなければ汚されることもない不変の意識の中にとどまらなくてはならないのである。

　これで神秘的な状態にもいろいろあり、行き止まりにつながる道もあることがわかった。ヨーガの真実について念入りに熟考し理解すれば、自由への正しい道へとどまることになる。次のスートラでは、そのためにどうすればよいのかを説明している。

## 1.20 他の人は、信念、情熱、記憶、サマーディ、叡智を通じて、アサンプラジュニャータ・サマーディを得られる。

　アサンプラジュニャータ（対象のない）サマーディは、2つのカテゴリーに分けられる。スートラ1.19で、パタンジャリは出現の意図（バヴァ・プラティヤヤ）を抱く者と、そのために自由に到達することなく条件づけられた存在へと戻る者について説明した。これらは本当のヨーギではなく、サマーディに適切なヨーガの方法を通して到達したのではない。

　このスートラでパタンジャリは、所定の努力（ウパーヤ・プラティヤヤ）、つまりヨーガの実践を経て対象のないサマーディに到達する者について述べている。これが真のヨーギである。ここでは、先に述べた最高の離欲と合わせて行うべき5つの段階について説明がある。

　第1段階は信念（シュラッダー）である。信念（確信）は、自分自身の状況を分析し、ヨーガ哲学を研究し応用することで得られる。ヨーガ哲学を理論的に完璧に理解しなければ、完全な確信を持つことはできない。「うまくいくかもしれない」とか、「これが自分にとっていいのだろう」などというおぼろげな考えでは、十分ではない。「今の私の状況はこうである。私は束縛されている。私は自分の心の奴隷である。そのため、私は無知であり苦しんでいる。今はよくても、自らの死、病、愛す

る人の死、不慮の災難などの形で、苦悩はどこにでも起こりうる。つまり、私はここから抜け出し解脱を得なくてはならない。この目的のためには、私の条件づけを絶たなくてはならない。これは、ヨーガの段階と手順を経て正しい態度で行えば可能である。これらの方法を実践することで、私の前にも成し遂げた人がいるように、私も解脱を得ることができるであろう」というように、考えることができなくてはならないのである。

　このようにして少しずつ着実にヨーガを理解するのが、信念である。不明瞭なところがあり、このように考えることができないのなら、『ヨーガ・スートラ』などのヨーガ哲学をもっと研究する必要がある。

　2番目に必要なものは、情熱、エネルギー（ヴィーリャ）である。ヨーガを理解しても、「確かに理解はしたが、エネルギーをヨーガに費やしたくはない」というような否定的態度に見舞われることもある。ヨーガに対する正しい態度とは、すべてを与える心構えができていて何の期待もしないことである。聖仙ヴァシシュタが「真の自己努力」と呼ぶ正しい情熱があれば、私たちの作り上げた運命と離れることはない。ヨーガの道には、確かにエネルギーが必要である。最終的には、条件づけ（サンスカーラとヴァーサナー）から自分自身を自由にしなくてはならないのである。条件づけが作られるのに、一体どれほどのエネルギーがどれだけの期間投入されたのだろうか。これをすべてふりほどくには、情熱とエネルギーが必要なのである。

　必要とされる3番目は記憶である。信念と情熱があれば、ヨーガの道を始めることができる。しかし時には、迷ったり行き止まりに出くわしたりすることもある。混乱した時に、私たちは何をしているのかを思い出すことが大切だ。私の目的は何なのか。どうやってここにたどり着いたのか。ここからどこへ行きたいのか。どのようにするのか。

　特にヨーガがうまくいきはじめると、自分の意図を見失いがちである。アーサナやプラーナーヤーマが心地よくなり、そこにとどまっていることで幸せに思うかもしれない。あるいは、指導者やまわりの人間に真剣さがなく、そのためヨーガへの興味を失うかもしれない。真のヨーガを経験したことがなく、落胆するかもしれない。いずれの場合も、自分自身のこと、自分の目的、目標地点、正しい方法を覚えていることが重要である。この記憶があれば、道をはずれることはないだろう。

　4番目はサマーディである。ここでも、『ヨーガ・スートラ』のあらゆるところで使われているのと同様、対象のある（サンプラジュニャータ）サマーディのことを言及している。信念、情熱、そして記憶があれば、後は〔2.28以降にまとめられた〕ヨーガの八支則を用いればよいだけであり、その最後は対象のあるサマーディの実践にたどり着く。

ここまでの条件を満たした者は皆、然るべき実践の後に少なくとも、スートラ1.17で述べた対象のあるサマーディの低次の段階（ヴィタルカ）を経験していることだろう。多くの意味で、対象のあるサマーディは『ヨーガ・スートラ』における主要テーマである。この諸段階については後述する。対象のあるサマーディは、対象のないサマーディへの通過点である。

最後は叡智（プラジュニャー）である。この言葉にふさわしい英訳はない。これは正確には「対象に関する完全な知識」という意味であり、心に修正されることなく対象をありのまま見ることを指す。プラジュニャーという言葉は、サンプラジュニャータ（対象のある）・サマーディという語に含まれている。このサマーディでは、対象を認識するからである。叡智（プラジュニャー）とは対象そのままの姿をはっきりと映し出す能力であり、対象のあるサマーディの結果得られるものである[11]。プラジュニャーからは、識別知が生まれる。マインド、自我、知性を含む対象をありのまま認識することで、自分自身はこの対象と同じものではないことがわかる。そして、自己、意識、私たち本来の姿は観察できるものではないことがわかるのである。これが識別知（ヴィヴェーカ・キャーティ）、つまり永遠であるものと一時的なものとの違い、自己と非自己の違い、本質的なものと本質的でないものの違い、純粋なものと汚れたものの違いを知る知識である。

信念、情熱、記憶、サマーディ、叡智の5つは、対象のないサマーディを成功させる上で必要なものだ。これらを踏まえた上で対象のないサマーディにたどり着いて初めて、独存（カイヴァリャ）へと導かれるのである。

## 1.21 大変熱烈に実践する者にとって、サマーディは近い。

パタンジャリは、最初サマーディははるか遠くにあるものかもしれないが、熱烈に実践すれば近くなると言っている。ヴィヤーサは、熱烈に実践する者は誰も皆、サマーディとその結果である解脱を経験すると加えている。ヴィジュニャーナビクシュは『ヴィシュヌ・プラーナ』から「サマーディを遂げた者は、その同じ生の中で解脱を得る」を引用して、この考えを支持している[12]。

つまり、言い訳も無駄にする時間もないのである。伝統的には、現在の生で解脱を得るためには、前世で得た能力が必要だと言われている。前世の出生で得たもの

---

11 『ヨーガ・スートラ』1.41
12 *Yogavarttika of Vijnanabhiksu*, vol.1, trans. T.S.Rukmani, Munshiram Manoharlal, New Delhi, 1998, p.122.

は、過去世で努力してしか得られない。

　しかし、以前にどのような実践がなされたかを外側から判断することは不可能だ。ある人の知識を外観から確かめることはできない。偉大な師の中には、外見は手足の不自由な物乞いの姿で暮らす者もいた。また平穏に生きて実践をするため、故意に醜くしたり反感をいだかせる行動を取ったりする師もいたのである。

## 1.22 熱烈な者はまた、穏和、中位、強烈に分けられる。

　熱烈さの強度とサマーディへの距離は、全部で9つに細かく区分される。カテゴリーを考え、それをさらに細かく区分するのが、インド人の娯楽なのである。シャンカラは復注書の中で、スートラの目的は「すべてのヨーギは、ゆっくりであろうとなかろうと必ず目標とした地点へと到達することの確認であり、意気消沈することのない精神を作り出すことが必要」であると述べている[13]。違いは単に、その目的地点にいつ到達するかだけなのだ。

## 1.23 あるいは、イーシュヴァラへの祈念によって。

　ヴィヤーサによれば、このスートラは、これまで説明されてきた以外の方法でサマーディに到達する方法があるのかという質問に答えるものである。サマーディへは、イーシュヴァラへの祈念によってもまた到達することができる。これは、『ヨーガ・スートラ』の中で何度か繰り返される発言である。「イーシュヴァラ」とは至高の存在、あるいは神の総称である。特定の宗教に関して述べているのではない。キリスト教の神であろうと、エホバであろうと、ヴィシュヌ神であろうと、何であっても信奉者が崇拝する神の名を当てはめればよいのである。

　ここでパタンジャリが至高の存在への祈念について語っているのは、大変興味深い。『ヨーガ・スートラ』の主要テーマは、ラージャ・ヨーガまたはアシュタンガ（八支則）・ヨーガと呼ばれるヨーガの方法についての技術的指導である。しかし、献身の道（バクティ・ヨーガ）についても説明があり、寛大にも取り扱われているのである。

　この点で『ヨーガ・スートラ』は、主にバクティ・ヨーガを扱いながらもアシュタンガ・ヨーガの道もまた受け入れている『バガヴァッド・ギーター』の対となる

---

13 T. Leggett, *Shankara on the Yoga Sutras*, p.106.

ものである。第3の道、知識の道（ジュニャーナ・ヨーガ）もまた、両書で受け入れられている。インドの黄金期には、大変寛大で多面的な文化を持っていて、人々は3つの道のいずれを用いても解脱が可能であることを認識していたのだ。このため、『ヨーガ・スートラ』のように以上3つのうちの主に1つについて扱っている経典においても、これら3つの道すべてが言及されていたのである。

　献身の道とは、不変の至高の存在について瞑想することである。ここでは行為も思考もすべてが放棄され、至高の存在への強い愛が発達する。この強い愛（バクティ）が至高の存在の慈悲を引きつけ、ヨーギにサマーディと解脱が授けられるのである。これを唯一正しいヨーガの方法とするヨーガの学派もある。特に今日のインドでは、ヴァイシュナヴァ派、シヴァ派を含めほとんどのヨーガ学派がバクティを支持している（T.クリシュナマチャリヤはヴァイシュナヴァ派、K.パタビ・ジョイスはシヴァ派であった）。これらの学派と異なり、パタンジャリのヨーガとシャンカラのアドヴァイタ・ヴェーダーンタといったサーンキヤ哲学に基づく学派では、瞑想の実践と個人についての認識をより強調した。『ウパニシャッド』と『ブラフマ・スートラ』には、どちらの方法も含まれている。

　しかし、至高の存在（イーシュヴァラ）に言及している点は、パタンジャリがサーンキヤ体系から逸れているところである。パタンジャリがヨーガの技法をサーンキヤ哲学に結びつけて考えた点は、全世界を25のカテゴリーに分けて説明した瞑想体系にある。パタンジャリはこの区分すべてを用い、さらに26番目としてイーシュヴァラを加えた。このためパタンジャリのヨーガ体系は、「イーシュヴァラを加えたサーンキヤ」と言われることがある。

　サーンキヤ哲学の開祖であるカピラは、イーシュヴァラに依存することなく体系を作り、世界を分析したと言われている。また、ジャイナ教の開祖マハーヴィーラ、そしてブッダはイーシュヴァラについては何も言及していない。

　このため、これらは西洋で無神論者と見なされているのだが、実はそうではない。無神論者とは、神は存在しないと主張する者のことである。サーンキヤ哲学もマハーヴィーラもブッダも、いずれもこういう主張はしていない。そもそもサーンキヤ哲学は、世界について説明するという構想と宗教を排した瞑想体系から起こったものである。世界は、神を用いなくとも説明できると示したものなのだ。またサーンキヤの瞑想体系によって、たとえ至高の存在に頼りたくない人々にも解脱が可能となったのである。

　このため、神への献身のみが解脱へとつながると信じる有神論派は、サーンキヤを激しく非難してきた。至高の存在を個人的に認めることなく、解脱という素晴らしい幸運が許されるはずはないと思っているのだ。しかし『バーガヴァタ・プラー

ナ』には、至高の存在はサーンキヤの教えを説くため聖仙カピラとなって姿を現したとある[14]。これにより、至高の存在はどんな方法を通してでも人々がサマーディを経験することを快く感じていたという事実が確認できるだろう。サマーディを通して自己を理解すれば、その後バクティを通して至高の存在を理解することはできるのである。

　サマーディに到達するには、いろいろな方法がある。ただ1つだけ正しい方法があるのではない。私たちにとって幸運なことに、ヨーガ学派の開祖である『ヨーガ・スートラ』の著者のパタンジャリ、そして『バガヴァッド・ギーター』の著者のヴィヤーサは、経験するための特定の方法があるからといって、誰しも皆がその方法で経験する必要はないと理解するだけの叡智を持っていた。献身のヨーガは、感情的な気質のヨーギにはふさわしい方法である。知識のヨーガは、知性的な気質のヨーギにふさわしい。皆が同じ道を歩まなくてはならないと言うのは、生徒の幸福を考えず、自分自身の意見の素晴らしさを主張するために自分の方針を押しつけているだけである。これこそが利己主義の形であり、世界は広大で1人の手に収まるものではないということが認識できていないのだ。

　パタンジャリはサーンキヤ哲学の考え方をすべて受け入れたが、ヨーガは偉大な力を授けうるものであるため、至高の存在の保護の下にヨーギを位置づける必要があると考えたのである。これで聞く耳を持たないヨーギの自我は、常に確認を受けることになるのだ。

## *1.24* 至高の存在とは意識の特別な形であり、煩悩、業、業報、業遺存に影響されることのないものである。

　至高の存在への祈念が本当にサマーディを生み出すのであれば、このような結果をもたらすことのできる至高の存在とは一体何なのか。ここからの一連のスートラでパタンジャリは、至高の存在とヨーガにおける至高の存在のはたらきについて順に定義している。まずパタンジャリは、至高の存在とは他とは異なるある種の意識(プルシャ)であると述べている。すべての人間は意識であるが、至高の存在とは異なる。では、どのように異なるのか。

　他のすべての存在は、無知、自我意識、欲望、嫌悪、死への恐怖の影響を受ける。これら煩悩(クレーシャ)の形によって人は特定の行動を取るが、その行動は条件づ

---

14 *Srimad Bhagavatam*, trans. K.Subramaniam, 7th ed., Bharatiya Vidya Bhavan, Mumbai, 1997, p.52.

けを受けたものであって自由ではない。こうして条件づけを受けた行為（カルマ）から、誕生の種類、寿命、経験の種類などに関して特定の業報（ヴィパーカ）がもたらされる。つまり、過去の行為によって現在生きている人生が作り出されているのである。

業報以外に、過去の行為は業遺存（カルマーシャヤ）を作り出す。もしその業遺存が活動していれば、潜在印象（サンスカーラ）と呼ばれる。これは現在も存在して行為を決定するが、私たちはその存在に気づくことはない。活動していないものはカルマーシャヤといい、これはカルマの保管を意味する。これは、来世のみで活動するものである。これら悪循環すべてが束縛と精神的服従をもたらすのだが、それについては 2.3 から 2.14 で詳述する。

すべての人間はこうした力に左右され、ヨーガの過程はこれらから人間を解き放つために作られている。これらの力のいずれにも影響されることない唯一のものが、至高の存在である。この再生と束縛の循環から抜け出した人間は大勢いるものの、それらの人々と至高の存在との違いはイーシュヴァラがまったく束縛を受けたことがなかった点にあるとヴィヤーサは述べている。そしてヴィヤーサは、イーシュヴァラが特別であることの証明はどこにあるのか、と問うている。これに対してヴィヤーサが自答したのが、神聖なる経典である。聖典は至高の存在によって生まれ、至高の存在の素晴らしさを証明するものである。しかし次なる疑問は、「聖典の権威は何に基づくのか」ということだ。

こういった問いは、最初はつまらなく思われるかもしれないが、大変重要なものである。ヨーガの中には、真剣な探究の場が常にある。ヨーギとして、私たちは何であろうと額面どおりに受け入れる必要はなく、経典の権威ですらそのまま受け入れなくてもよいのである。疑問を持つことはよいことであり、指導者はそれを勧めるべきだ。もしも生徒が疑問を表すことができなければ、完全な信念にたどり着くことはできない。信じるだけでは十分ではなく、知ることが必要なのだ。こういう問いに関し、完全な信念を持って理解する状態へ到達しなくてはならない。

ここでの答えはこうである。経典の権威は、純粋な知性（サットヴァ）に基づいたものである。つまり、サットヴァ性に到達する時、経典の権威は自明となる。これはまた、経典が至高の存在の知性の現れであることも意味している。この点は記憶しておき、後で立証する必要がある。

もちろん最初は、経典の知性は認められないだろう。経典のサットヴァを認めるには、自らの知性が圧倒的にサットヴァの状態でなくてはならない。これには、生涯をかけての実践と研究が必要である。しかし到達できれば、十分な努力に値するだけのことはあるとわかるはずだ。

長期間にわたって試みるのがいやだというのであれば、次に述べる思考訓練をしてみてもよいだろう。DNAコード、人間の頭脳、J.S.バッハの音楽、何百万もの生物の形態、地球上の生命の微妙なバランス、宇宙における地球の微妙なバランス、お互いの周りを回る銀河の微妙なバランスを見てみよう。クォークが陽子、中性子、電子を形成し、陽子、中性子、電子が原子を形成するという事実に目を向けてみよう。原子は化合物を形成し、化合物がアミノ酸を形成し、アミノ酸は不思議にも何らかの方法で生命を抱いてそれを現し、その生命が今では自分自身でものを考えている。これが至高の存在の知性を反映したものでなく、意味のない偶然だと思うのなら、おそらく一生をかけてヨーガを実践し、研究して自分の知性を浄化する必要があるだろう。そうでなければ、どんな名前で呼ぶにしろ、至高の存在が持つ知性を少なくとも基本的には理解していることになる。

このスートラには、もう2つ議論すべき考え方がある。ヴィヤーサは、解脱の状態に到達したプルシャはたくさんいると述べている。これは仏教にある心の滅却(ニルヴァーナ)でも非実在でもない。肉体がなくても歓喜に満ちた純粋な意識の状態である。そうでないなら、ヴィヤーサは解脱の前にはプルシャはあったと言ったであろう。しかし彼は、今もプルシャであると言っている。これは、存在しているものはいずれも非存在とはならず、ただ表に現れなくなるだけであるという現実に関するヨーガの考えと一致する。解脱したプルシャは、来世で新しい肉体を表すことはなく、表に現れずに自由のままであるということだ。

もう1つの考えは、研究の現段階で考えるにはあまりに抽象的なのだが、哲学的探究を実行している者には興味深いはずである。ここまで見てきたように、サーンキヤには意識(プルシャ)と根本原質(プラクリティ)という2つの異なる基本カテゴリーがある。存在のみが意識を持つのであり、サーンキヤの他の23のカテゴリーはすべてプラクリティから発展、あるいは進化したものである。それゆえ、プラクリティのことを創造する母体と呼ぶのである。最初に根本原質から進化したのが、純粋な知性(ブッディ)である。ヴィヤーサは、経典の権威は純粋な知性に基づいていると言っている。この純粋な知性は至高の存在の知性であり、神聖な知識の真の作者なのである。つまり、至高の存在は純粋な意識であるだけでなく、純粋な知性でもあるのだ。

至高の存在はこの点で、プルシャでしかない他の存在とは異なる。ブッディはプラクリティの進化したものであり、つまり至高の存在はプルシャとプラクリティで構成されるものということになる[15]。あるいは至高の存在は、意識と根本原質の溝

---

15 Compare H. Aranya, *Yoga Philosophy of Patanjali with Bhasvati*, p.58.

をまたぐものであると言えるかもしれない。信奉者は「もちろんそうだ」と答えるだろうが、これはヨーガの概念では画期的なものであり、ヨーガ学派はこの点でサーンキヤ学派と大きく異なる。ここには今まで真に熟考されることのなかった、深遠な含蓄があるのだ。これほど深く分析した古代の師たちに対しては、ただ畏敬の念を抱くのみである。

## 1.25 至高の存在は、すべてを知っている点で まさるものがない。

　すべての人間には、ある一定の知識がある。偉大なる師、ヨーギ、聖者は、信じられないほどの知識を持っているのであろう。至高の存在は、すべてを知ることでこれらすべてを超えている、とパタンジャリは言っているのである。

　アルジュナのような例外を除けば、私たちは至高の存在を直接知覚することはできない。『バガヴァッド・ギーター』によると、アルジュナは特別素晴らしい目を授けられていたという。それでも、自分の見たものに対処できず、髪が逆立ったという。こういう例外を除き、至高の存在は推論と聖典（シャーストラ）を通して知るものである。どちらにも、ヨーガを通して得られる知的能力が必要とされる。

　パタンジャリのヨーガの主要テーマの1つに、マインドを知性に変化させることがある。以下が両者の違いである。

　　マインド（マナス）は、ウィスキーをボトル1本飲んだ後でサソリに刺され、枝から枝へと狂ったように飛び回るサルのように、思考から思考へと移り変わるものである。
　　知性（ブッディ）は、湖に投げた石がまっすぐ湖の底に沈むように、問題の核心へと直接行きつくものである。

　慈悲を持った至高の存在は、人間が束縛から逃れられるように聖典を与えたのだとヴィヤーサは述べている。現代のヴェーダーンタ哲学者には受け入れられないであろうが、次のような興味深い例を挙げて説明している。

　至高の存在は、偉大な聖仙としてアスリに教えを説いた。

　『サーンキヤ・カーリカー』によると、アスリはサーンキヤ哲学の開祖、聖仙カピラの弟子であることがわかる。ここで再び、サーンキヤの神聖な源について言及さ

れているのだ（そして驚くことにこれは、シャンカラの復注書『ヴィヴァラナ』でも認められている）。ここで、少し歴史を紐解いてみよう。古代の最も体系的な哲学であるサーンキヤは今日では広く敵視されていて、ヴェーダーンタ哲学者からは「否定」されている。アドヴァイタ・ヴェーダーンタの主要な支持者であるシャンカラや、この学派の開祖であるガウダパーダも同様に反対の立場にあった。しかし、多くの西洋人にとっては理解できないことだろうが、ガウダパーダは『サーンキヤ・カーリカー』やシャンカラについての解説書を書いているし、（『ブラフマ・スートラ』を書いてヴェーダーンタのすべての学派の開祖となった）ヴィヤーサはサーンキヤの産物であるヨーガについての解説を書いている。なぜ、そしてどのようにしてこれらを書いたのだろうか。

　自分の信じる哲学・思想学派において表れる真実を見出した神秘家は、信頼できるすべての体系において真実を見出すことが可能である。また、（シャンカラのアドヴァイタ・ヴェーダーンタのように）たとえ申し分なく見える体系にしても、それ自体が真実とはなりえず、真実の表現でしかないことを理解している。ヨーガ、サーンキヤ、ヴェーダーンタのような哲学・思想学派は、正否に由来して権威を得ているのではない。それらは皆、正とも否ともなりうるのだ。それらが権威を得ているのは、人々を自由へと導く力を持っているからなのである。

## *1.26* 時間の制限を受けることがない至高の存在は、他の師たちにとっても師である。

　至高の存在と解脱した師の違いが、前者は束縛を受けたことがなくすべてを知っている点にあることは、すでに学んだ。

　過去を振り返れば、ヨーガの師は常に自身の師から知識を得てきた。この師もまた自分の師からヨーガを学んだのであり、これは太古の始まりまでさかのぼる。最初の師は、自分の前に師が存在しなかったのだから、師から知識を得ることはできなかったはずである。偶然ヨーガの知識に出くわすことなどありえないので、ヨーガの知識は何の始まりもなく永遠にこの師の中に存在していたに違いない。つまり、この最初の師が至高の存在なのである。至高の存在は時間の制限を受けることがなく、すべての知識を永遠に持つ。つまり至高の存在は、はるか彼方昔にも、現在にも、遠い未来にも、どんな時点にも同時に存在するのである。

## 1.27 至高の存在の表現が、聖音オームである。

　シャンカラはこのスートラを、スートラ1.23と関連づけて説明している。1.23では、サマーディは至高の存在への祈念によって到達されると述べられている。この祈念は、どのようにして実践するのか。これは、オームという音節を心の中で繰り返すことで実践するのである。

　聖音オームの重要性は西洋人には理解しがたいものがある。しかしインドで最も権威があり、また最古の神秘的経典である『ウパニシャッド』の中には、オームはブラフマン（無限の意識）に到達するための主要手段であると書かれている。ブラフマンとは非人間的で絶対的なものであり、至高の存在であるイーシュヴァラはブラフマンの体現である。『カタ・ウパニシャッド』の2章16節には、「聖音オームを通してブラフマンを知る。ブラフマンはオームであり、オームを知る時、ブラフマンを知る」とある。『マーンドゥーキャ・ウパニシャッド』の2章3節、4節では、オームとは個我、すなわちアートマンを無限の意識であるブラフマンという的に投げ入れる弓のようなものであると述べられている。

　『ムンダカ・ウパニシャッド』2章6節には、オームに瞑想をすれば、瞑想をしている者は意識のまばゆい光の中に導かれるとある。『マーンドゥーキャ・ウパニシャッド』では、ブラフマンとこの宇宙すべてはオームであるとまで主張している。「オームは現在、過去、そして未来のすべてである。3世を超えるものすら、すべてオームなのである」というのだ[16]。

　『マイトリー・ウパニシャッド』では、クモが糸をつたって暗く囲まれた場所から自由へと上っていくように、瞑想者はオームを通して自由を得ると説明している[17]。ブラフマンに導く技法には、音と沈黙の2つがある。

　音としてのブラフマンはオームであり、これは沈黙が姿を現したものである。
　オームに瞑想をすれば、ブラフマンの沈黙を経験することができる。

　オームの瞑想は3段階を経て行われる。まず、聖音オームを声に出して詠唱する。音の振動が、心を集中させ静めると言われている。第2段階は、ただ心の中でオームを唱える。これは第1段階より強力である。心は常に集中した状態になり、この方法はいつでも行うことができる。これを行うのに最適なのが、プラーナーヤーマの最中である。最終段階では、沈黙してオームが戻ってくるのをただ聞くのである。

---

[16]『マーンドゥーキャ・ウパニシャッド』1章1節
[17]『マイトリー・ウパニシャッド』6章22節

最終目的は、至高の存在の発した音を聞くことにある。オームからすべての音は生まれ、すべての音はオームの中に戻って1つになるのだ。

　ヨーガを始めたばかりの者にとって、これはあまりに抽象的に聞こえるだろうが、実際にオームを聞き、この世界のすべての声が一緒になってこの音を生み出すのを耳にすれば、可能な限りに神々しく衝撃的な経験となるだろう。本当に、至高の存在の声を耳にするのである。「私は信じる」とか、「私は信じない」とかいうような、利己的な考えはもはや消えてしまう。これまでとても大切にしてきた信じるという気持ちが見当違いのものとなってしまうのだ。そして人はただ知るのである。

## 1.28 オームを繰り返し、その意味への念想がなされなければならない。

　これは大変重要な最古の瞑想技法の1つである。心の中で、あるいは声に出してオームを唱え、その意味を熟考する。その意味とは、これが至高の存在の声であり、こうして至高の存在を想起するということである。このようにして、心は至高の存在に対して1点集中になる。この過程が献身の道、つまりバクティ・ヨーガである。

　これはイーシュヴァラ・プラニダーナとも呼ばれ、至高の存在に身を委ねることを意味する。この方法は、ヨーガ八支則の2番目であるニヤマ(勧戒)の5つの規則のうちの最後に記されている。

## 1.29 この実践によって内なる自己を知り、障害はなくなる。

　自己の探究(スヴァーディヤーヤ)は、ニヤマの4番目の規則に当たる。これについては、『ヨーガ・スートラ』2章で説明がある。自己の探究には2つの次元、すなわち聖典の研究とオームの復誦がある。オームを復誦し至高の存在について念想することで、至高の存在についての知識はもたらされる。至高の存在は意識(プルシャ)であり、多くの点で人間と似ているが、異なる点についてはすでに述べたとおりである。オームを復誦し、オームの意味を深く念想することで、本来の自己である意識は理解されるのである。

　スートラ1.23に、至高の存在に身を委ねることで対象のない(アサンプラジュニャータ)サマーディを生み出すことができるとあった。対象のないサマーディを長く経験すれば、自己認識が授けられるのである。また、スートラ2.45でパタンジャリは、至高の存在への祈念を完全にすることでサマーディが起こるとも述べて

いる。ここで言わんとしているのは、（低次の対象のあるサマーディを生み出す）心を1点に集中する行為だけでなく、自分自身を解き放ち、コントロールすることを捨てて自らを至高の存在へと差し出す行為のことである。結局のところ、高次のサマーディを強いることもそこに到達することもできないのだ。最後に位置する最高段階では、神秘家がもつ女性的な受容性が必要とされる。何かを望み、欲し、征服し続ける者は、自我を通して対象のないサマーディを妨げているのである。

このスートラでは、オームの瞑想によって障害も遮断されると説明している。障害とは心を迷わすものである。オームを復誦することで心は1点集中の状態になり、迷いに屈しなくなる。迷いとは何なのかは、次のスートラで述べられる。

このスートラは、至高の存在について扱っている7つのスートラの最後となる。『ヨーガ・スートラ』全4章に散在する残る3つを除けば、パタンジャリが至高の存在について再び述べているところはない。

つまり合計10のスートラであり、『ヨーガ・スートラ』全体のおよそ5パーセントに当たる。パタンジャリは、イーシュヴァラを加えることでサーンキヤ体系との間に大きな違いをもたらす必要性を感じたのだが、バクティを実践するもう1つの形と理解していたことは明らかである。しかし、パタンジャリのヨーガでは、至高の存在は自由への主要で唯一の手段ではない。至高の存在を主要手段と考えたのは、ヨーガの中でも後期のシヴァ派、およびヴァイシュナヴァ派である。ヨーガにおけるイーシュヴァラは、世界や生命の創造者ではない。ヴェーダーンタがブラフマンと呼ぶ、すべての現象に深く横たわる真実でもない。イーシュヴァラは、単に師なのである。このためインドの伝統的権威たちは、パタンジャリのヨーガでは自己認識に至るだけであり、神の認識には至らないとしている。パタンジャリがヨーギに、イーシュヴァラの瞑想に代わるものを選択する自由を与えすぎたというのである。

パタンジャリは、この多様性を意図していたのだ。パタンジャリは神秘体験に至る技法を指導したのであって、宗教を教えたわけではないのである。

## 1.30 障害とは心の迷いのことであり、病、厳格さ、疑い、不注意、急情、放縦、誤った視点、ある状態を到達できないこと、その状態にとどまることができないことを指す。

以上はそれぞれヨーガの発達に脅威となるものである。
1つずつ説明していこう。

## 病

体のバランスが崩れれば、エネルギーのレベルや心の鮮明さに影響を及ぼす。健康の質は、精神的な能力に影響を与えることになる。このためアーサナの実践は、ヨーガにおけるより高次の瞑想的な諸形態を行う必須条件だったのである。体を無視することは可能であり、体を動かす必要はないと説く瞑想を重視する学派の見解は現代のものであって、伝統的な考え方ではない。

## 厳格さ

これは、ある信条に病的なまでに固執することを指す。たとえば、次のような信条だ。女性は真にヨーガを行うためには、男性に生まれ変わらなくてはならない（『ブリハッド・アーラニヤカ・ウパニシャッド』のガールギーのように、大変偉大な知性を持つ女性もいる）。解脱に到達するには、インド人に生まれ変わらなくてはならない（老子や荘子など、偉大な神秘家の中にはインドに行ったこともない人物もいる）。カースト制度で身分の低い人々は、解脱するにはバラモンに生まれ変わらなくてはならない（カビールは、カースト制度で低い身分であった）。

厳格さとは、心が怠惰と重さ（タマス）に圧倒された状態を意味する。新しい状況に適応することができず、物事が変化することを受け入れられないのだ。ある見解に固執し、反対のことも真実かもしれないとは認識できないのである。

## 疑い

疑いとは、すべてが真実に思われ「すべて」が相対的なために、1つの真実を見ることができないことである。訓練を受けた知性には、問題を最後まで考え結論に至る能力がある。使用する方法が間違っていたり、条件づけられた状態に知性が汚されたりすると、疑いが生じる。

疑いは概して、プラーナが月の経路（イダー・ナーディー）を流れている時に起こる。一方、厳格さはプラーナが太陽の経路（ピンガラー・ナーディー）を流れている時に発達する傾向にある。アーサナをプラーナーヤーマとともに行うことで、この2つのバランスは整えられる。

## 不注意

ヨーガとは、人々を稀有な高みに導く貴重な贈り物である。これを本当に使用する機会に恵まれる者は、そう多くはない。本来の原型に従わず、自分自身の限界に見合うようにさまざまな体系を組み合わせて多様なものの混合物を作ったところで、その結果がただの体操であっても驚くことではない。

## 怠惰

　アルメニアの神秘主義者、ゲオルギイ・グルジエフに「私たちはどこから始めればよいのか」とたずねた者がいる。彼の答えは、「疥癬虫に寄生された犬のように死なないよう気をつけることだ」であった。辛辣な言葉に聞こえるかもしれないが、これは多くの人間が動物のような状態で生きているという意味なのである。グルジエフの考えでは、本当に人間らしく目覚めた状態に緊急になる必要があったのだ。
　ヨーガの観点では、たいていの探求者には一生涯にわたる研究と実践が必要であると考えられている。対象のないサマーディが1年後に来ようが50年後に来ようが関係ない。シャンカラが言っているように、すべてのヨーギは自分自身のペースで目的地にたどり着くのだ。

## 放縦

　これは、欧米人にとって大きな問題だ。あらゆる広告のチラシで、ぜいたくをすること、自分自身を満足させること、欲望を満たすこと、自分に褒美を与えることが提案されているからである。放縦（甘やかし）は禁欲主義と同様、病的な行為であり、ブッダはその両方を試みている。若い頃、彼は王子として3つの宮殿で過ごし、寒い季節用の宮殿、暑い季節用の宮殿、そして雨期用の宮殿を使っていた。後に6年間禁欲生活を送るが、甘やかされた生活と同様、禁欲生活も心の平静を侵すものであるとブッダは気づいたのである。
　もちろん、放縦は心と体を弱くする。最も強力で迫力ある指導者は、幸せになるには外的刺激に頼ることはまったくないと認識した者であった。
　真の幸福と自由は、ヴェーダーンタの信奉者が自分自身の神性（divinity）と呼ぶものを認識することによってのみ得られる。自分の中にあるこの永遠の泉から離れ、自分自身を知らずにいれば、恐ろしい痛みが生じ、また生命への渇望が現れつきまとう。そして、幸福と興奮を生命から搾り取らなくてはならなくなるが、そんなものはわずかの間しか続かない。
　広告のチラシを読めば、そこには放縦によって神聖な歓喜が生み出されると書かれている。しかし本当は、両者はまったく別のものなのだ。感覚的快楽には、神秘的なところはまったくない。そこに依存すればするほど、ますます自由ではなくなるのである。
　一方禁欲主義は、心のもう1つの極端な形である。禁欲主義は感覚と対象との単なる接触をも否定しているのだが、実はこの接触から経験が生じ、経験からやがて解脱が達せられるのである。解脱すれば、経験への渇望は止む。
　原因となる無知がまだ現存するのに、経験に飢えた状態にすることに意味がある

のかどうかは議論の余地がある。シャンカラが『ブラフマ・スートラ』の注釈書の中に書いているように、放縦であろうが禁欲主義であろうが、そうした行為によって深遠な現実（ブラフマン）を知ることはできないのである。

## 誤った視点

　誤った視点は数多く存在する。また、正しい視点がすべての人にとって正しいものであるとも限らない。誤った視点の中でも特に危険なものの1つが、物質主義である。物質主義では、人間の意識が生化学的な生体電気エネルギーの衝動に還元されてしまう。これは、人間の価値が人々の所有物の価値で測られる物質主義的社会への道を開くだけでなく、ファシズムと組織的大量虐殺への扉を開くものでもある。

　すべての人間には、時に自己や魂とも呼ばれる永遠でスピリチュアルな中核があるということを否定すれば、残されるのはただ物質的側面のみである。物質的側面（体、マインド、条件づけなど）は人間を価値がある者とない者に区分し、価値のない人間は価値のある人間の妨げとなっているという結論に安易にたどり着く。〔特定集団の優越性を主張する〕至上主義が物質主義とともに始まり、人間の永遠で神聖な面は否定されるのである。

　こうした誤った視点は、適切な瞑想の実践と哲学的探究というともに知性を発達させる方法によって避けることが可能である。

## ある状態を到達できないこと、その状態にとどまることができないこと

　これら2つは別々の障害として挙げられているが、両者ともに心の習癖であり、ここでは2つまとめて説明する。ある特定の性格を持つ人々、たとえば「探検家」と呼ばれるような人々であれば容易に新しいことを達成できるが、同時に興味を失うのも早いことだろう。たとえば「収集家」と呼ばれる性格の持ち主であれば、おそらくものを保持するのは得意でも、何か新しいものを作りに出かけるのは難しい。これらの性格は、習癖を通して作り上げられたアイデンティティに基づくものである。

　ヨーガでは、時に応じてこれらの特質を両方とも示す必要がある。時には、瞑想の実践で飛躍的なことが今にも起こりそうなのに、自分はそういうタイプの人間ではないと思って達成できないことがある。隣のヨーギはいとも簡単に高度で神秘的な状態へと進んでいくことができるのだが、すぐに日常的な苦境に陥ってしまうかもしれない。

　実は、脳と神経系を持つ生物（ヨーガ流に言うなら直立した脊柱を持つ生物）は皆、サマーディに至る素地を持つ（これには、永久に直立した状態で歩きすわるヒト科

は含まれるのだが、直立して歩く場合の限られる類人猿は含まない）。私たちを止めているのはただ、罪悪感や羞恥心など自分自身を限定して考える気持ちなのだ。

以上が、心の迷いとなる9つの障害である。心が気の荒い（クシプタ）状態や惑わされた（ムーダ）状態であれば、障害に完全に征服されてしまう。また心が混乱し、乱され、揺れる（ヴィクシプタ）状態であれば激しく侵害される。しかし、ヨーギにふさわしい心である1点集中（エーカーグラ）の心を実践者が持っていれば、障害に打ち勝つことができる。

## 1.31 障害によって、苦悩、失望、体の不安定さ、呼気と吸気の乱れが生じる。

これらの症状があれば、さまざまな障害のあることが推測できる。障害は、ヨーガの実践を妨害するにとどまらず、日々の生活に苦悩や失望といったさまざまな形で姿を現わす。

また、ヨーガの肉体的側面において大変重要なことだが、障害は体や呼吸パターンの不安定さとしても現れる。瞑想の際に穏やかにすわっていること、あるいはプラーナーヤーマの実践をすることが肉体的に困難な場合は、障害のあることが推測される。ヴィヤーサは、集中した心（エーカーグラ・チッタ）であれば困難が現れることはないと言っている。

心の障害と肉体的現象とは、相互に関係する。心が迷えば生命力（プラーナ）は散乱し、その結果呼吸と姿勢が不安定になる。思考とプラーナは連動するものであり、プラーナの流れを穏やかにすることで思考を安定させることも、瞑想によって体と呼吸を正すこともできるのである。

多くの人々にとっては、最初に述べた方法のほうがずっと簡単に実行できるだろう。瞑想は、心が迷っている状態では難しいからだ。しかし、アーサナとプラーナーヤーマ（呼吸の練習）に集中すれば、散漫な心の症状を軽減するだけでなく心を集中する練習にもなり、そのうえ最も重要なことにはプラーナの流れを均等にする。そしてこれが、心を静めるのである。

ヨーガの観点では、初心者が瞑想（ディヤーナ）から始めるのは有益ではないとされている。パタンジャリによると、瞑想は高度なヨーガであり、心が準備された状態になければ、つまり1点集中（エーカーグラ）の状態や止滅（ニローダ）の状態でなければ、瞑想をしても何にもならない。ヨーガの八支則における外部門を通して体と心の準備が整えば、瞑想に成功する。

瞑想でよく経験するのが「白壁効果（white-wall effect）」、つまり夢想と浮遊で

ある。このような瞑想はタマスとラジャスの支配を大きくし、有害である。瞑想では心が鮮明で聡明に、知性が鋭くならなくてはならず、そうでなければ瞑想をしてもせいぜい、スートラ1.19で述べた「肉体を持たず」、「プラクリティに没入した」状態へと導かれるだけである。あるチベット人の僧に、間違った瞑想をすれば生まれ変わって魚になることがあると言われたことがある。そういう瞑想者の表情を知るために、魚の表情を研究するようにとも言われた。

　K.パタビ・ジョイスは、瞑想は誤った方法で行われても正すことができないと語ってきた。指導者は外からでは生徒が正しく瞑想を行っているかどうかを判断することはできないため、まず正しいアーサナとプラーナーヤーマを学ばなくてはならない。これらは目に見える外的な練習であるため正すことが可能であり、正しくこれらを行うことで正しい瞑想が導かれるというのである。

　しかし生まれながら、あるいは習慣的に1点集中（エーカーグラ）の状態の心を持つ人もいる（ヨーギならこれを、前世の努力の結果であると言うだろう）。シャンカラの意見では、こういう人々にとってアーサナとプラーナーヤーマを強要されるのは時間の無駄となる。

## 1.32 これらの障害を排除するには、1つの原理を実践することである。

　どうすれば、心の迷いとそれに伴う症状を排除することができるのだろうか。

　スートラ1.29でパタンジャリはすでに、オーム、つまり至高の存在の意味を念想することで障害に打ち勝つことができると言っている。このスートラでは、すでに障害が生じた状況について語っており、どうすればそれをなくせるかが問題となっている。「もし障害が本当に生じてしまったら、1つの方法を貫くことで障害をなくすことができる」とパタンジャリは言っている。可能な方法については後述する。

　すでに心が乱され障害が生じている場合、すべてのヨーガの方法を同時に実践して混乱をきたすのはよくない。それよりも1つの方法に集中し、心が1点集中（エーカーグラ）の状態になれば、もっと高度なヨーガを用いた手の込んだ計画に変更すればよいのである。そうでなければ、井戸を掘りたいと思っている人が鋤を地面に1回突き刺すたびに別の場所に移動するようなものである。散漫な心では、ヨーガのある方法から次の方法へとすぐに移ろうとする傾向がある。そしておそらく、ある流派から別の流派へと移り、次には禅からチベット仏教へ、そしてスーフィー教や老荘思想へと変わるのだ。おそらく、どのやり方でも目的地にたどり着くだろう。異なる人々の気質にふさわしいそれぞれの方法がある。しかし1つ共通しているの

は、普通の人間が目的に到達するには数十年を要するということだ。

　新しい方法を発見することには、新しい相手と恋に落ちるような興奮がある。方法を変え、相手を変え続ければ、数年間は興奮したままかもしれないが、それではヨーガにしても愛にしても、本当はどんなものなのかを知ることは決してない。人間関係を持つ目的は、他者の中に意識を認識することである[18]。ヨーガの目的は、自分自身の中に意識を認識することである[19]。ともに、同じ相手、同じ方法を貫くことで到達できるのだ。

　このスートラに関する別の解釈が、9世紀のヴァーチャスパティミシュラによる注釈書で提案された。彼はエーカ・タットヴァ（1つの原理）となりうるのは、至高の存在（イーシュヴァラ）のみであるという大胆な意見を述べている。

　ヴァーチャスパティミシュラ以降の注釈者の多く、特にボージャ王、ヴィジュニャーナビクシュ、H.アーランヤは、これは『ヨーガ・スートラ』の内容から考えるとほとんど意味をなさないとして、その見解を否定している。ヴァイシュナヴァ派の信心深い著述家たちは、概してヴァーチャスパティの解釈を受け入れている。しかし、この後のスートラの示された内容を読めば、この見解はヨーガ学派の支持を受けないことがわかるだろう。

## 1.33 心の清澄は、他人の幸福への親しみ、不幸へのあわれみ、徳への喜び、不徳への無関心を抱くことで生じる。

　シャンカラは、このスートラは心を清澄にするために1つの原理（エーカ・タットヴァ）を実践することの1つだと述べている。つまり、エーカ・タットヴァとは至高の存在について瞑想することを指すというヴァーチャスパティの意見には反する。ヴァーチャスパティの見解は、『ヨーガ・スートラ』の復注書であるシャンカラの『ヴィヴァラナ』が本物であるかどうかについての疑問を投げかけるものである。

　『ヴィヴァラナ』は1950年に発見され、その奥付にはゴーヴィンダパーダの弟子であるシャンカラが著者であると記されている。また、『ヨーガ・タラワリ』の奥付には、ゴーヴィンダ・バガヴァッドパーダの弟子であるシュリ・シャンカラーチャーリヤの作であると書いてある。シャンカラーチャーリヤとシャンカラは別人であり、バガヴァッドパーダは14世紀の人であると主張する学者もいる。スートラ 1.33 の

---

18 『ブリハッド・アーラニヤカ・ウパニシャッド』2章4節、5節
19 『ヨーガ・スートラ』1.3

注釈を見れば、『ヴィヴァラナ』の著者が9世紀よりも前に生きていたことは明らかである。

『ヴィヴァラナ』においてのシャンカラは、極端に好戦的な学者である。シャンカラの書いた他の注釈書と同様、『ヴィヴァラナ』は1人、あるいは数人の仮想の対立者（プラティパクシン）との会話という形をとっている。パタンジャリ、ヴィヤーサ、あるいは自分自身の見解に対する現実的あるいは非現実的な議論になるたび、シャンカラは後で混乱が起きないように先制して攻撃を仕掛け、論破しているのである。シャンカラは過度に用心深く、非現実的な見解まで攻撃していると思えるところもあるだろう。しかし、自分が共感できない明らかな見解が自分の時代に存在すれば、攻撃しないまま放っておくことがないのは確かである。

シャンカラは注釈書で、「1つの原理の実践」はこの後のスートラ（1.33から1.39）を言及していると述べている。つまりシャンカラの見解は、「1つの原理の実践」が唯一至高の存在のことを意味するというヴァーチャスパティの意見とは相入れない。もしシャンカラがヴァーチャスパティの見解を知っていたのなら、打ちのめすことなくそのまま放っておくことはなかったはずだ。このスートラの位置から考えて、ヴァーチャスパティがパタンジャリの見解を述べているのでないことは明らかである。それならば、シャンカラは指摘したはずである。この点から考えて、『ヴィヴァラナ』の著者であるシャンカラは、9世紀に生きたヴァーチャスパティ以前に生きていたと推論できる。

ここで、シャンカラの生存期として普通考えられている8世紀が出てくる。ジョナサン・ベイダーは、『Meditation in Shankara's Vedanta（シャンカラのヴェーダーンタにおける瞑想）』の中で興味深い情報を提供している。シャンカラ・バガヴァッドパータの著書はシャンカラが書いたものだが、シャンカラーチャーリヤが書いたとされるものは、シャンカラが建立した4つの僧院でシャンカラーチャーリヤの名を受け継いだ僧院長によって書かれたものだというのである。

ここで本スートラに戻るが、障害の存在する散慢な心は、成功している人に対してうらやみの気持ちで反応する傾向があるという。現代の「成功した人をねたむ風潮（tall poppy syndrome）」は、この現象のよい例だ。どんな点にしろ際立つ人がいれば、現代人はその人を平均的なところまで低くして見る方法がないか探す傾向にある。パタンジャリは、そういう傾向に従うのでなく、成功した人に出会ったら親愛の深い気持ち（friendliness）で瞑想するようにと提案している。

一方散漫な心は、しいたげられた人に出会えば、苦境の原因は本人にあり、その人物が引き寄せたカルマ、あるいは間違ったことを考えたり信じたりすることにあると捉える傾向がある。パタンジャリは、この散漫な心の展開にそのまま溺れるの

ではなく、あわれみの気持ちで瞑想するよう提案している。

また、素晴らしい徳を持ちスピリチュアルな道に従う人に出会えば、私たちはただちに、(実際はそうでないのだが)自分もそうでなくてはならないと思い起こす。そして、ねたみの気持ちを抱き、そういう人の評判を下げる方法を考える。これに対してパタンジャリは、もし心が清らかな状態であれば自然な反応として湧き起こるであろう喜びをもって瞑想することを提案している。

最後に提案されていることは、おそらく最も難しい。不道徳あるいは邪悪にすら思われる人物に出会った時には、そういう人を嫌う傾向にある。このような反応をするのは、うまく隠してはいるものの自分自身の中にもそういう面があることを思い出してしまうからである。自分自身が持つ暗い面への拒絶でしかない嫌悪感を持つより、こういう人々へは無関心でいることをパタンジャリは提案している。

これら心の状態の悪化を和らげる方法が、心を清澄にして静めるための瞑想技法である。

## *1.34* あるいは、息を吐き呼吸を止めることによって。

これもまた、心から障害を取り除く方法である。息を吐いた後で、呼吸(プラーナ)を保持するのである。プラーナという言葉が経典の中で使用される時には、常に2つの意味を頭に入れておかなくてはならない。プラーナには、「呼吸」と「生命力」という2つの意味があるからだ。

ヴィヤーサは、鼻孔を通して息を吐きその後で保持しなくてはならないと説明している。この状況では、息を吸った後に保持するのは適切ではない。心と体にエネルギーを注ぐことになるからである。これは充満した状態(fullness)の瞑想であり、一方息を吐いて保持するのは、空の状態(emptiness)への瞑想(この場合は心を空にすること)を伴うものである。

H.アーランヤは、息を吐き保持するだけでは心を清澄にする効果はないと言っている[20]。心を清澄にするには、心を無にした状態を保つか、何もないところに心を保たなくてはならない。マントラや視覚化など瞑想の助けとなるものを使わない呼吸のエクササイズ(プラーナーヤーマ)は、大変低次のヨーガと見なされている。

「真の意味で息を吸うとは、『私は世界ではない』と言うことである」とシャンカラは述べている。「『私は意識以外の何者でもない』と言うことが、息を吐くことである。この思考を維持するのが呼吸の保持である。これが真のプラーナーヤーマで

---

20 H. Aranya, *Yoga Philosophy of Patanjali with Bhasvati*, p.78

ある。あいまいな理解では、鼻を苦しめるだけだ」ということである[21]。

## 1.35 また、五感を超える知覚の発達も、心の集中の助けとなる。

　ヴィヤーサが説明しているように、経典、推論、あるいは師から得た知識は、認識されなければ自分のものとはならない。つまり、ヨーガの教えに対する疑いは、人の心の背後に消えずに残ることもあるのだ。ヨーガの過程で確信に至るため、パタンジャリはここで、五感を超える知覚を得るために特定のエネルギー・ポイントに集中することを提案している。この妙技を手に入れれば、実践の他の部分でも必ず成果がもたらされると信頼できるようになる。この点に関して、『ヨーガ・スートラ』の3章では、ヨーガの重要性をはっきりと示すために超自然的な力が示され、さらに詳しくまとめられている。

　このスートラで言及しているエネルギー・ポイントへの集中とは、数日の間維持しなくてはならないものである。H.アーランヤは、孤独で断食をして初めてこの能力が現れると述べている[22]。つまり、感覚刺激を妨げるものや外部からの混乱となるものがほとんどない状態でなくてはならない。

　ヴィヤーサが例として挙げているエネルギー・ポイントとは、次のものである。

　　鼻先　　　　――　超感覚的嗅覚
　　舌先　　　　――　超感覚的味覚
　　口蓋　　　　――　超感覚的視覚
　　舌の中央　　――　超感覚的触覚
　　舌の付け根　――　超感覚的聴覚

## 1.36 心の安定は、悲しみを超えた輝く光を知覚することでも得られる。

　ここでの光とは、〔8つの花びらからなる〕蓮華の形をした心臓に満ちた光のことである。心臓にある光、あるいは心臓の音を瞑想するのは、ヨーガの主要な瞑想技法の1つだ。『ヨーガ・タラヴァリ』や『ハタ・ヨーガ・プラディーピカー』では、耳に達しない心臓の音（アナーハタ・ナーダ）を聞くことを主要テーマとしている。

---

21 *Aparokshanubhuti of Sri Shankaracharya*, vv. 119-120, trans. Sw. Vimuktananda.
22 H. Aranya, *Yoga Philosophy of Patanjali with Bhasvati*, p.82.

このスートラでは心臓に満ちた光が言及されているが、心臓はマインドの源泉である。『ウパニシャッド』にあるとおり、マインドと知性は心臓から放出され、やがて再び心臓に吸収される。スートラ3.33では純粋な知性の光の上昇を通してすべてを知りうるとあり、またスートラ3.34では心臓に瞑想すればマインドを理解できるようになると述べられている。純粋な知力あるいは知性の光は、蓮華の形をした心臓に位置する。この光を瞑想することで、心の安定が得られるのだ。

光が「悲しみを超えて」とあるが、悲しみとはさまざまな形の無知（アヴィディヤー）から生じるものである。純粋な知性の光輝である心臓に満ちた光を見れば、この知性が無知を一掃する。やがて、苦悩の終わりとなる識別知が生み出されることになる。しかしこのスートラでは、悲しみを超えた光が見えている状態のみを扱っており、その達成も穏和なものとなっている。つまり、心を安定させるのに十分な純粋な知性をこっそり下見しただけなのである。

心臓にある光に瞑想するもう1つの方法は、「私であること」（アスミター）という概念に瞑想することである。これは、純粋な知性から生まれる。すべての思考を「私であること」という概念にまで縮小すれば、つまり言い換えれば、すべての思考を「私であること」という概念にまでさかのぼれば、これもまた心を安定させることになる。すべての思考には、私という概念が含まれる。思考プロセスには、考える人、考えるという行為、そして考える対象が存在する。思考が発生するには、私という概念が存在しなくてはならない。この概念を常に意識し、自分を忘れず、考えているのは自分なのだということを忘れずにいれば、心は安定する。

## *1.37* 欲望のない人間を瞑想することによっても、心は安定する。

湖に石が投げ込まれれば波が生じるように、対象を熟考すれば心にさざ波が起こる。石の大きさで湖にどのような波が生じるかが決まるように、出会った対象の種類によって心の波は決まる。心が止滅（ニローダ）の状態にある時だけは、対象が心に波を生み出すことはない。

瞑想する対象として最良のものの1つは、欲望のない人間の心である。すべての対象は心の中に印象を残すが、こういう人の心は瞑想者を無欲の状態へと引き寄せる。このため、解脱した師の臨在のもとで弟子は大きな平穏を経験するのだ。この見解は、いくつかのインドの哲学・思想学派によって、師の恵みのみが自由へと導くという教義にまで作り上げられた。一方、いかなるイニシェーションも存在せず、ただ自ら探究する以外ないと主張する神秘家たちもいる。もちろん、他の誰かによ

って人を解脱させることなどできない。それでは、師はカルマの法則を操れることになってしまう。だが、神秘的な力で他人に偉大な力を与えるという素晴らしい天分が人間にあるというのも、本当である。そして、人類のために誰かに大きなことをしてもらいたいという願望も、人間にはある。

師が自由の境地にあり、弟子が影響を受け入れやすい状態にあれば、弟子の心は師の臨在のもとで落ち着き、これが瞑想の助けとなる。しかし重要なのは、真の師、欲望のなくなった師を選ぶことである。師がまだ成すべきことを持っていれば、それが弟子の心を刺激する。

このスートラでは、特に今生きている師を明白に言及しているわけではない。現代では真の賢者は稀にしか存在しないので、カピラ、ヴァシシュタ、ヤージュニャヴァルキヤ、ヴィヤーサ、パタンジャリ、シャンカラといった古代の師たちを瞑想すればよいのである。師の教えを綿密に探究すれば、次第に師について個人的に知っているように感じてくるだろう。

古代の師たちは理性的で偉大な思想家であり、力強い論法と論理を用いた。しかし2、3千年を経た今でも、私たちが特に強く感じることができるのは、師の心からの慈悲である。師との間に千年の隔たりがあろうとも、探究を通して師の心と結びつくことができれば、弟子の心は容易に安定する。

## 1.38 夢の対象や夢を見ない睡眠の状態を瞑想することによっても、心は安定する。

これは興味深いスートラである。夢から得た知識は、オーストラリアのアボリジニーやネイティブ・アメリカン、チベット人など多くの文化で高く評価されている。これらの文化では、夢に見なければ決定が下されないこともある。ヴァーチャスパティミシュラは復注書において、夢の中で神聖なヴィジョンを見れば、それを瞑想に用いるのもよいと提案している。

ヴィジュニャーナビクシュは異なる見解を示している。人生は、長い夢として眺められるものだというのである。目覚めている状態で得た知識は夢の性質を帯びており、これを認識することで自分が熱烈に信じるすべてのものからの執着を離れることになる。そして心が安定する。この見解は、目覚めの状態も夢の状態も非現実的なものであると主張する『マーンドゥーキャ・カーリカー』を思い出させるものである[23]。『ヴィジュニャーナ・バイラヴァ』[24]では、ヴィジュニャーナビクシュの

---

23 ガウダパーダによるヴェーダーンタの書
24 古代タントラの瞑想書

方法に従った瞑想技法が述べられている。そこでの助言とは、目覚めているかのように夢を見、夢を見ているかのように目覚めている状態を扱うことである。こうすれば突然、睡眠も目覚めも超えた本当の現実が見えるというのだ。

このスートラの後半では、夢のない睡眠を扱っている。この状態では、心(マインド)は一時的に魂(ハート)に吸収されるが、意識はない。非存在の概念が広がるのである。心は非存在の揺らぎから離れて完全に安定しているため、この状態への瞑想は心を安定させる。深い眠りへの瞑想は、目覚めた時に「穏やかにぐっすりと眠った」というような記憶が心に残っていれば、この記憶を対象に瞑想すればよい。

回想とは普通、単に短期間の記憶であるが、日に何度も思い出せば長期の記憶として残る。そうすれば、いつでも瞑想の対象として使えるようになるだろう。

## 1.39 適切ないかなる対象を瞑想することによっても、心は安定する。

これは、大きく誤解されているスートラである。西洋人が「適切ないかなる対象」と聞けば、ただどんな対象でもよいのだと理解してしまう。現代世界では、お金のシンボルや「私は肉体だ」というような考えに過度に瞑想し、広告業界は常に女性の外見に瞑想している。これは瞑想の対象として選ぶにはみすぼらしいものである。現代社会の問題は瞑想の欠如にあるわけではない。いかなるものであれ、頻繁に思考を繰り返せば、その思考が瞑想となる。このスートラに関して、不動産や株式資産、スポーツカーや財布に瞑想をしようと誘っているという誤解が決して生じないよう、シャンカラは『ウパニシャッド』にある「対象を獲得しても、決してその対象にこだわり深く考えることのないように」という言葉を引用している[25]。

古代インドで適切な瞑想の対象といえば、神聖な対象、あるいはヨーガに関する対象というカテゴリーの中から選ぶ望ましい対象という意味であった。シャンカラは、瞑想にふさわしい対象でなくてはならないと述べている。ヴィジュニャーナビクシュは、適切な対象とは神聖なもののイメージであると言っている。すでにわかっているとおり、イメージは心を色づけするものだ。したがって、進みたいと望む方向へ心を色づけするイメージだけを選ぶべきであることは、明らかである。心をサットヴァ性にする必要がある。つまり適切な対象とは、きわめて純粋にサットヴァの状態にあるものなのである。

対象は普通、物質の特質を作る3つの要素、つまりグナがさまざまな形で絡み

---

25 T.Leggett, *Shankara on the Yoga Sutras*, p.151.

合ってできている。S.ダスグプタは3つのグナをかたまり（タマス）、活力（ラジャス）、知性（サットヴァ）と説明している[26]。心を安定させるのは、主にサットヴァで構成されている対象のみである。タマスが支配的な対象では心は鈍くなり、ラジャスが支配的な対象は苦悩を生み出す。ここまでに紹介された中で適切な対象とは、知性（ブッディ）、私であること（アスミター）、至高の存在（イーシュヴァラ）、オームのマントラ、心臓の蓮華とその音と光、解脱した人の心などである。その他、呼吸、マントラ、蓮の花、オームのシンボル、マンダラ、ヤントラ（神聖な幾何学的模様）なども適切な対象となる。

意識は適切な対象ではない。なぜなら意識には形がなく、障害のない心を必要とするものだからである。

## 1.40 極小の微粒子から宇宙全体に至るまで、いかなる対象にも心が集中できたときに熟達は成し遂げられる。

ここまでに述べたいずれかの方法で心が安定すれば、もっと難しい対象を選ぶことになる。最小の瞑想対象は、ヨーガで微細な要素（タンマートラ）と呼ぶ素粒子である。そして最大の瞑想対象は、宇宙全体である。いずれの瞑想も難しく、最初は取り組むべきではない。これらに続けて集中できるようになれば、同時に両方を瞑想する。この瞑想を長く続けることは難しい。これが達せられた状態を集中（ダーラナー）の熟達と呼び、これで心は安定する（スティティ）。この状態になれば、ダーラナーの実践はもはや必要ではない。

障害の説明と、集中を通していかに障害に打ち勝つかを解説したパタンジャリは、次に対象のあるサマーディのさまざまな段階について詳しい説明をする。

## 1.41 心の波が少なくなれば、知覚されるもの、知覚する過程、知覚する者のいずれであろうと、まるで汚れのない水晶のように目を向けたいかなる対象も、心は正しく映しているように見える。この状態を同一性と呼ぶ[27]。

これは理解すべき大変重要なスートラの1つである。しかし、頻繁に誤解されて

---

26 S.Dasgupta, *A History of Indian Philosophy*, vol.1, 1st Indian ed., Motial Banarsidass, Delhi, 1975, p.244.

解釈されるスートラでもある。

　前述の7つのスートラで解説された実践で「心の波が少なくなれば」、心は集中し、1点集中の状態になる。この状態では、対象をありのまま知覚できるようになる。つまり、対象を正しく認識し、対象に関わるすべての知識を得ることができるのだ。

　この状態は自己認識とは異なるということを、はっきりとさせておかねばならない。自己認識とは心の波が完全に止み、止滅（ニローダ）の状態であることを意味する。ここでは基本的に、低次の（対象のあるタイプの）サマーディについて話をしており、これは自己認識をもたらす高次のサマーディとは異なるものなのである。

　「心は正しく映しているように見える」というのは、心に作り出された対象のイメージが元来の対象そのものと同一であるように見えるということである。ここで気に留めなくてはならない大切な言葉が、「見える」である。完全な同一は不可能である。前節のスートラで提案されているように宇宙全体を瞑想した場合、私たちの心にそれを再現することは不可能だ。地球上ですら、ゴビ砂漠にある場所のように人間が足を踏み入れたことのない場所はたくさんある。心に宇宙全体を再現できると思うことは、誇大妄想なのである。それでも、対象を正しく表しているように思えることは重要だ。それは、完全に対象を理解していることを意味しているからである。それに対して、日常生活ではある対象を曖昧に模倣しているだけなのだ。

　この理由は、心のはたらきの仕組みにある。マインド（マナス）は、感覚の入力したものを整理するものである。たとえば目から感覚データを受け取れば、マインドはそのデータと他の感覚から受け取ったデータを比較する。すでに述べたように、目に入った光は水晶体で交差し、網膜には上下逆の像が描かれる。幼少のうちに、私たちは触覚を通して対象は上下逆になって見えることを学び、どこかの時点ですべての絵を逆にすることをマインドが決定する。こうして、視覚データと触覚データを一致させるのである。これは、マインドがいかにして感覚の入力したものを理解可能な状態に操作しているかを表すものである。

　もう1つ例を挙げよう。氷のように冷たい水に左手を入れ、右手をお湯に数秒つけた後両手を室温の水につけると、左手は熱いというシグナルを出し、右手は冷たいというシグナルを出す。しかし、両手のつかっている水の温度は同じであり、どちらのシグナルも間違っているのである。感覚データは基準点を用いて、比較によって評価される。冷水に比べれば室温の水は熱く感じられ、お湯に比べれば冷たく感

---

27 サマーディとサマーパッティは、まったくの同義語ではない。サマーパッティは、心が対象のあるサマーディにある状態をいう。対象のあるサマーディとは、心がサマーパッティにある間に実践する技法である。対象のないサマーディにサマーパッティはない。心は、いくら洗練されようとも意識との同一性を達成することはないからである。

じられる。こうして、マインドは前に起こった経験に色づけされ、それを通すために、現在の状況を忠実に複製しようとする能力は損なわれるのである。

　3つ目の例である。シグムンド・フロイトは、人生で最初に出会う人々がマインドの条件づけをすることを発見した。女児は自分の父親との経験を通して、潜在印象、つまり条件づけを受け取る。将来的に、彼女は元々の条件づけに基づいた男性と関わりを持つ傾向が強い。父親と類似点があるという理由で特定の男性に惹きつけられるかもしれないし、同じ理由でそういう男性を拒絶するかもしれない。同様のことは男児と母親の間でも起こり、また同性の親に対しても起こる。ここで理解しなくてはならない重要なことがある。それは、心は過去の経験に色づけされ、着色されて、新しい対象を正しく映し、複写することができないという点である。

　明らかに、自分と両親との関係を追体験しようとすれば、人間関係に問題を生じるだろう。パートナーに親を投影すれば、パートナーが本当はどのような人なのかは決してわからない。1分前に水が冷たかったという経験を忘れなければ、今の温度を忠実に経験することはできないのだ。

　マインドがこのように働く理由は、それが生存の手段だからである。マインドの任務は、できるだけ早く、できる限りの正確さで真実の複製にたどり着くことである。マインドが持つ典型的な課題とは、次のようなものである。目の前にある対象は食べられるだろうか。今見ているものは脅威を与えるものであり、逃げる必要があるのだろうか。マインドにとって、対象の奥深くにある真実、対象はどのようなものなのかを理解することなど重要ではない。それに携わる器官は知性である。マインドは1つの対象から次の対象へと絶えず移っていくが、知性は徹底的に認識するまで同一の対象に近づいていく。知性の伝統的な定義は、同一の対象について3時間以上気をそらされることなく考えることができるというものである。ヨーギの課題で大きな部分を占めるのが、マインドを知性に変化させることである。これについては後述する。

　マインドは通常、過去を現在に投影する。現実をありのままに知覚するよりむしろ、現実の複製を見ているのだ。これは何が現実であり、その現実がどのように自分に関わっているかに対する考えについても同じである。パタンジャリによれば、実際は現実と私たちとに関わりはない。根本原質（プラクリティ）は私たち（プルシャ）とは永遠に別個のものなのである。しかし一般的には、マインドと現実の関わりとは、現実から何を得、どのような利点がもたらされるかを意味する。

　たとえば、郊外を車で回る開発業者は、主に収入源としてその場を見るだろう。同じ郊外を性犯罪者がドライブすれば、被害者となりうる人の集まる場所として見るかもしれない。味覚に興味のある人であればレストランを探すかもしれないし、

第1章：サマーディ

アルコール中毒者であれば酒屋の位置を記憶するだろう。この4人は皆、確固たる行き先である死へと急ぐ中で、自分の身近な目的を経験に投影しているために、本質的な特質を心に留めることができないかもしれないのだ。

　たとえば春で、そこには桜が咲いているとしよう。上に挙げた4名は皆、桜に気づきさえしない可能性が大きい。桜を見るのは、まったく無益なことである。金銭的、性的な利点はそこからは得られない。食べることも飲むこともできない。しかし桜は何か不思議なやり方で、私たちが死ぬ時には自由で平穏な状態をもたらしてくれる可能性がある。人は生命に固執し、恐怖の中で死ぬ。最も深い渇望は満たされていないため、人は人生にしがみつく。最も深い欲望とは経験し、知識を得、私たち本来の姿を認識することである。桜を見ることで、私たちは本来の姿を認識することができるのだ。実際に満開の桜の木、あるいは何本もの満開の桜が連なれば、『ジェダイの帰還』でのデス・スター〔映画スター・ウォーズの中で帝国軍の本拠地である巨大な武装宇宙ステーション〕の爆発よりも息をのむ光景なのである。

　桜がそれほどのものだと気づかない理由には、いくつかある。1つには入場料を払う必要がなく、2時間半の間何か信じられないことが起こるはずだと期待しているわけでもないからである。しかし最大の理由は、過去のすべての経験によって桜の木を見ることがある事象へと重なって映るためである。たとえば開発業者であれば、新しい小売店建設のために整地しなくてはならない場所として映り、性犯罪者であれば、官能的な出会いの場として映る。味覚に興味のある人であれば後で食べられるもの（チェリー）を思い、アルコール中毒者であればやがて飲めるもの（チェリー酒）として映る。

　しかし、もし認識手段（感覚、マインド、自我、知性）を何年にもわたってほこりで覆ってきた自分の過去を何とかしてすべて置き去りにし、ただ桜の木を眺めてみるとする。すると、ここにあるまったくの豊かさ、真の美しさを現す壮麗なものは、完全に意味もなく無益で無駄であろうとも、心を茫然とさせて沈黙へといざなう。この完全な沈黙の中で、やがて桜を見ているのは私なのだと気づくのである。「私が桜を見ている」から「私が見ている」となり、そこから「私が」となって、そこから「私」がやってくる。そして「私を超えて」となるが、それが意識なのである。汚れないまったくの美を目撃することができるのは、唯一意識だけである。このように、桜は人々を自由へと導きうるのだ。

　しかし、こういうことが起こるには、心は欲求（裕福になりたい、子孫をもうけたい、食べたい、飲みたい）を投影することなく、対象を正しく映せなくてはならない。

　「まるで汚れのない水晶のように目を向けたいかなる対象」とあるが、ここでもま

たパタンジャリが自己認識や意識に関する知識のことを述べているのではなく、自分とは異なる対象についての知識について話していることがわかる。ここで水晶が比喩として使われているので、スートラ1.3と1.4での解説が思い出されよう。水晶が完全に無色透明で、その水晶をある対象、たとえば赤いバラの横に置けば、水晶はバラの赤い色を明らかに映し出す。水晶が澄んでいればいるほど、映された像は本物に近くなる。ある角度から見れば、水晶は存在せず、ただ赤いバラだけがあるように見えるだろう。水晶にかすみや曇りがあれば、あるいは水晶に色がついていれば、対象を映し出す能力に影響を及ぼすはずである。

　心についても同じことが言える。過去のすべてを持ったまま次の環境に進んだのでは、新しい対象を心に正確に複製することはできない。心が澄んで汚れのない状態であれば、対象の真実をより深く知ることができる。心が過去の経験で汚れていれば、瞑想の対象にその経験を投影することになるだろう。こうして心は、過去に集めたデータによって修正された対象の複製を作り出す。これは明らかに瞑想の対象そのものとは程遠い。心が完全に安定して初めて、複製品と原型とがほぼ同一に思われるまでに、対象を再現することが可能となる。こうした状態の時のみ、心は対象についての真実を知ることができるのだ。この状態の知識をプラジュニャー、つまり叡智と呼ぶ。

　これが到達されるまでは、私たちのマインドと感覚器官には真実を認識するにふさわしい資格はない。正確には、「私はジョンを見た」という発言は、「私は、私がジョンだと信じる人物を見た」に変えなくてはならないのだ。たとえば殺人事件の取り調べでは、このような修正が非常に重要になりうる。また、「ジョンは共産主義者である」という単純な発言を、「私がジョンだと信じる人物は、共産主義と呼ばれることの多い複雑な信念体系を、大体の場合支持しているようだ」と変えなくてはならないかもしれない。発言をこのように言い換えることで、知っていることがいかに少ないかに突然気づくだろう。プラジュニャー（叡智）は、対象の最も深い部分を見ることができることを意味する。

　「知覚されるもの、知覚する過程、知覚する者のいずれであろうと」は、瞑想の対象を分類する3つのカテゴリーである。知覚されるものとは、世界や身体などのように明らかに私たちの外側に位置するものである。まず、こういうものに瞑想をする。次はもっと深い層にある、見る、聞く、味わうなどの感覚や感覚データを整理するマインドを含む、知るという過程に瞑想する。これらはすべて、器官とか認識手段とか呼ばれるものである。

　知覚する者とは、ここでは私であること、または自我意識（アスミター）であり、感覚データを所有する器官を意味する。パタンジャリが、対象のあるサマーディの

中にアスミターと呼ばれるものを挙げていることを思い出そう。このサマーディは、認識された現象を所有する私というものに基づいている。窓の外を眺めて美しい光景を目にする時、光景そのものであるのはほんのわずかの時間だけである。すぐに私というものが活動を始め、「私は光景を見ている。次は何だ。これをどうするのだ」と問いかける。これが知覚する者である。

　現代の注釈者の中には、このスートラを歪曲させ「揺らぎが少なくなる時、心は見る者、見ること、見られるものの結びつきを手に入れる」と解釈する者もいる。これは、パタンジャリの哲学をひどく不正確に述べたものである。パタンジャリは、見る者、見ること、見られるものの結びつきが無知となり（スートラ2.17）、自我意識となる（スートラ2.6）と言っている。パタンジャリの考える自由には、見る者 (seer) を一方に、そしてそれとは別のものとして見ること (seeing) と見られるもの (seen) を永遠に区別して理解できるようになって初めて到達できる。もし私がヴェーダーンタの見解をヨーガ・スートラに当てはめると、心がヴェーダーンタ的な過去によってあまりに曇っているため、対象（つまり『ヨーガ・スートラ』）をそのまま正確に映し出すことはできず、ただヴェーダーンタに条件づけられたものと混合しているだけになる。おそらく将来的には、ヨーガをヴェーダーンタの経典に読み変えようとするヨーギが出てくるだろうが、それは恥ずべきことである。これらはともに素晴らしい体系であり、もっと価値あるものである。

　「この状態をサマーパッティと呼ぶ」。サマーパッティ（同一性）とは、対象のあるサマーディのうちの低次の形である。ここで、パタンジャリが挙げた対象のある（サンプラジュニャータ）サマーディの4種類を思い出してみよう。それらは、熟考（ヴィタルカ）、考察（ヴィチャーラ）、歓喜（アーナンダ）、そして私であること（アスミター）である。最初の2つである熟考と考察が、さまざまなタイプのサマーパッティの基礎となる。次のスートラでは、この点について詳しく説明がある。

## 1.42 熟考のサマーパッティとは、言葉、対象、知識が概念化を通して混ざっているサマーディである。

　これがサマーディの最も低次の形である。集中（ダーラナー）との違いは、対象と関係のない思考を避けるための意図的努力をもはやしなくてもいいという点にある。瞑想（ディヤーナ）との違いは、心がすでに対象を正確に表している点にある。瞑想では、対象に向かって常に気づきが向けられているだけである。しかし、対象のあるサマーディの中でも深いものであれば、対象だけがゆがめられることなく光り輝

いて現れるのに対し、このサマーディではまだ熟考、考察が行われている。

　他のサマーディと比べて、このサマーパッティは多少表面的である。しかし、瞑想（ディヤーナ）と比べて考えると、これが生み出す知識と清澄さのために深くて力強い創造的な状態である。

　たとえば、サマーパッティをムーラ・バンダに対して行えば、心にムーラ・バンダを正確に複写するのとは別に、心は同時に熟考にも没頭している。熟考は、概念化（ヴィカルパ）という形で起こる。概念化は、心のはたらきの１つである。つまり、心の大部分がすでに対象との同一性を達成したものの、心の一部はまだある程度さまよっている状態であると言える。しかし、心がさまよっているとはいえ、これは他のことを考えていることを意味しているのではない。心は完全にムーラ・バンダの中に吸収されているのだが、まだ表面的な段階なのである。

　概念化とは、混ざり合った３つの側面から成る。現在認識している対象としてのムーラ・バンダ、ムーラ・バンダという言葉、そして過去に蓄積したムーラ・バンダに関する知識である。これはたとえば、ムーラ・バンダとはアパーナの流れを上へと押し上げるものだというような知識を指す。ここで理解しなくてはならないのは、ムーラ・バンダという対象、それを意味する言葉、そしてそれに関して持っている知識の３つは、まったく異なるものであるということだ。

　ムーラ・バンダという言葉は、慣例により皆の合意する象徴である。何かの理由でサンスクリット語を失うことになれば、将来はムーラ・バンダを単に肛門の引き締めと呼ぶようになるかもしれない。その場合、言葉は変わるが表されている対象が変わることはない。同様に、ムーラ・バンダに関する知識は完全かもしれないし不完全かもしれず、正しい場合も間違っている場合もあるだろう。しかし、実際の対象はその知識の状態によって影響を受けることはない。つまり、ムーラ・バンダを間違った方法で行うことがあったとしても、それを言及するために使った言葉（ムーラ・バンダという言葉）を変えることにはならないのである。

　熟考（サヴィタルカー・サマーパッティ）では言葉、対象、知識が混ざっているが、より深いタイプのサマーディでは対象があるだけである。まず、このサマーパッティを実践することだ。心はまだ表面的な状態にあり、完全に対象に没入することはできない。とはいえ、これは大切な訓練段階であり、軽く扱うべきものではない。熟考のサマーパッティは、より高次のサマーディへの基礎となる第１段階なのである。

## 1.43 記憶が浄化されれば、心の本来の状態がなくなってしまったかのように、対象だけが光り輝いて現れる。
これが超熟考のサマーパッティである。

　私たちの記憶には、過去の出来事、読んだもの、人から聞いたこと、推論から達した結論などから得たデータが詰め込まれている。

　熟考 (サヴィタルカー) のサマーパッティでは、これらの知識はすべて、それを表す言葉と一緒になって、真のサマーディと混合されている。ニルヴィタルカー・サマーパッティ (ヴィルタカーのない) では、このような熟考は存在しない。そのため、超熟考の (熟考を超えた) サマーパッティと呼ばれるのである。ここでは記憶は浄化されるが、心は1点集中の状態になるだけである。心を安定させる方法については、スートラ 1.33 から 1.39 にかけて説明があった。また、『ヨーガ・スートラ』の第2章、第3章の大部分も、この方法についての説明に割かれている。

　ここでは超熟考のサマーパッティとは何なのか、その効果は何なのかについて理解しておきたい。これを理解しなくては、パタンジャリのヨーガの実践に成功することは不可能である。記憶の浄化とは、瞑想対象に関してこれまで私たちが蓄積してきた状況や見解、データを次々と出すことのない状態にまで心を集中させることである。対象を認定するためにこういう知識をすべて持ち出すのは、心の持つ性質である。しかし、このようなとめどない考察は、より深いところに進んで対象の深層にある核心、対象の何たるかを認識するには妨げとなる。このように対象の模倣が続く限り、対象の何たるかは認識できないのである。

　このサマーディでは、蓄積された知識を現在の瞬間に常に投影するという心の本来の状態がなくなってしまったかのように見える。これが記憶の浄化である。過去は記憶に印象を残し、そのため記憶は「染みのついた」とか「純粋でない」とか言われる。記憶が浄化されるというのは、記憶が消されたことを意味しているのではない。過去を現在に永続的に投影していたのが、随意になったということである。ヨーギはこの段階において、サマーディに入るのか、あるいは記憶を使って結論に至るのかを選択できるのだ。記憶を意のままに使うこともできるが、瞑想の時のように必要でなければ、使わないでいるのもまた自由なのである。つまり、常にくだらないおしゃべりをするという心の本来の状態が、取り除かれるのである。

　その結果初めて、心の中には瞑想の対象だけが輝き現れる。こうであるに違いないと信じるものと一緒にならなくとも、それだけで目に見えるのである。重要なのは、初めて対象そのものを見ることができるという点である。これは、真に生きて

いることを意味するものだ。ここに至るまでは私たちは多くの点で単なる歩く死体であった。人生において初めて本物になったのである。おそらく、以前にも純粋で混じり気のない現実を垣間見たことはあったのだろうが、それはきっと恋に落ちるとか臨死体験をするなど強烈な体験を初めて味わったときであろうと思われる。

　2度目に経験する時には心には何が来るかがわかっていて、経験をどこかで整理し、もはや茫然と沈黙に陥ることはないのである。

　サマーディとはこのようにただ垣間見ることとは異なり、繰り返しの可能な自覚的プロセスである。記憶が浄化されて心そのものの形が取り除かれれば、すべての体験が完全に新しく、新鮮で息をのむほどのものになる。退屈などはありえない。退屈とは、集中していない心から起こるものである。心が勝手に過去を現在に投影していれば、現在は過去と同じように見え、退屈に思われるのだ。

　たとえば、私たちが職場からの帰途についているとしよう。何度も通ったその道は、過去を通して知っているものに思われ、退屈に感じられる。しかし、毎日の日の光は違うのではないだろうか。空の色、空気の匂い、木々の葉や花々の変化、空飛ぶ鳥たちはどうだろうか。これらはすべて一瞬一瞬完全に新鮮で新しく、それに気づかないのはただ昨日を今日に投影しているからに他ならない。このため頭の中の小さな枠組みに従って、生命から絶えず与えられる多くの呼び声が聞こえてこないのである。もし死が近く、この道を車で通るのもこれが最後だと思えば、状況はまったく異なるだろう。突然、すべてのものを鮮明に知覚するようになるはずだ。

　ニルヴィタルカ・サマーパッティの状態は、ある意味子どもの持つ純真さや鮮明さと比較することができる。つまり、現在を体験する際の新鮮さという点に関して、比するものがあるのだ。異なる点としては、必要な時、たとえば生存に関わる任務が目前にある時には、記憶に蓄積されたすべての情報を利用できるところが挙げられる。しかし、多くの状況では記憶とは私たちの活力に制限をかけるものであり、有害である。記憶に頼って生きることで、人生は単調で退屈で予測可能なものに思われる。超熟考のサマーパッティでは、子どもの時の新鮮さを持ち、なおかつ必要な時には一生を通しての経験を利用することもできるのである。

　現代の風潮として、瞑想とは単に子どもの頃の純真な状態へと戻ることだと主張する向きもある。これはヨーガの見解ではない。超熟考のサマーパッティの目的は、サマーディが止んだ時に子どもじみた無知な状態にとどまることではない。スートラ *1.20* でパタンジャリは、記憶をサマーディへの必要条件として挙げているが、これは毎回サマーディの後には必ず、自らがヨーギであること、今は自由でなくともヨーガの道を通して自由へと向かっていること、そしてそれに従い前へ進んでいかねばならないことを覚えておく必要があることを意味しているのである。

このサマーディは解脱への道の単なる踏み石であり、目標点ではない。サマーディによって、独存（カイヴァリャ）へと向かうための新たな信念（シュラッダー）とエネルギー（ヴィールヤ）を得るのである。このサマーパッティを有意義に統合しなくては（スムリティ）、この段階で止まってしまうであろう。

## 1.44 同様にして、微細な対象に基づく考察のサマーパッティと超考察のサマーパッティも説明される。

スートラ1.17に述べられているように、対象のある（サンプラジュニャータ）サマーディはまず熟考（ヴィタルカー）から生じ、次に考察（ヴィチャーラー）から起こる。ヨーガでは、「熟考（deliberation）」と「考察（reflection）」は次のように定義される。熟考の（ヴィタルカー）サマーディとは、バンダ、ドリシュティ、ポーズの連続、身体構造上の肉体的呼吸、蓮の花、オームのシンボルなど、粗雑なものを対象とする瞑想を意味する。ここでの「粗雑」とは、対象が感覚で認識することのできるはっきりした外見を持つことを意味している。

考察の（ヴィチャーラー）サマーディとは、感覚、認識の過程、マインド、私であること、チャクラ、内的呼吸（プラーナ）、スシュムナーなどのナーディー、創造的力（シャクティ、クンダリーニと呼ばれることもある）、知性（ブッディ）など、微細なものを対象とする瞑想をいう。ここでの「微細」とは感覚を通して認識することはできないが、「自分の行動から推論すると、私は自我とマインドを有する」などの推論を通して達することのできるものをいう。微細な対象には、パタンジャリやヴィヤーサのような古代の権威による記述などの聖典を通して達することもできるし、最終的には感覚を避けることで心の目による直接知覚を通して達することもできる。これが、対象のあるサマーディの中でも深いものである。

先に述べた2つのサマーパッティは、粗雑な対象に基づいた熟考のサマーパッティ、そして超熟考のサマーパッティであった。ここで述べている2つのサマーパッティは、微細な対象に基づいたものである。私であること、すなわち自我意識（アハンカーラ。直訳すれば「私を作るもの」、あるいは認識過程に「私」という概念を加えるものの意味になる）を例に考えてみよう。考察のサマーパッティでは、見たところは自我を正確に複写したものが心の中に抱かれることになる。

このイメージに重ねて、心は自我に関してそれまで学んできたすべてを考察する。たとえば、フロイトやスワミ・ヴィヴェーカーナンダが自我に関して述べた見解などを考察するのである。言うまでもなく、こうして考察することによって、サマー

パッティに深く入ることは妨げられる。

　より高次である、超考察のサマーパッティでは自我はありのまま直接認識され、それ以外では心は完全に静かな状態にある。このため、はるかに正確に自我を見、理解することができるのだ。考察を超えて自我を捉えるのは大変高度で強力なヨーガの状態である。ここまで来れば、自由への道のりの4分の3は到達したと言ってもよいだろう。パタンジャリのヨーガでは、これより高度な考えはあと2つを残すのみである。つまり、知性（ブッディ）、そして意識（プルシャ）という考えの2つだけなのである。後者は、対象のないサマーディ、つまり超対象のサマーディによってのみ得ることができる。

　より高度なものとして、3つ目の考えを挙げる学派もある。これは至高の存在（イーシュヴァラ）、あるいは無限の意識（ブラフマン）である。パタンジャリは、この点に関しては特に何も述べていない。これはヴェーダーンタの主題であってヨーガのものではないからであろう。

## *1.45* 微細な状態は、根本原質において完結する。

　ヨーガにも密接に関連するサーンキヤ哲学によると、世界は具現化されることも創造されることもない永遠で微細な母体から生じる。この母体が、物質の原因であるプラクリティ（原質、母体）である。プラクリティは、ビッグバン以前の状態のようなものである。何も具現化されてはいないが、無限の可能性がある。

　サーンキヤでは、プラクリティから無限の知性（マハット、ブッディ）が生じるとされている。そこから自我意識（アハンカーラ）が生まれ、次に微細な空が、風が、火が、水が、そしてそこから微細な地の要素が生まれる。この過程は進化と呼ばれる。進化の中では下へ外へという動きが起こり、無知と束縛へと導かれる。ヨーギはこのプロセスを逆転させる。これが退行 (involution) である。これは内へ上へという動きであり、自由と歓喜へ導くものである。

　超考察のサマーパッティの対象として選ぶことができる微細な対象としてはまず、微細な地の要素などの序列の低いものが考えられる。これは地の素粒子、極微細な電位（タンマートラ）と呼ばれるものである。サマーパッティを通して、地の素粒子は源である水の素粒子へと戻る。続くサマーパッティで水は火へ、次に火は風へ、風は空へ、空は自我意識（アハンカーラ）へ、そして最後に自我意識が知性（ブッディ）へと戻るのである。知性は瞑想対象の最高のものであり、そこから識別知（ヴィヴェーカ・キャーティ）が生じる。

　対象は、微細さの程度によって順序づけられている。つまり、最初は明らかなも

のに瞑想することから始まり、最後には捉えがたく、より発達した知性を必要とするものに瞑想をする。知性は、瞑想をする上で最も微細で捉えがたいものである。知性よりなお微細なのがプラクリティであるが、ここで微細の状態は完結されるので、プラクリティが対象として選択されることはない。プラクリティは3つの質（グナ）が均等な状態であり、ここでは世界は外に現れ出ない。意識という本来の姿を認識すれば、具現化しない状態に達するのである。そうすれば、グナが絡み合った産物、条件づけを受けた心は私たちから分離し、根源であるプラクリティへと戻る。この時点で瞑想となる対象を解き放ち、その代わりに主体（意識）に対して瞑想をしなくてはならない。このまま続ければプラクリティと1つになり、そこで微細さが完結する。プラクリティとの同一化（プラクリティラヤ）も大変神秘的な状態ではあるが、これによって永続的な自由へと導かれるわけではない。スートラ1.19で述べたように、これは新たな無知、苦悩、具現へと続くものであり、拒絶すべきものである。プラクリティの状態と意識とは別のものなのである。ヨーギの目標点は意識と同一化することであって、意識という純粋な状態に反して意図を持つプラクリティとは離れていなくてはならない。意識は、微細な対象としては挙げることはできない。これは主体であり、真の観照者、自分自身だからである。

## *1.46* これらすべてが種子のあるサマーディである。

　種子（ビージャ）とは、瞑想する対象である。すべてのサマーパッティはそれが生じるための外的対象が必要であるため、対象のあるサマーディの形態である。サビージャ・サマーディという言葉は、「対象のある」サマーディ、あるいは「認識の」サマーディ（サンプラジュニャータ・サマーディ）と同義である。認識とは、対象が知覚されて心に認定されることを意味する。

　より高次のタイプのサマーディが種子のない（ニルビージャ）サマーディであり、これには対象はない。このサマーディが生じるのに、対象は必要ないのだ。「超認識のサマーディ」（アサンプラジュニャータ）という言葉は、対象のない（ニルビージャ）サマーディと同義である。このサマーディでは、対象を通してサマーディを安定させる必要はない。

　対象のあるサマーディを「種子のあるサマーディ」と呼ぶもう1つの理由は、条件づけ（ヴァーサナー）を生み出す潜在印象（サンスカーラ）という種子が、このサマーディではそのまま残されているからである。これらの種子から、新たな無知や煩悩（クレーシャ）のさまざまな形態を基とする新たな業（カルマ）が芽生える。種子のないサマーディではこういう種子は枯れ、芽を出す能力を失っている。つまり種

子のないサマーディを通してのみ、解脱は可能なのである。

## 1.47 超考察のサマーパッティの輝きによって、内面は浄化される。

　超考察のサマーパッティの確立とは、背後に何の考察がなくとも微細な対象と心の同一性が得られることを意味する。そうすれば輝きが生じて内部にある認識手段、すなわちブッディ（知性）が浄化される。

　このスートラを現代の書物では「ニルヴィチャーラーのサマーパッティから、本物の自己の清澄さが生じる」と訳しているものもあるが、これは間違いである。パタンジャリとヴィヤーサは、本書で例として対象に言及しているように、種子のあるサマーディ、あるいは対象のあるサマーディとして「サマーディ」の用語をはっきりと確立させている。そして種子のないサマーディ、対象のないサマーディでのみ、自己（アートマン）や意識（プルシャ）について言及しているのである。ここで述べている対象のあるサマーディは自己を明らかにする力はなく、内的な認識器官すなわち知性の浄化を目的とするものである。

　このスートラで内的な認識器官を表すのに使われている言葉がアディヤートマであり、これは自分自身に属するという意味を持つ。ヴィヤーサは煩悩の3形態（アーディヤートミカ、アディバウティカ、アーディダイヴィカ）を説明する時すでに、この言葉を用いている。これは自分自身の無知を通じてなど、自分自身が作り出す煩悩のことを言っているのである。煩悩が自分自身の真の自己（アートマン）によって作り出されることがないのは、明らかである。まず自己（アートマン）は完全に受け身であり、世界に影響を与えることはない。この解釈は、『ウパニシャッド』、『バガヴァッド・ギーター』、『ブラフマ・スートラ』、そして『ヨーガ・スートラ』で説明されている。自己は創造をしない。さらに、自己の中にとどまることは苦しみではなく、歓喜であり自由である。つまり、アディヤートマという言葉は本来の神聖なる自己を言及しているのではなく、自分自身であること、ここでは内的器官を言及しているのである。

　繰り返し超考察のサマーパッティを行うことで、心、その中でも特に知性は対象をありのまま認識する力を得る。こういう形の知識のことをプラジュニャーと呼び、最も深いレベルまで対象を理解し把握することを意味する。これで、それまでただ信じ、疑い、推測し、検討することができるだけだった心は、物事を知るための道具となったのである。対象に関する深い知識は、この力を得た心があってこそ可能となる。こうして内的器官は浄化されたと言うことができ、誤った概念はもはや固

持されなくなる。これがなぜそこまで重要なのかについては、次のスートラで学ぶ。

## 1.48 そこで叡智が真実となる。

ここでは、超考察のサマーパッティで得た叡智（プラジュニャー）の質について説明がある。この叡智が真実（リタムバラ：rtambhara）である、と表現されている。リタ（rta）は『リグ・ヴェーダ』ですでに使われている古い言葉であり、神聖な順序の意味である。ここでは、自分が信じる希望の姿でなく、物事の本質を最も深いレベルで見ることを意味している。

ヴィヤーサは、リタムバラとは完全な真実を意味し、ほんのわずかの偽りも混じっていないことを意味していると説明している。この最も高度なヨーガには、3段階を経て到達できる。その3段階とは、聖典を研究すること、推論、そして絶え間ない瞑想の実践である。これは、意識（ブラフマン）は3段階を通して到達されると述べられている『ブリハッド・アーラニヤカ・ウパニシャッド』にも一致する。その3段階とはシュラヴァナ（真実を繰り返し聞くこと）、マナナ（真実に関して考察すること）、ニディディヤーサナ（真実を認識し、真実の中に永久に確立されること）と呼ばれる。

## 1.49 この知識は聖典や推論を通して得た知識とは異なり、特殊なものを対象とする。

私たちの言語は、大変不正確である。何百万もの個々の対象が存在するのに、それらを表す言葉はわずかしかない。実際異なるすべての対象に対して別の言葉を使うのであれば、言語は扱い不能のものとなるであろう。推論と聖典は言語を用いたものであり、一般的な方法で物事を説明しているだけである。

感覚を通して得た知識は、粗雑な対象（事物）のみに関わるものである。心、自我、知性、心臓の蓮華、中央にあるエネルギー経路など重要な瞑想対象はすべて微細な対象であり、感覚によって知覚することはできない。そのため、推論や聖典が必要となる。しかし、微細な対象を正しく推論できるよう、聖典を理解し知性がサットヴァの状態になったとしてもなお、サマーディで直接対象を認識するのとは異なる。直接認識できるようになるまでは、聖典や推論が正しいのかどうかという疑いはつきまとう。しかし実は、疑いがなくなってもなお、知識は本当に私たちのものであるわけではなく、間接的なものなのである。

神秘主義者のゲオルギイ・I・グルジエフは、知識とは物理的性質を持つものだと

言っている。つまり、理論的知識はさして役立たないということだ。知識は触れることのできる物質的対象であるかのごとく現実になって初めて、私たちに変容をもたらすことが可能となる。それまでは、哲学は単なる理論でしかない。

　しかし、自由になるために真実を経験する必要があるというのは、正しくない。経験とは決して、自由につながるものではないのである。なぜなら、経験自体が束縛を意味するものだからだ。経験の特徴は永続的でない点にある。すべての経験には始まりと終わりがある。1つの経験が終われば、別の経験が取って代わる。自由を経験したと言うのなら、それは本当の自由ではない。自由とは経験の終わりなのである。このため、古代の師たちは「とどまっている」、「理解している」、「知っている」といった言葉を用いた。意識が知られ、理解されれば、良かれ悪しかれどんな経験もその事実を侵すことはできないのだ。

　このような知識はもちろん、本を読むことで得られるものではない。しかし同様に、アーサナやプラーナーヤーマ、瞑想のような行為によって生み出されるものでもない。どんなに本を読み行動をしても直接の知識を生み出すことはないが、研究と実践は知識を理解する潜在能力を呼び起こす。シャンカラが『ブラフマ・スートラ』の注釈書の中で示しているように、意識（ブラフマン）に原因はない。それは永遠であり、創造されないものである。つまり、私たちの中のブラフマンの状態は、研究や瞑想によって作り出されるものではない。言い換えれば、研究や瞑想は、自分自身を理解する直接の原因とはならないのである。それでも、自分たちがすでに何であるのか（意識）を理解することができるように、働きかけはする。多くの人々にとって、これが必要なのである。

　どうしても曖昧になる師の言葉は、真実を示すのに十分であることは決してないだろう。経典であろうと個人的な教えであろうと推論であろうと、すべての教えは言葉に基づくものである。言葉は現実を言語コードに流し込んだものだが、この言語コードは現実そのものとはまったく異なる。美しい描写かもしれないが、現実そのものではない。現実とは、直接知らなくてはならないものであり、直接知って初めて真にヨーギを目覚めさせるのだ。このように、言葉、概念、師、聖典を瞑想することなく直接現実を知ることは、超考察（ニルヴィチャーラー）のサマーパッティを通して起こる。こういう点で、この知識は異なるのである。師や聖典の言葉では常に、師や聖典の目を通して対象を垣間見ることにしかならないのに対し、この方法では対象を全体として見るのである。自由になるためには、自分自身を見る必要があるのだ。

## 1.50 この知識から生じる潜在印象が、新たな条件づけを行う。

　師が真実を語っても私たちの助けとならないのは、なぜだろうか。なぜ、自分自身で真実を見る必要があるのだろうか。

　師の言葉は、心の中に新たな潜在印象を残す。これは確かに自由の印象ではあるが、心の中は長年蓄積された無知と錯覚の印象で一杯である。必然的に、生徒がすでに自由に関する潜在印象を決定的なほど大量に蓄積していない限り、何ら変化は起きない。十分に蓄積されていれば、師の言葉が加えられることで自分という個性を自由の方向へ傾けることができる。平均的な条件づけを受けた生徒の場合、これは不可能だ。こういう生徒であれば、過去の条件づけによって心の揺らぎ（ヴリティ）が生じる。単に読み、瞑想し、アーサナを実践するだけでは、この条件づけが変わることはないのである。

　しかし、超考察のサマーパッティで得た特別な知識（リタムバラ）は力強いものであり、心のはたらきに関わる潜在印象（サンスカーラ）を消し去って、真実、本物、正しい知識の印象と入れ替えることができる。これがヨーガの成功への秘訣と言えるだろう。このプロセスは、マインドから知性への転変とも呼ばれる。「マインド」とは信じ、疑い、怪しむものである。それに対して、「知性」は知るものだ。つまり、心の中に正しい知識に関する潜在印象を繰り返し置くことによって、マインドを知性に変化させる必要があるのだ。

　心が何の考察もなく（ニルヴィチャーラー）、対象を同一視（サマーパッティ）することに成功して初めて、強力な直接の認識が生じ、それによって長年にわたる錯覚と心の服従による条件づけを消し去ることができる。超考察のサマーパッティを繰り返し行うことで潜在印象が十分消し去られ有益なものと入れ替われば、心はサマーディの合間にも1点に集中した状態へと引きつけられるようになる。このような心であれば、障害はたとえあったとしも減少していく。

## 1.51 これらもまた止んだ時には、心全体が止滅の状態となり、対象のないサマーディとなる。

　パタンジャリは、「サマーディについての章」と呼ばれる『ヨーガ・スートラ』第1章を終えるに当たり、対象のあるサマーディを通して完全な真実を得ても旅路は終わりではないことを再度確認している。ヨーガとは、解脱が生じて初めて本当に達成したと言えるものなのである。解脱は、対象のないサマーディから生まれる。

しかし、この最後に当たるサマーディは達成を超えたところにある。到達するには、ヨーギは行うという概念を超えなくてはならない。知りうる事柄 (対象) に関する完璧な知識を得れば、次には知ることのできない事柄、主体 (意識) を知る必要がある。これは、2つの段階を経て行われる。これについては、3段階あると主張する文献もある。第3段階は積極的に行うことのできる段階ではなく、むしろそれに身を任せる必要がある。この最終的な変容を起こすには、ヨーギは何かをする人であるという概念を捨てなくてはならない。

## 第1段階

然るべき熟慮の後、知りうる事柄に関する完全な知識 (プラジュニャー) からは、より高次の状態が生じる。これは「識別知 (ヴィヴェーカ・キャーティ)」と呼ばれ、知性 (ブッディ) の中に生じるものである。対象のあるサマーディにおいて知性がすべての対象を理解すると、やがて知性は、気づきや意識は知性の一部ではなく、より深くて完全に独立した層、すなわちプルシャあるいはアートマンと呼ばれる意識の層を形成していることを理解する。この識別知は、対象のあるサマーディの実践を通して知性が完全にサットヴァの状態になり、十分に輝きを持つ中でのみ起こる。識別知とは、知性自体は知る者、見る者ではなく、見る者を知ることもできないということを、知性が認識することである。

ではこの深い認識が、意識の中でなく知性において起こると言えるのはどうしてなのだろうか。意識は永遠に自由であり、不変ですべてを知っているが、知性は対象によって知るものもあれば知らないものもある。生じた知識に直面する時は必ず、知性を見ているのである。意識 (プルシャ) は決して、知識自体を忘れたり覚えていたりできない。意識とは永遠で不変であり、創造されるものではないからである。

## 第2段階

識別知の状態において、自分以外のものはすべて知るが、それでもまだ自分本来の姿にとどまってはいない。磁石が鉄を引きつけるように、知性と心は対象の知識に向かって引きつけられる。本来の姿を認識するには、知識や現象を「所有」することを放棄 (let go) しなければならない。自分自身を見つけ出すには、自分を外に向かって投影することをやめねばならない。こうしてやめることは、何もせず放っておくという受け身の行為である。これが、最高の離欲 (パラヴァイラーギャ) と呼ばれるものである。純粋な存在と1つになるには、すべての生成、行為、欲望、目標を捨て去らなくてはならない。最高の離欲、完全に手放すことを通して、心は止滅の状態になり、自律した単体として機能することをやめる。

こうして潜在印象がすべて消し去られ、完全な知識(プラジュニャー)や1点集中(エーカーグラ)の印象さえもなくなる。この状態をダルマ・メーガ・サマーディ(特質の影の追い払われたサマーディ)といい、これが超認識の(対象のない)サマーディである。ここで心は止滅(ニローダ)の状態になり、人はもはや心の奴隷ではなくなる。心に使われるのではなく、必要な時に心を使うようになるのだ。

## 第3段階
　長期にわたってダルマ・メーガ・サマーディが保たれるようになれば、知性は意識から離れ、グナは本源であるプラクリティに戻り、見る者は永遠に自分自身の中にとどまる。これが独存(カイヴァリャ)である。これは永遠で不変の、超知識の歓喜と自由の状態である。

# 第2章　実　　践

　まだ一点に集中することができず、散漫な心の状態にある初心者に向けて、日課とすべき実践内容を示す。また、人々を苦しめる煩悩の正体について解き明かす。2.28からは、ヨーガの八支則の前半部である禁戒、勧戒、アーサナ、プラーナーヤーマ、プラティヤーハーラについて解説する。

## 2.1　行為のヨーガは、苦行、自己の探究、至高の存在への祈念から成る。

　『ヨーガ・スートラ』の第1章を、心を集中することができるかなりの上級者に向けて書いた後、パタンジャリは第2章を散漫な心を持つ初心者に向けて書き、行為のヨーガ（クリヤー・ヨーガ）を提案している。高度なヨーガは、ほとんど瞑想から成るため外面的には活動的でなく見えるのに対し、2章で扱う行為のヨーガは「活動的」と称されるものである。

　ハタ・ヨーガでは、「クリヤー」という言葉は違う意味合いを持つ。すなわち、体を浄化するための実習であるシャットカルマ（6つの行為）を言及するのである。タントラ・ヨーガでは、クリヤーは微細な肉体のための浄化実習を指し、視覚化、マントラ、呼吸を合わせたものを意味する。

　パタンジャリのヨーガでは、クリヤー・ヨーガは苦行、自己の探究、至高の存在への祈念から成る。「苦行」（タパス）という言葉からは、釘のベッドにすわる人、あるいは10年間片脚で立っている人の絵や写真が思い起こされる。これは極端な例だ。スートラ4.1で、パタンジャリはタパスを超自然力（シッディ）を得る方法の1つとして挙げている。それがタパスを実践する理由であれば、そして普通はそれが理由となるため、先に記した極端な形を取る必要があるのだ。パタンジャリはこの超自然力については批判的であり、ヨーガでは混乱の元と見なされている。同様に『バガヴァッド・ギーター』でも、自分を苦しめる形態を取るタパスは批判されている。

　ヨーガでは、「苦行」とは簡素であることを意味する。「簡素（simplicity）」という言葉の背後にあるのは、幸せになるために唯一必要なのは自分自身の本当の姿を知ることであるという事実を受け入れることだ。窮境もなく、常に願望に屈することもなく簡素な生活を送れば、心は集中する。一方、「自分を甘やかせ」、「自分を大

切に扱え」、「自分の願望を満たせ」などという世界の呼び声に従えば、自分の人生の責任は自分にはないと心に伝えることになる。そしてむしろ、絶えず外的刺激を浴びて感覚を満足させることで心は平静を保つのだという考えを固めることになる。つまり、自分は自分自身の生命に対して責任はなく、要求と願望との奴隷であるということだ。

　タパスとは、内面的に幸せになるためにはまったく何も必要とはしないという事実に目覚め、絶え間なく外的刺激に従うことが実は自分自身から離れていくことを意味すると気づくことである。苦行は私たちを強くするものであり、一方で貪欲とぜいたくは私たちを弱くする。特定のものが必要であると信じれば信じるほど、ますますそれに頼るようになる。簡素でいれば、それだけ自由になる。簡素であれば体は強く健康になり、心は穏やかに集中する。これが、自己認識の基盤である。なぜなら、簡素さによって自己認識以外の何かが私たちを永久に幸せにしてくれるという虚言を、捨て去ることになるからである。

　苦行を通して心を集中させた素晴らしい例が、マハートマ・ガンジーである。食物を絶ち、また投獄されることで、彼の信念と集中力は一層増した。苦行とは、物乞いのように暮らさなくてはならないという意味ではない。インドで偉大なヨーギの中には、皇帝や王もいる。正当に自分に属するものに関しては、倫理規定に従ってさえいれば、ある一定量を慈善にまわして後は享受すればよいのである。

　タパス（tapas）という言葉は、料理を意味するtapという語根から形成されている。簡素にして、実践を行えば、肉体的浄化にも心理的浄化（感情も心のカテゴリーに入る）にも必要な内部の熱が生み出されるのだ。苦行とは、不都合な状況にあっても実践を行うことができることを意味する。たとえば、ただ毎朝仕事に出かける前にヴィンヤサ・ヨーガの練習を行うことが、タパスの実行なのである。

　３つの行為（クリヤー）の２つ目はスヴァーディヤーヤであり、自己理解、自己の探究を意味する。これは、ジュニャーナ・ヨーガで行われるような自己探求を意味しているのではない。ジュニャーナ・ヨーガは最も高度な形態のヨーガであり、知性を十分に発達させた生徒にのみ勧められる。しかし、クリヤー・ヨーガは準備段階のヨーガである。初心者が直接の探究を通して自己に関する正しい結論に行きつくことは、不可能だ。クリヤー・ヨーガでは、自己の探究とは聖典の研究を意味する。これは、シュルティとスムリティに分けられる。シュルティとは聞いたことを意味し、『ヴェーダ』[1]や『ウパニシャッド』のように神聖な由来のものと理解される啓示された聖典が、これに当てはまる。スムリティは、記憶されたことを意味する。これは、啓示された聖典に基づき、それをより詳しく説明している経典、たとえば『バガヴァッド・ギーター』、『マハーバーラタ』、『ラーマーヤナ』、『ブラフ

マ・スートラ』、そして『ヨーガ・スートラ』などのことである。

これらの経典の研究は、知識の輝きについたベールをはがす助けとなる。これには、いくつかの方法がある。まず、真実を何度も聞くことで、日々の生活の中で真実を理解することが可能になる。次に、聞いた真実についてじっくり考えることで、知性がサットヴァの状態になる。ゲオルグ・フォイヤーシュタインは、「スヴァーディヤーヤ（古代の経典の研究）の目的は、知的な学習にあるのではない。古代の叡智の中に没入することである。遠く離れた領域を考察した賢者や聖人が明らかにした真実を、瞑想にふけって熟考することなのである。その遠く離れた領域を追随するのは心には不可能であり、唯一魂（ハート）のみが受け取る領域、変化する領域なのである」と言っている[2]。

この他、自己に対する瞑想で古代から勧められてきた方法といえば、オームの復誦である。『ウパニシャッド』で何度も述べられているように、オームとはブラフマン（無限の意識）である。オームに関しては、スートラ1.27から1.29に詳しく説明がある。

クリヤー・ヨーガで3つ目に当たる最後の要素は、イーシュヴァラ・プラニダーナ、つまり至高の存在を受け入れることである。ヨーガが持つ問題点として、それが偉大な力を授けるという点が挙げられる。この力は、ヨーギが世界は自分の周りを回り、この力は自分の気まぐれを満たすためにあると思うようであれば、乱用される。残念ながら現代社会では、私たちはまさしくこのように思うように訓練されているのだ。人生とは、主に消費、所有、権力の施行にかかわる自分の夢や願望を満たすためのものである、と教えられているのである。金銭欲や権力欲を制御するためには、自分自身を宇宙の中心に位置づけるのではなく、この場所は至高の存在の手にあることを認めなくてはならないとパタンジャリは言っている。そうすれば、ヨーギは自分自身をこの至高の存在に仕えるものと位置づけることになる。このためには、何か特定の宗教に属している必要はない。すべての宗教の人々に、その資格はある。ここで、もう1つ別の疑問が持ち上がる。ヨーガをするためには、至高

---

1　『ヴェーダ』は、啓示された経典の中でも最古のものである。非常に神聖であると考えられ、紀元前1900年頃までは書き留められることさえなかった。書にすることで神聖さが汚されると伝統的に考えられていたため、記憶にのみ委ねられていたのだ。

　元来は1つの『ヴェーダ』であり、バラモン司祭は皆これを覚えていなくてはならなかった。カリ・ユガ期の初め、人間の記憶力の退化のため『ヴェーダ』すべてを覚えていることはできなくなるだろうとヴィヤーサは予想し、『ヴェーダ』を『リグ・ヴェーダ』、『サーマ・ヴェーダ』、『ヤジュル・ヴェーダ』、『アタルヴァ・ヴェーダ』の4つに分割した。

　『ヴェーダ』には賛歌、儀式のしきたり、マントラが記されている。現在では欧米の学者でさえ、『リグ・ヴェーダ』の初期の賛歌は8千年以上も昔にさかのぼるものであることを認めるようになっている。古代より、『ヴェーダ』は永遠で、世界のそれぞれの年代の初めに「聞こえる」ものであるとされている。

　『ウパニシャッド』は、ヴェーダの結びの部分を成す。

2　G. Feuerstein, *The Yoga Tradition*, p.247.

の存在というものの存在を信じなくてはならないのだろうか。

　どんな信念であれ、ヨーガの実践という意味においては逆効果をもたらす。知るのではなく、信念を掲げるからだ。たとえば、「右耳の存在を信じる」とは誰も言わないだろう。自分の耳を知っているのだから、何の信念も必要ではない。信じることは常に、知ることを排除する。ヨーガを実践してジュニャーナ（究極の知識）が生じれば、これは理解できるだろう。信じることで満足してはいけない。

　自分が意識であると認識すれば、神や輪廻を信じるかどうかという疑問は、右耳の存在を信じるかどうかという疑問と同様に意味のないものになる。このスートラでパタンジャリが言っている至高の存在を認めるという主張は、信念ではない。これは、基礎的な前提である。これは、数学において0（ゼロ）を認めるのと同じようなものである。アラビアの数学者たちによってで0は導入されたが、今までそれを見たことのある人間はおらず、誰もその存在を証明できない。しかし、0を使うことでそれまで未知であった展望が目の前に開けたのである。

　受容することは、懐疑的態度の対極にある。懐疑的態度というのは、疑いと同じではない。至高の存在に身を委ねるのは、より高度なヨーガへ入るための条件である。イーシュヴァラ・プラニダーナがなくとも、サーンキヤ（宇宙の秩序への瞑想的探究）を実践することはできる。この探究は、力を授けるものではないからだ。ヨーガには、ヨーガとともに生じる力（シッディ）があるため、より高度なヨーガへ入るにはこの条件を受け入れなくてはならないのだ。仏教徒であれば、至高の存在の前に自分の力を投げ出すことを「生きとし生けるもののために」行動すると言うであろう。

　こうした態度でなければ、自分の個人的な利己的性向を満足させるために力を使ってしまいそうになるだろう。これは、黒魔術のようなものだ。白魔術師も黒魔術師も同じ方法で同じ力を使うが、黒魔術師は自分自身の自我を崇拝し、一方で白魔術師は至高の存在に仕えているのだ。ヨーガにおける至高の存在の役割については、スートラ1.23から1.29に詳しく説明がある。

## 2.2 行為のヨーガは、サマーディに近づき煩悩を弱めるために行うものである。

　パタンジャリはここで、行為（クリヤー）のヨーガの目的について説明をしている。初心者に対して、不利となるものから遠ざかり、助けとなるものを志すよう勧めているのである。煩悩（クレーシャ）とは苦悩の形態であり、私たちを取り囲み暗黒で埋め尽くす望まれない状態である。煩悩には5形態あり、次のスートラではそれらについて

定義している。

　ヨーガを始めるにあたって問題となることには、実践に没頭したいという偽りのない希望があっても、否定的習慣、中毒的行為、無力感、悪影響、束縛感という形の煩悩にあまりに強く捕らえられているため否定的行為をとってしまい、そのためますます否定的な結果をもたらす点がある。これが、カルマの悪循環である。下向きのらせんを向かう人に対しては、行動を変えるように言うだけでは十分でないことが多い。そういう人は、過去によって条件づけられた潜在意識に、特定の行為を強いられているのである。

　しかし、ヴィヤーサはこのスートラに関する注釈書において、クリヤー・ヨーガは適切に行えば煩悩をあぶり、将来的に苦悩を生み出すことができないようにするものであると述べている。炒った種子と同様、芽を出すことができなくなるのだ。クリヤー・ヨーガをある程度の期間行えば、苦悩は私たちを握る手綱を緩め、私たちはどこかの時点で高度なヨーガを実践できるようになるのである。

　しかし、炒った種子は芽を出すことはできなくとも、存在はし続ける。偉大な賢者の多くは、解脱に到達するまでにたくさんの煩悩を経験しなくてはならなかった。師や神でさえ、凄まじい死を遂げている場合もある。ブッダ、ミラレパ、ソクラテスは毒を盛られた。イエスは十字架にかけられ、クリシュナは矢で殺された。ヴィシュヌの頭は、ヴィシュヌが自身の弓にもたれかかっている時に切断された。J.クリシュナムルティ、ラーマクリシュナ、ラマナ・マハルシ、第16世カルマパは、癌でなくなった。ブッダの第２の弟子であるモーガラナは、強盗に切り刻まれて死んでいる。

　これは、仏教学者に大きな問題を投げかけた。「なぜあれほど偉大な聖人が、このような暴力を引き寄せたのか」という問いである。答えは簡単だ。知識の火によって煩悩（クレーシャ）から何も生み出せないような状態になれば、新たな無知が生じることはない。しかし、それまでに蓄積されてすでに実をつけているカルマ（プララブダ・カルマ）を変えることはもはやできず、そのまま持ちこたえなくてはならない。モーガラナの場合、殺人へつながることになった行為は、彼がブッダに出会うずっと前に行われたものだということである。しかし、こういう行為の結果はすでに実を結び始めていて、モーガラナ自身の解脱をもってしても、もはや阻止することはできなかったのだ。

　ある程度の期間実践を行ったというのにつまずきに苦しんだとしても落胆することはないということが、これでわかるだろう。そのつまずきは、過去に行った行為によって引き起こされたものなのだ。今日の行為が、この先どのような人物となるかを決めるのである。

## 2.3 煩悩とは、無知、自我意識、欲望、嫌悪、そして死への恐怖である。

　スートラ2.2で、クリヤー・ヨーガの実践が煩悩（クレーシャ）を少なくするとパタンジャリは説明した。このスートラでは、実際何を少なくしているのかについて説明している。煩悩の5形態とは、無知、自我意識、欲望、嫌悪、そして死への恐怖である。

　アヴィディヤー（無知）とは、真の知識、科学であるヴィディヤーの反対である。ブラフマ・ヴィディヤーという言葉はブラフマンの科学を意味し、バーラタ・ヴィディヤー（インドの科学）はインドの古代叡智すべてを言い表すのに使われる。アヴィディヤーは無知、無学、非科学、誤解などと訳されてきた。アスミターという言葉は、第1章で説明されている。私という感覚、私であること、自我意識などと呼ぶことができる。

　欲望（ラーガ）と嫌悪（ドヴェーシャ）という2つの形態の煩悩は、ブッダが認めたものである。ブッダは、苦悩とは自分と異なるものを望むこと（誘引）、あるいは自分に関連するものを拒むこと（嫌悪）によって引き起こされると説いている。この2つの煩悩の形態は、「心」を空として認めないがために存在するとブッダは言っている。ここで「心」とカギカッコに入れて書いたのは、ヨーガにおける心の概念と区別するためである。ブッダはウパニシャッド的な意識（ブラフマン）の概念を用い、それを「心」と呼んでいる。この心の概念は、心を思考器官（マナス）、あるいは思考器官と自我と知性が合体したもの（チッタ）と見なすヨーガにおける概念とはまったく異なる。

　ブッダによれば、「心」（ウパニシャッドでいうブラフマン）とは世界やすべての存在を含む入れ物である。そしてこれが理解できれば、何を望もうとその望みと自分は常に1つであることがわかるというのだ。同時に、私たちは「心」を通じてすべてのものとつながっているのだから、何事であろうと拒むのは無意味であることが明らかになるのである。

　煩悩の最後は、アビニヴェーシャである。これは死への恐怖、存続への願望と訳される。

　ヴィヤーサは注釈書の中で、煩悩とは誤った認識（ヴィパリヤヤ）の5形態であると述べている。誤った認識は、5つある心のはたらき（チッタ・ヴリッティ）のうちの1つであった。ヴィヤーサはさらに、5つの煩悩が活性化するとグナのはたらきを増加させると説明している。グナとは物質を作る特質を示す3つの要素であり、私たちがバランスを崩して竜巻の中心からはずれればはずれるほど、活発になる。グナに

よって私たちはより深く宇宙に引き寄せられ、意識から遠く離れていく。ヴィヤーサは続けて、こうしてグナが増加することで因果の流れは速さを増し、カルマの成果を生み出すと説明している。束縛は、この因果の連鎖とカルマの出現から成り立っているものなのだ。こうしてさらなる否定的な思考、否定的行為、そして精神的服従へとつながっていくのである。

ヴァーチャスパティミシュラは復注書の中で、煩悩は輪廻の原因であり、壊滅すべきものであることを確認している[3]。シャンカラは復注書で、クレーシャの不純からの解放は誤った認識がなくなれば生じると加えている[4]。

まとめると、5つの煩悩は私たちを自由から遠ざける一層のカルマを生み出し、また、煩悩は誤った認識（ヴィパリャヤ）から生じる。誤った認識が正しい認識に置き換えられれば、煩悩はなくなりカルマももはや生み出されることはない。因果の連鎖は、私たちは実は意識であって自分が同一視するものとは異なるという認識によって、断ち切ることができるのである。

続く5つのスートラでは、それぞれの煩悩についての説明があり、煩悩が誤った認識から生じると言ったヴィヤーサの主張が確かめられる。こういうつながりは単なるつまらない哲学ではなく、じっくり考える必要がある。シャーストラ（聖典）では、完璧なヨーギが自由になるためには、束縛の仕組みを一度聞けばよいだけであると言っている。完璧に近いヨーギであれば、真実を認識するためにはしばしば熟考するだけでよい。しかし私たちの多くは、心の清澄さを手に入れるまで定期的に熟考を続ける必要があるのだ。

## 2.4 無知とは休眠したり、弱まったり、中断されたり、活動したりしている他の源である。

ヴィヤーサは無知を、自我意識、欲望、嫌悪、死への恐怖という他の4つの煩悩の繁殖地となる場所になぞらえている。これらの煩悩には、休眠する、弱まる（希薄になる）、中断される、活動するという4つの状態がある。このスートラで確認しているのは、私たちが煩悩に完全に捕らえられているわけではないからといって、煩悩が存在しないことにはならないことである。

### 休眠の状態

たとえば、人生について何の不安を抱く必要もなく、死への恐怖が自分の中にあ

---

3　J.H.Woods, trans., *The Yoga System of Patanjali*, Motilal Banarsidass, Delhi, 1914, p.106.
4　T.Leggett, *Shankara on the Yoga Sutras*, p.178.

ろうとは気づきもしないかもしれない。しかし、適当な刺激（生命を脅かすような状況）が起これば、不安は表に顔を出す。つまり、死への恐怖という煩悩は、休眠の状態にあるのである。休眠の状態にある煩悩は、対象となるものが差し出されれば目を覚ます。生命を脅かすような状況でも煩悩がまったく表面化しない場合は、煩悩は休眠の状態でさえ存在していないということになる。

## 弱まった（希薄な）状態

たとえば、『バガヴァッド・ギーター』の研究を通して、自分は体ではなく、火に燃やされることも水に溺れることも、とげに刺されることも刃に切られることもないと理解したため、生命を脅かすような状態に陥っても比較的落ち着いて対応したとしよう。これは、煩悩がクリヤー・ヨーガによって弱まった、あるいは希薄になった状態と呼べる。この例は、クリヤー・ヨーガの2番目のスヴァーディヤーヤ（聖典の研究）によって弱まったのである。

## 中断された状態

より一層強い煩悩によって現在ある煩悩が取り消された場合を、煩悩が中断されたと言う。たとえば、銀行強盗をしようとする最中であれば、お金の詰まった袋に手を伸ばそうと熱望するあまり、危害を受ける恐怖などどこにもなくなる。この場合は、恐怖が欲によって中断されたのである。恐怖が存在しないのではなく、欲や願望というより強力な考えによって中断され、抑えられたのである。

## 活動している状態

対象がそこにあって煩悩にすっかり捕らえられている場合を、煩悩が活動している状態だと言う。この状態の時のみ、私たちは煩悩の存在に気づいている。つまり、煩悩全体の中で目に見えているものは、タイタニック号を沈めた氷山のごとくわずかなのだ。このことを理解しておくことは、重要である。

5番目の煩悩に関しては、パタンジャリは言及していない。これは、ヨーギにのみ発生するものだからだ。ヨーギが識別知（人は外に見えている存在でなく意識であるという知識）を獲得して初めて、煩悩の種子は繁殖不可能になる。その状態は、種子が知識の火の中で炒られたと表現される状態であり、知識の火によって芽を出す能力は破壊される。この炒られた状態が5番目の状態だが、この状態は煩悩が休眠している状態とは異なる。たとえ適当な対象が現れても、煩悩が生じることはもはやないのである。

## 2.5 無知とは、一時的なものを永遠なものとして、不純なものを純粋なものとして、苦しみを喜びとして、そして非自己を自己と見なすことである。

　無知とは誤った知識を指すが、ただ正しい知識がないというだけではない。これは正しい知識の反対であり、正しい知識の認識を妨げるものである。これがヴィヤーサによる説明である。

　この仕組みを説明するために、本書でもすでに述べたロープとヘビの話がしばしば引用される。夕暮れ時に道を歩いていた男が、道にあるロープを見てヘビだと見間違える。男は怖がり走って逃げる。ヘビであるという誤った概念が、本当はロープであるという事実に対する無知へとつながるのである。村で男は、同じ道を昼間明るい間に歩いたという男に出会う。その男は、地面にロープがあったのを覚えていた。彼はヘビだと思いこんだ男を元の道に連れて行き、その対象物が実はロープであり、ヘビではなかったという事実に目覚めさせる。ロープが認識されれば、誤った知識（アヴィディヤー）は正しい知識（ヴィディヤー）に取って代わられ、無知は消える。

　すべての人間には、幸せになりたいという願望が与えられているように思われる。しかし真の幸福は、本来の自己（プルシャ）の中にとどまることによってのみ得られる。意識自体に気づいていることによる歓喜をおぼろげながら覚えているため、今生きている動物的で機械的な存在の中では、人は幸せではいられないのである。自分自身を認識したいと望んでいても、自分の本質について思い違いをしているため、絶えず二次的な満足感に手を伸ばしてしまう。しかし、永続的な自由は永遠で純粋なものの中にしか見つけられないことが深いところではわかっているため、この満足感もやがて新鮮さを失って、十分なものと感じられなくなるのだ。私たちは、歓喜に満ちた状態は自分自身を意識であると認めない限りは見出せないが、それでも富、権力、男女関係、性関係、ドラッグなどといった命短い対象を通して自己実現を試みてしまうのである。

　無知の中核にあるのは、私とは私の国、私の種族、私の個性、私の財産、私の家族、私の子ども、私のパートナー、私の感情、私の体、私の思考なのだという概念である。しかしこれらは、たとえ自分の一生、あるいは数人分の一生に当たる年数続いたとしても、すべて一時的なものだ。どんな帝国も、やがては崩壊する。本当に私であるものは、これらすべての概念を含む意識、これらすべてを観照する自己である。この意識、自己とともにあれば、無知（アヴィディヤー）はヴィディヤー、すなわち正しい知識に取って代わられる。こうして煩悩（クレーシャ）は繁殖地を失

い、消え去るのである。

　仏教徒は、生じるすべての本性とともにあれと説く。心に生じるすべてのものの本来の姿とは、何であろうか。怒り、幸福、憎しみ、愛、不安、退屈、絶望、困惑の中核には何があるのか。表面的にではなく、これらの中心には何があるのだろう。それは、仏教でいうシューニャター（空）である。仏教の技法を使っても、「世界を見ているのは誰であるか」という問いに対する答えに真の自己という答えを用意するアドヴァイタ・ヴェーダーンタの方法[5]を用いても、同じ結果へと導かれる。この本質を認識できれば、無知は終わりを遂げることになる。

　無知は、どのようにして他の煩悩へとつながっていくのだろうか。非自己を自己と見なせば、自我意識（アスミター）がもたらされる。嫌悪（ドヴェーシャ）とは、否定的感情のことである。それでも、その感情に捕らわれていると、その感情を「楽しみ」、その感情が正しいと思い、そういう感情を持つことはまったく健康的な反応なのだと思ってしまう。不純なものが純粋なものとして表されると、欲望（ラーガ）が生まれる。不変でないもの（体）を不変なもの（自己）として認識すると、死への恐怖（アビニヴェーシャ）へとつながる[6]。

## 2.6 自我意識とは、見る者と見ることを同一のものとして認識することである。

　このスートラを理解するのは、非常に重要だ。ここで考えるのは、スートラ2.17でパタンジャリが言っていることである。すなわち、煩悩の原因は、見る者と見られるものが誤って1つとなることにあるというのだ。この考えは、現代に広く浸透した誤解（ニューエイジの哲学とも呼ばれる考え）とは、まったく正反対のものである。

　この広く信じられていることとは、幸福への鍵となるのは自分のすること、自分の認識するものと自分自身が完全に1つになることだという考えである。他にも美しいフレーズで、「ヨーガとは体、心、魂の結合である」と言われている。こういう表現は騙されやすい観衆の期待に沿うものであり、売り込みやすいものだ。しかし、ヨーガの真実は、これとは恐ろしいほど異なる。スートラでは、見る者、すなわち意識（プルシャ）が見ることと同一視されれば、それが自我意識（アミスター）だと述べられている。ここで見ることとは、認識手段の機能のことを指している。認識手段とは、感覚、マインド（マナス）、そして知性（ブッディ）のことである。これら自

---

5　アドヴァイタ・ヴェーダーンタ体系を参照。
6　H.Aranya, *Yoga Philosophy of Patanjali with Bhasvati*, p.122.

体に気づきはなく、ちょうど月が太陽の光を反射するように、単に意識（プルシャ）の光を反射しているだけである。これらは情報を集め、（ここが問題なのだが）集めた情報を整理して修正し、その後意識（プルシャ）が見ることができるよう差し出すのである。

　認識手段には見たものを修正するという特性があるため、ヨーガ哲学では認識手段に真実を認識することはできないと考えている。知りうる事柄（対象）に関する真実とは、対象の本質（ダルミン）、つまりありのままの対象のことであると定義されている。これを認識することを、叡智（プラジュニャー）と呼ぶ。この叡智は、対象のあるサマーディ（ニルヴィチャーラー・サマーパッティ）、すなわち、知性がマインド（マナス）と感覚を迂回して、対象との同一性を達成することでのみ認識が可能である。知る者に関するより高度な真実は、神秘的な状態（対象のないサマーディ）を通して意識の中に直接とどまることでしか得られない。

　認識手段を通して情報が修正されることに関しては、スートラ1.7で目の例を用いて説明した（網膜に映った上下逆の像を脳がいかに上下逆転させるのか、また脳がどのようにして網膜上の盲点を埋めるのかという例）。すべての認識過程は、このような方法で働いている。受け取った情報はすべて、すでに蓄積された情報と常に比べられる。矛盾するデータは消されるか、あるいは時を経てゆっくりと統一されていくのである。

　このように現実の複製は常に変化しているが、その瞬間の現実をそのまま再生していることは決してない。これは、空間と時間の連続する中で肉体を誘導するためには素晴しいシステムであるが、深遠な現実と呼ばれるもの（すべての原因の元となるもの）を経験するためには、まったく無意味なものである。このため、現実を直接見るためには、マインドを迂回して神秘体験と呼ばれるものをする必要があるのだ。

　ヴィヤーサは、このスートラを次のようにまとめている。すなわち、プルシャは純粋な気づきであり、ブッディ（知性、知能）は認識手段である。このまったく異なる2つを1つのものとして捉えることを、私であること、あるいは自我意識（アミスター）という煩悩として定義する。これら異なる2つの本来の姿が認識されれば、それが独存（カイヴァリャ）である。

## 2.7　欲望とは、快楽に執着するものである。

　3つ目の煩悩は、3段階を経て作用する。まず快楽を経験する。この経験の間に、潜在印象（サンスカーラ）が形成される。快楽に満ちた経験は記憶され、その経験を

欲する気持ちが高まる。そして経験を繰り返そうと試み、絶え間ない繰り返しを要求して中毒的な傾向を引き起こすか、あるいは繰り返しが不可能なために苦しむかのどちらかになる。

　ここで注意すべき重要な点は、実は快楽に満ちた経験そのものは問題ではないということだ。もし私たちが快楽を一度経験したことで満たされ、そのまま忘れることができるなら、それを繰り返したいと思う願望など生まれない。また同じ経験が再び起こるたびに、初めて経験した時と同様の無垢な新鮮さで向き合うこともできる。ジュニャーニン(知識を持つ人)であれば、これが可能だ。ジュニャーニンは意識の中にとどまることで満たされており、快楽の経験をすることで満たす必要のある空虚な場所など持たない。だがそうでない人々は、自分自身を経験しているという感覚をもつために、快楽を求める気持ちが強く働く。たとえば、時速300キロで車を運転する、バンジージャンプをする、危険なスポーツをするなどである。自己の光が見えたなら、こういう行動が新たなサンスカーラを残すことはなくなり、そのため快楽の繰り返しを求められることもなくなるのだ。

　快楽を経験する間、自分自身を知らないために存在する空虚な場所は、幸福な印象によって満たされる。その後、心の中に強い印象が何も存在しない瞬間に、この幸福が思い出される。そして、その経験を繰り返すのだが、同じ幸福を生み出すことはもはやない。幸福が生じたのは、心が新しい経験に一時的に圧倒されたからであり、それゆえこうした幸福は短時間で抹消されることになる。心の中が真っ白になり、おそらくほんのわずかの間だけ、輝く太陽のような自己に気づいたのである。

　経験が繰り返されるときには、心はすでに準備ができているため、もはや圧倒されることはなく、立派なパッケージに経験を入れてそれを解釈しようとする。そして、以前と同じ幸福な状態になるまで、経験の強度を増大させる。このため、人は自分自身を経験するために極端な行動を取るのである。ドラッグ使用者は絶えず麻薬を打ち、億万長者は巨大帝国を築き、独裁者は次の国へと侵略を続ける。心には、いくら獲得したところで、それで十分とは思えないのである。

　機械的パターンが発達するには、2つの必要条件がある。ここで「機械的」と言ったのは、ロボットのように機械的な行動であることを明らかにするためである。しかし、私たちの社会の常識では、自分の欲望に従うのは真に自分自身となることを意味している。この欲望が発達するためには、第1に快楽の経験が必要であり、第2にその経験をしたいと思っている人が必要である。経験したいという気持ちに傾かないでいるのには、いろいろな理由が考えられる。経験をする人が自分自身は意識であるとわかっていれば、どんな欲望も発達しない。また、経験する人が嫌悪や恐怖に傾いていれば、欲望は発達不可能である。この場合は、嫌悪と呼ばれる苦

悩が欲望という苦悩を圧倒している、もしくは中断しているのである。悪意に満ちた性質の人はどちらかといえば禁欲的であることが多く、快楽に傾くことはない。アドルフ・ヒットラーは、このカテゴリーに入る。

　ここで理解しなくてはならないのは、欲望（ラーガ）とそれにまつわる中毒症状は、ともに誤解、あるいは無知（アヴィディヤー）の明確な形態であることだ。薬物常習者であれば、「仕方がない。ドラッグが必要なんだ」と言うかもしれない。この言葉の中では、ドラッグの要求、快楽を覚えていて、その快楽を欲しいと思う気持ちが、自覚的に私という機能と結びついている。しかし本当の私、真の自己は、快楽の残した潜在印象とは、それが何であれまったく関係ないものである。本当の私とは、記憶のない純粋な気づきなのである。ヨーガでは、純粋な気づきや意識の経験が快楽のような経験と深く結びつくことを無知と定義している。

　感覚、マインド、知性などの認識手段は、ドラッグ体験の繰り返しのような快楽の経験を生み出す。しかし、私というのはただ傍観的な気づき／意識であり、経験とはまったく異なる。「私にはドラッグ（あるいは富、セックス、権力、名声、アーサナの練習における熟達）が必要である」と言いたければ、永久に意識という本来の姿を否定し、認識手段との同一性を主張しなくてはならない。この主張にある「私」は真の姿ではなく、間違って認識手段と同一視されたものだ。つまり結論として、中毒症状や欲望のさまざまな形はすべて、自我意識／私であること（アスミター）の問題だということである。

　自己／意識が認識されれば、すべての中毒症状は自然になくなっていく。自我意識（アスミター）が破壊され、欲望が手綱を緩めるからである。

　要約すれば、欲望（ラーガ）という煩悩が苦しみを生み出すのは、初めに快楽が起こった時に形成される潜在印象によって、快楽を繰り返したいという気持ちが起こり、それを切望するからなのである。

## 2.8 記憶された苦しみから起こる煩悩を、嫌悪と呼ぶ。

　この煩悩も、前に述べた煩悩と同じ仕組みで起こる。唯一の違いは、どんな経験が基になっているかという点である。前述の煩悩では過去の快楽が基となっていたが、嫌悪では過去の苦しみが基になっている。

　たとえば、歯科に行って大変痛い思いをしたとすれば、その経験は痛みという形の潜在印象（サンスカーラ）として蓄積される。再び歯科に行く必要ができた時は常に、記憶された苦しみが嫌悪を生み出す。おそらく、今回は歯に問題はなく新たに

痛みが起こることもないかもしれないが、それでも一定期間苦しみを経験することになるのである。この場合、現在の状況は何の苦しみも生み出してはいないというのに、過去の経験に基づいて苦しんでいるのだ。こういう形で苦しみを予想することを、ヨーガでは嫌悪（ドヴェーシャ）という。

　性差別主義、人種差別主義、ナショナリズムは、これと同様の仕組みで引き起こされる嫌悪の形である。ある個人が特定の方法で行動することによって、私たちの中に嫌悪が生まれる。そこからその個人の属する集団全体が同様の行動をすると推測する。そして、私たちの嫌悪は集団全体に対するものとなる。

　嫉妬もよくある嫌悪の形である。ある人は大変強く嫉妬心を表し、まったく忠実なパートナーに対して、後をつけたり夜出歩くことを許さなかったりする。この場合の嫉妬深い人は、以前の男女関係において裏切りを受けたか、あるいは両親から十分な関心を得ることがなかったことに起因して自暴自棄の問題を抱えていたのかもしれない。どちらの場合も原因は、過去の苦しみが現在の状況に誤って投影されたことにある。

　欲望の場合と同様に、嫌悪のために人は現在を体験することができなくなり、過去の条件づけに従って行動することになる。極端な場合には、私たちは、人生をまるでロボットのように歩くことになるのだ。この状態は、「条件づけられた存在」（サンサーラ、サンスカーラと混同しないように）という言葉で表される。条件づけられた存在の反対に当たるのが、常にまるで初めて体験するかのような新鮮さですべての瞬間を経験することである。

　嫌悪は、これも欲望と同様、誤った認識（ヴィパリャヤ）の１つの形態である。自己、つまり純粋な意識を、痛みという潜在印象に固く結びつけられたものと見なすため、「私は嫉妬している」と言えるのだ。つまり、自分自身を否定的感情と同一視し、その感情になったと見なしているのである。もしそうではなく、「観照者である私は、純粋で汚れなき不変の意識であり、過去の不注意に関わる記憶された感情を認識している」と言えば、過去の感情を表すのでなく、現在の感情（たとえばパートナーへの愛情）を選ぶことができるのだ。

　欲望と同様、嫌悪も識別知（ヴィヴェーカ・キャーティ）によって破壊される。

## 2.9　死への恐怖は賢者ですら感じるものであり、存在の持続を願望するために生まれる。

　煩悩の最後は恐怖（アビニヴェーシャ）、特にすべての恐れの根源となる死に対する恐怖である。これもまた、誤った認識（ヴィパリャヤ）の一形態である。私たち

は、間違って体を自己と認識するため、恐怖が生じる。体には終わりが来ることがわかっていて、体の死を自分の崩壊と捉えるのである。もし私たちが、創造されたものではなく、崩壊されることもない本来の姿の中にとどまれば、この恐怖は終わる。あるいは、何としてでも終わらせるべきものである。

しかしパタンジャリも言っているように、死への恐怖は賢者ですら感じるものである。シャンカラは、「ですら」という言葉の使用に関して、次のように言及している。「ですら、という言葉で強めることで、死への恐怖は自己を崩壊可能なものと考える無知な者の中でのみ、死への恐れは合理的であることがわかる。正しい洞察力を持ち、自己を崩壊不能なものと考える者には、不合理なことである」[7]。これは、もっと分別があって然るべき人であっても、「非存在とは決してなりたくない。常に生きていたい」という考えを抱くことを意味している、とヴィヤーサは指摘する。

死への恐怖という煩悩も、前述の2つの煩悩と同様の仕組みに従っている。たとえば暗い道を1人で歩いていたときに、襲われて金品を奪われたとしよう。これは膨大な恐怖を私たちの中に引き起こし、恐れという潜在印象を生み出す。将来的に適切な状況に出会った時、この例であれば暗い道を歩いた場合に必ず、誰に脅かされているわけでなくても同じ恐怖が再び顔を出す。ここでもまた前述の煩悩と同様、問題は現在の状況（1人で暗い道を歩いていること）にあるのではなく、以前の状況を覚えていることにある。このため、まるでプログラムされたロボットのような行動をとってしまうのである。

すべての人間が死を恐れていることから、ヴィヤーサは誰も皆死を経験したことがある、つまりすでに人生を経験したことがあると推論している。すべての人間が強烈に生に執着しているのは、人間が何としてでも避けなくてはならないプロセスとして死を経験したことがあると認めて初めて、説明がつくことなのである[8]。シャンカラは、ヴィヤーサの議論に次のような説明をつけている。「幸福（快楽）を経験したことがなければ、それを望む人はいない。過去に痛みを経験したことがなければ、それを避けたいという願望は生まれないだろう。同様に、死の苦しみは（この人生で）直接的にも推論によっても経験されていないというのに生命に対する強い欲望を持つのは、以前に死を経験したことがあることを示している。誕生していなければ、誕生の経験はありえないのと同じである」[9]。

西洋科学においてこの主張は、生の持続に対する欲望は本能的なものだとして否定されるだろう。ヨーガでは、この説明は拒絶される。なぜなら、本能は記憶の一

---

7 T.Leggett, *Shankara on the Yoga Sutras*, p.194.
8 H.Aranya, *Yoga Philosophy of Patanjali with Bhasvati*, p.126.
9 T.Leggett, *Shankara on the Yoga Sutras*, p.194.

形態であるか(ヨーガでは本能は記憶の一形態であると説明していて、そのためすでに説明したような過去世を推論している)、あるいは個人の外側に独立して位置する集合的な心、あるいは潜在意識の存在を通して動いているものであると考えない限り、誰にも本能がどのように働いているのか説明できないからである。しかし、後者の心を通して動くという考えも、西洋科学には否定される。西洋科学では、心は外的刺激を通して起こる生物的電気衝動だと考えられているのだ。この点を証明するため科学者は、見ること、聞くこと、重力など外的刺激が取り除かれれば人間は眠るだろうと主張している。

これは、脳科学者ジョン・リリー博士によって間違いだと証明されている。博士は1960年代に、感覚遮断タンクを開発した。この装置では、重力をまったく意識できない食塩水の中に人を浮かばせる。同時に、このタンクの中では音も光も遮断されていて、どんな感覚的入力も体験することはない。この中でリリー博士は、眠るのではなく瞑想体験をしたというのである。感覚遮断タンクは、プラティヤーハーラ(制感)と同じ働きをする。感覚という燃料が抑えられれば、心は静まり瞑想が可能になるのだ。

深く横たわる現実を認識する妨げとなるのは、絶え間なく流れ込む感覚である。スートラ1.4で言っているように、「私たちが自らの本来の姿を認識できなければ、心の内容と自分を同一視してしまう」のである。

## 2.10 微細な状態の煩悩は、心の消滅によって打ち壊される。

現代の説明の中には、このスートラを誤解しているものがある。このスートラはしばしば、微細な状態の煩悩を破壊するためのテクニックを提供するものとして解釈されるのである。それではこのスートラは、心を破壊することによって微細な状態の煩悩を打ち壊すよう提案していることになってしまう。これはまったく誤った解釈であり、これがヨーガに風変わりな、自己破壊的なカルトとどこか似ているという評判を与えているのだ。これが根拠のないことである理由は、以下のとおりである。

- 自分の心を破壊するのは、暴力(ヒムサー)の1つであり、これがヨーガで受け入れられることはない。
- それにもかかわらず心が破壊されれば、ヨーガ実践者を植物人間にしてしまう。しかし、ヨーガとは超意識の状態であり、無意識の状態ではない。

- 自分の心を破壊し痛めるのは、体を痛めつけるのと同様に間違ったことである。『バガヴァッド・ギーター』でクリシュナは、「体を痛める者は、体に宿る存在である私に暴力をふるうことになる」と言っている。心を痛めることに関しても、同様なのである。
- ヴィヤーサは、心は永遠であると言っている。始まりもなければ終わりもない。破壊を超えたものなのだ。
- ラマナ・マハルシは、心をコントロールするためには第2の心を作る必要がある、とはっきり指摘している。心を破壊しようとしても同様である。つまり、第1の心を破壊するためには、第2の心が必要なのである。
- 体を痛めて心を破壊することには、1つの効果しかない。それは、自我を増大させることである。

このスートラの本当に意味するところをはっきり知るには、ヴィヤーサの注釈を参照する必要がある。ヴィヤーサは、「微細な状態の煩悩」とは、煩悩にある種子を繁殖する力が枯れた状態を意味すると説明している。つまり、種子には新しい煩悩を芽生えさせる力が残されていないということである。

これは、煩悩が微細な状態になれば煩悩は不毛となり、ヨーギはそれ以上何の行動も取る必要はないということだ。この問題を完全に明確にするには、ヴァーチャスパティミシュラの復注を見てみよう。「(前のスートラでは) 人間の活動の範囲にあるもの (休眠、弱まる、中断される、あるいは完全に活動している状態) が説明された。しかし、(5つ目の状態である) 微細な状態は人間の活動の範囲にはなく、逃れることがあるかもしれない」[10]。

シャンカラは注釈書『ヴィヴァラナ』の中で、「つまり、(微細な状態の煩悩は、すでに枯れたものであり) いかなる瞑想の実践も必要とはしない。すでに燃えてしまったものに火は必要なく、粉になったものに製粉は必要ないのだ」と述べている[11]。

この情報を考慮すれば、スートラの解釈は次のようになる。煩悩は、微細な状態に達すれば、それを破壊するためにもはやどんな瞑想テクニックも必要としない。すでに枯れていて、もう芽を出すことはできないのだ。それら (微細な状態の煩悩) はやがて、ヨーギの心が消えていくのとともに打ち壊されるのである。

心の消滅は、人間の行動を超えたものである。実践者の最後の人生の死後にのみ、自然に根本原質 (プラクリティ) の中に溶けていく[12]。ヨーギが解脱して自由になれ

10 J.H.Woods, trans., *The Yoga System of Patanjali*, p.119.
11 T.Leggett, *Shankara on the Yoga Sutras*, p.195.
12 『サーンキヤ・カーリカー』5章59節を参照

ば、体を破壊しようとすることはなく、心を破壊しようとすることもない。この最後の人生の寿命が終わりに来れば、体と心、それとともに種子の状態の煩悩は再び現れることなく消えていくのである。

## *2.11* 煩悩から生じる心のプロセスは、瞑想によって打ち消すことができる。

ヴィヤーサは注釈書の中で、前のスートラで扱われていた煩悩が微細な状態のものだったのに対し、このスートラで扱っている煩悩は外に現れた形の煩悩であると書いている。前のスートラに関するヴァーチャスパティミシュラの注釈に言及するなら、このスートラは「人間の活動の範囲にある」ものである。つまり、外に現れた煩悩の状態を変えるために行動することが可能であり、行動しなくてはならないのである。

このスートラでは、外に現れた煩悩（これは粗雑な状態とも言われる）を熟慮と瞑想によって打ち消すことが勧められている。スートラ2.4を思い出してみよう。煩悩とは休眠したり、弱まったり、中断されたり、活動したりするものであると述べられていた。これら4段階はすべて粗雑な状態の煩悩を表しており、瞑想によって微細な状態となるまで弱められなくてはならない。そうすれば、それ以上の行動は必要ではなくなる。

煩悩の減少は、3段階に分けられる。

1．クリヤー・ヨーガによって、希薄にして弱める。
2．瞑想的な洞察力によって減少させる。このスートラで言及しているのは、この段階である。自己と非自己を識別する能力、つまり識別知に対する瞑想（プラサンキャーナ）を行えば、煩悩が減少する[13]。
3．煩悩の減少の3番目の段階は煩悩が完全に消えることであり、これについては直前のスートラで扱っている。煩悩は、心が消えた瞬間にのみ完全に消える。私たちの扱える範囲にあるのは第1段階と第2段階、すなわちクリヤー・ヨーガとプラサンキャーナである。この2つの関連性については、クリヤー・ヨーガがブラシをかけることで衣服から粗いほこりを取り除くようなものであるのに対し、瞑想的な洞察力はていねいに努力して洗うことで油汚れのようにより細かい不純

---

13 プラサンキャーナを訳すのは難しい。この言葉には、サーンキヤという語とキャーテーという語が含まれている。プラサンキャーナは、熟慮した上での知識と呼ぶことができるであろう。苦しみから自由になるために知性と論理を使用する、という意味である。

物を取り除くようなものである、とヴィヤーサは説明している。

実践においては、プラサンキャーナは何を意味するのだろうか。たとえば、恐れという煩悩を経験したとすれば、恐れの根源を熟慮するのである。恐れの根源には、体が真の自己である、つまり私は体なのだという間違った概念がある。識別知に瞑想するとは、私でないものの対極にある私というものに瞑想することを意味する。私は本当は自己であり、体ではないという正しい知識が得られれば、恐れは消える。

痛みにつながる嫌悪という煩悩を経験したとすれば、嫌悪の根源に瞑想する必要がある。嫌悪の根源は、痛みが残した潜在印象（サンスカーラ）と固く結びつけられたものとして本来の自己を経験したことにある。痛みの経験は心の一部である潜在意識の中にあり、そのどちらも本来の自己とは何の関係もない。過去に痛みを経験したとしても、私はそれをただ傍観したにすぎず、そのものになってしまったわけではないという洞察も瞑想によってもたらされるのである。観照をしたもの、つまり意識とはまったく汚されることのないものであり、観照という過程においても決して変化することはない。つまり、痛みとは一時的な感覚であり、永遠である私たち本来の姿と交わることはない。このように、意識はすべての状況からまったく純粋に現れ出るものであり、嫌悪など必要ないのである。

## 2.12 行為が煩悩に基づくものであれば、カルマは現在と未来において経験される。

これは、心に蓄積されたカルマ（業）は現世と来世で経験されねばならず、それらはまた煩悩に起源を持つものである、という意味である。何かを経験すれば必ず、潜在意識に印象が残される（サンスカーラ）。その印象（imprint、印影）が真の知識、つまり正しい認識に基づくものであれば、苦しみを伴うことはない。つまり、将来的に苦悩を引き起こすことはないのである。しかしほとんどの印象は、「私は体である」という概念や人生の目的は物質的所有物を蓄積することにあるという考えなどの無知や利己主義から起こる。こういう印象が問題を引き起こすのだ。煩悩に根源を持つ限り、新たな苦しみという形で現れるカルマを生み出すのである。

潜在印象の強度はさまざまである。印象を生み出した意図が大変強い場合は、すぐに結果が表れる。そのため、大きな悪事にはすぐに反響がある。偉大な美徳や賢明な態度に関しても、同様のことが言える。自発的に真実を認識したなら、すぐ解脱が起こるのである。

しかし多くの行為は、邪悪なものであれ高潔なものであれ、もっと穏やかな意図

で遂行される。たとえ誰かに害を与えたとしても、それは意図したことではなく、原因は注意や用心が足りなかったことにある場合が多い。良い行いをする場合でも、純粋な人間という状態にまで突き抜けたいというよりも、もっと心地よくいたいがためという場合が多い。このような適度な意図で遂行された行為はすべて、すぐに成果を生み出すことはない。むしろ、心の中にカルマの蓄えを集め、積み上げるのである。これはカルマの貯蔵所、あるいは業遺存（カルマーシャヤ）と呼ばれるものである。

　潜在印象がカルマの貯蔵所に蓄積されれば、結果がすぐに訪れそうにもないので、カルマは何の成果も生み出さないのではないか、という感情が芽生えるかもしれない。しかしこのスートラで、現世であろうが来世であろうがやがて、すべてのカルマは経験するべき成果を生み出すことが断言されている。印象を生み出した元の行為が無知、利己主義、欲望などの煩悩に基づくものであれば、これらの結果もまた煩悩の形で現れる。つまり、苦悩をもたらすことになる。

　潜在印象（サンスカーラ）は、それに対応する心的態度、すなわち条件づけ（ヴァーサナー）を生み出し、具体化する。大切なのは、潜在印象と条件づけの違いを理解しておくことである。同じタイプの潜在印象が何度も繰り返されると、やがて特定の条件づけが生み出される。もしある状況において乱暴で下品に反応することを自分に許せば、これが印象を残す。1回目のあとであれば、次にどのような反応をするかまだ選択の余地があるだろう。しかし、繰り返して印象が残されれば、反応はどんどん機械的になっていく。こうして印象は、条件づけ（ヴァーサナー）と呼ばれる傾向を生み出すよう強化される。煩悩を基とする条件づけが起これば、ロボットのように機械的な傾向により、より多くの煩悩を常に作り出すことになるだろう。こうした条件づけを変えることはできるが、まだ印象の段階にある時に阻止するほうがずっと簡単なのである。

　私たちが、過去の利己主義、痛み、欲望、恐怖などの煩悩に基づいて行為していることに気づいた時には、自覚的にこの傾向から離れる選択をする必要がある。このスートラでは、自分が加えた煩悩はすべて、やがては自分のところに戻ってくることを確認しているのだ。

　シャンカラは復注書の中で、結果をもたらすのに時間のかかる行為もあれば、すぐさま効果の現れるものもあるのはなぜなのか、その理由を説明している。シャンカラは似た例として、農耕における種子の中には、畑にまかれてすぐに芽を出すものもあれば時間のかかるものもあることを挙げ、それは種子の質や種類によると説明している。同様に、心の中にあるカルマの印象の種子は、その質によってすぐに芽を出すものもあれば、ゆっくり出すものもある。つまり、カルマの印象を生み出

した行為の強度によって、変わってくるのである。

## 2.13 この煩悩の根源であるカルマの貯蔵所が存在する限り、出生、寿命、(快楽と苦悩の)経験という形で成果がもたらされる。

　煩悩の根源（クレーシャムーラー）は、カルマの貯蔵庫である。この根源が存在する限り、カルマは常に新たに具体化されて芽を出す。貯蔵されたカルマのタイプによって、種族、階級、出生状況、寿命の長さ、人生の中で経験することの質と量が決まる。シャーム・ゴーシュは、輪廻の仕組みについて次のように説明している。「将来的に具現化をもたらす状況は、快楽や苦悩のふさわしい経験を通してカルマを使うために必要な機会を提供しなくてはならない」[14]。

　ヴィヤーサは、煩悩の芽は瞑想によって枯らさなければ、芽を出し続けると指摘している。前世で瞑想に成功しなかったため新たなカルマが蓄積され、それが現在具現化されて、それに伴い苦しみが生じているのだ。しかし、来世のタイプ、長さ、経験は予想できないことを指摘しておかねばならない。現在の経験に左右されるわけではなく、貯蔵庫の中にあるカルマのうち支配的なものに左右されるのである。現在具現化されたものによって良いカルマを使い果たしたら、次には程度の低い出生が数回やってくるかもしれず、その場合は非常に不安定な状況を生み出す。つまり、現在のこの生にある私たちは、スートラに書かれたすべての知識が入手できるという幸運な状況にあるのだから、自由へと突き抜けるべくあらゆる努力をしなくてはならないのだ。人間としての生を解脱の探究のために費やさないのは、素晴らしい機会を無駄にしていることである。

　経典によると、人間以外にもさまざまなタイプの生まれ変わりがある。動物として具現化されれば、あまりに意識は低く解脱を求めるには難しい。悪魔や天人として具現化されれば、人間よりはるかに強力とはいえ、怒りや悪意（悪魔の場合）、あるいは喜びや美（天人の場合）に没入するあまり、自由についてあれこれ考えることはない。人間として生まれて初めて、個人としてちょうどいい具合に快楽と苦悩の両方を与えられ、心の奴隷となっている状態から自由になりたいと望む一方、思慮深くもいられるのである。

　ヴィヤーサはもう1点、カルマの蓄積（カルマーシャヤ）についての重要事項を指摘している。まだ実を結んでいないカルマは、芽を出す前に破壊することができる

---

14 Shyam Gosh, *The Original Yoga*, 2nd rev. ed., Munshiram Manoharlal, New Delhi, 1999, p.197.

というのである。カルマの中には、すでに実を結んでいるカルマ（プララブダ・カルマ）のカテゴリーに入るものもあり、人生には変えられないことがある。このカルマの種子はすでに芽を出しているので、すでにそうなるよう定められていて、耐えるべく受け入れなくてはならないとヴィヤーサは言っている。しかし、来たるべくいずれかの世での成果を待って貯蔵庫にある休止状態のカルマはすべて、現在阻止することができるし、そうせねばならないのである。

　新たな具現化は、さまざまな点でさいころゲームに似ている。今後どうなるかは、決して予想できないのだ。聖者たちでも、動物に生まれ変わった場合がある。素晴らしい行いをしたにもかかわらず、死に直面して潜在意識にあった最も強い考えが偶然動物的なものだったため、動物に生まれ変わってしまったのである。一方で、同じ人生の間に大変な悪人が解脱し、素晴らしい聖者となる場合もある。チベットの聖人ミラレパは、若い頃黒魔術で35人を殺害したが、それでも偉大な神秘家となった。おそらく今までのどんな人間よりも解脱を求めて一生懸命努力し、そのためこのようなことが可能になったのだ。ミラレパは、解脱を達成する前に死という恐ろしい運命が待っていることを知って駆り立てられ、ヒマラヤのほら穴で食べるものもなく氷に囲まれて、裸で20年間瞑想を行ったのである。この例ほど否定的な行動に関与したわけでなければ、これほどの極端な実践の形は必要ないだろう。

## 2.14 これらの成果は、原因の良し悪しによって快楽に満ちたものにも痛み多きものにもなる。

　これが、ヨーガの倫理が厳しい所以である。師は人生から楽しみを奪い取りたいわけではなく、ただ、昨日の行為によって今日の自分が作られるということである。同様に、今日の行為が明日の自分を決めることになる。前夜に酔っ払っていれば、当然翌朝のアーサナの練習では体が痛む。耽溺の度合によっては、まったく練習できない場合さえあるかもしれない。

　人生に何らかの形で苦悩があれば、原因を分析しなくてはならない。それが欠点多き行為であり、取り除く必要のあるものだからだ。原因が明らかにならない場合、ヨーガ哲学では原因は過去世に隠されていると考える。こういう場合の成果には、耐えるほかない。原因はすでに完結されて成果を結び始めているのであり、変えることはできないのだ。今日の苦しみは過去に生み出されたものだという事実に責任を持たないこと以外にも、ここで気をつけておかなくてはならない別の危険な傾向がある。

　私たちは、しばしば苦悩の原因を分析する際に表面的になりすぎ、「練習が悪い」

となってしまうことがある。そして、喜んで無関心に陥り「ヨーガとは体を痛めるものである」という感情に逃げ込む。実は、怠惰で深く調べるのを怠っているか、自分のやり方にこだわって変えることができないでいるかなのである。

過去に立派な行為をして幸運な位置まで行きつくことができていれば、それに安心してしまわないようにしなくてはならない。良い点は必ず使い果たされ、その後逆戻りする可能性は高い。理想としては、好ましい状況を実践と研究に使うことだ。簡単に言えば、今が目覚めをもたらす行動を取る時なのである。首まで水につかっている時には、取り組むのはずっと大変である。世界全体は途切れることのない流れの中にあり、すべてをコントロールしているように思えても、いつ何時大変な時期がやってくるかもしれないのだ。

こうした態度が離欲へとつながり、痛みが訪れても向き合えるようになる。ヨーガでは、快楽が続くことに決して頼ってはいけないと忠告される。何の執着もなければ、続いている間は快楽を楽しむかもしれない。執着が発展すると、幸福と自由を維持するために、この特定の快楽が続くことに依存するようになる。しかし意識以外に、永遠であるものは何もないのだ。

また、快楽と苦痛は相反して対となるものであり、パタンジャリ[15]も『バガヴァッド・ギーター』においても、それらから免れることを勧めているという事実にも目を向ける必要がある。中国の哲学者、老子は『道徳経』の中で、「美を定義すれば、醜悪を作り出す。善を作り上げれば、悪を定義することになる。道の大海へと戻ることである」と言っている。ここでいう道(タオ)とは、中国語でブラフマンに当たる語である。

カルマを扱う一連のスートラを見れば、ヨーガとは単純に「良い行いをして、悪を避ける」というタイプの精神性であるという印象を受けるかもしれない。しかし、これは現実とはまったく異なる。ヨーガでは、神秘体験を通して解脱に到達する。倫理が基礎となり、その基地から頂上へと登るのだ。倫理があるから人生は単純で率直なものとなるのであり、倫理とは重要なものである。倫理がなければ条件づけられた存在(サンサーラ)の網の中に巻き込まれ、神秘体験が起こることはない。

**倫理の重要性**

スワミ・アゲハーナンダ・バーラティは、倫理を解脱から完全に切り離そうと試みている[16]。神秘体験は特定の倫理体系につながるものではなく、まったく価値はないと主張したのである。スワミは、人間に向けられたいかなる悪意や敵意も、自

---

15 『ヨーガ・スートラ』2.48の「アーサナにおいて、相反して対となるものに攻撃を受けることがなくなる。」
16 Sw. Agehananda Bharati, *The Light at the Center*, Ross-Erickson, Santa Barbara, 1976.

分自身を知らないことから生まれるという事実を見落としている。もし知識が得られれば、自分自身の本来の姿をすべての人間の本来の姿として知り、誰かを傷つけることは自分自身を傷つけることになるとわかるはずである。

さらに、人は個人的利益のために非倫理的行為を行う。自分自身を認識すれば、自分というものは個人生活を輝かせる自己であるだけでなく、全体としての存在を光で照らすものなのだと知ることになる。そうすれば、個人的利益などは不可能となる。もはや、自分自身と離れているものなど何もなくなる。この時点で、倫理は外から課せられたものではなく、内側から自然に出てくるものとなるのだ。

神秘家の生活の一部にも倫理はあるが、倫理がサマーディや神秘的実践に取って代わられれば、あまりに倫理が強調されて、現在見ているシステムはもはや真のヨーガでなくなってしまう。倫理だけでは自由に到達するためのあまり効果的な手段とならないばかりか、倫理は人間を一層の奴隷状態にするために使うこともできるのだ。より厳しい規則をより多く与えることで、規則は渋々固守されるものになり、その後こっそり破られることになるのはよくあることである。あるいは、実践する人々の間で、どんなに懸命に試みたところで決して十分良い状態にまではなれないと会話が交わされることになるだろう（500もの規則に従うように言われた、ある階級の僧の間での問題である）。ジャイナ教徒の中には、微生物を体内に摂取して殺してしまわないように、フィルターを通して水を飲み、呼吸する者もいる。また、小さな虫を踏んで殺してしまうことのないよう、目の前の道を常に掃く。

もし倫理が罪と恥で人間の生活を支配するのなら、倫理もまた、私たちに対する暴虐を増大させるために心によって使われる道具となってしまう。倫理は内側から来るものでなくてはならない。それなら解脱へとつながる。倫理の持つもう1つの大きな危険性は、他人に倫理を課す人は、自分自身は倫理に従って生活することができない場合が多いことである。ここ50年ほどの聖職者、グル、いわゆる聖者の多くが、禁欲（ブラフマチャリヤ）を説きながら、子どもとの間や多くのパートナーとの間でなど、非倫理的な性関係を持っていたことが発見されているのは興味深い。

厳格な倫理は、一旦習得されれば自分の自我を強め、他人より自分が優れていると主張するために使われることもある。毎朝午前4時に起き、菜食主義で飲酒も喫煙もしない男がいた。性関係を持たず、自分は救世主であると主張し、多くの人間がこの男を信じた。その男の名は、アドルフ・ヒットラーである。

まとまった規則や教義に従っても、内的な自由を達成することは決してできない。自由とは、気づきのことである。規則はすべて、心と自我が新たに牢獄を建てることに使われる。しかし、すべての規則を拒絶するのでは、これも新たな教義となるだけである。ここから出るには、新たに別の規則を作るのではなく、振り返ること

によって、何の規制も必要なく、すべてに生命を吹き込み、生命に逆らうことのないものに気づくことである。それがわかれば、すべての生き物に対する大いなる思いやりの気持ちは魂(ハート)から自然に湧き起こり、心(マインド)にその気持ちを課される必要などなくなる。そうすれば、命のない規則を通して生命を模倣しようと試みていたのが、生きる倫理に変わるのである。

　倫理は、神秘的な洞察力に取って代わることは決してない。しかし、そこに至る道を開けるものではある。

## 2.15 識別知のある者にとって、すべては苦である。なぜなら、グナのはたらきによる衝突、変化を通しての苦悶、潜在印象が原因となる痛みがあるからである。

　自分の本来の姿を無限の意識として認識することをもたらさない経験はすべて、最後には苦しみへとつながる。このことに現在気づいていないのは、過去の痛みの経験のため、無感覚で鈍感になってしまったからである。

　見かけが快楽に満ちたものは、また別の問題を引き起こす。完全な痛みが永遠であるもの（意識）を探し求めるように私たちを駆り立てるのに対し、快楽には永遠でないもの（体）との絆を強めようとする傾向がある。快楽を経験すればするほど、経験をした媒体、すなわち体、感覚、心と自分を同一視するようになるのだ。

　私たちは人生のどこかの時点で、体はやがて壊れ、快楽に近づけなくなると認識し、恐れをもって反応する。この恐怖を埋めようとして、より多くの快楽を探しまわり始める。快楽を期待し、快楽がやってこないと不幸せになることも多い。あるいは、快楽を覚えていて、今この瞬間が差し出すものを楽しめないかもしれない。快楽には、思考を過去（かつての快楽）、あるいは未来（予想される快楽）に引き寄せる傾向がある。これらはともに、私たちを現在から引き離すものなのである。

　ここで、ヨーガを誤解しないように気をつけてほしい。ヨーガは、人の楽しみを台無しにしようとしているわけではない。しかし、独存（カイヴァリャ）と歓喜（アーナンダ）を探求するのなら、一時的なものによってそこへたどり着くことは不可能であることを理解しなくてはならない。富とともに快楽は、欧米社会における神となった。私たちの本来の姿に関する知識がすべて失われたため、現代社会はこれらの神を受け入れなければならなかったのである。ブッダは、すべての快楽は苦であると説いた。なぜなら、私たちが執着するすべての快楽は必ず、失われるからである。そして、そのとき痛みを経験することになるのだ。

西洋社会では、快楽を求めることが幸福への道であると約束され、自分の欲望を満たそうと必死になっている人は賞賛される。これに対してインドでは、幸福とは享楽、つまり満足を求めない状態であると理解されている。これについて考えてみよう。満足を得なくてはならないという考えを捨てれば、いつもそこにある幸せに気づく。その幸せは私たちの奥深くにあり、外的刺激に依存することはない。ヨーガでは、快楽の探求は実は苦しみにつながると考えられているのだ。

この仕組みは、識別をする人（ヴィヴェーキン）、すなわち自己と非自己を見分ける人には認識することができる。自己の光を見た者にとって、快楽も無限の自由の中にとどまることにはかなわない。海を見れば、裏庭の池などもはや何でもなくなる。この池が条件づけられた存在（サンサーラ）である、輪廻に当たる。条件づけられた存在は、無限の意識（ブラフマン）という海と1つになる歓喜に比べ、痛み多きものなのである。

このサンサーラの痛み（条件づけられた存在に生じる苦）を引き起こすのは、何であろうか。パタンジャリは、識別をする人が知る痛みの原因を3つ挙げている。それは最も個人的な潜在印象（サンスカーラ）によって引き起こされるものである。たとえば、乱暴で暴力的な父親を持つ少女は、その体験が引き起こした潜在印象を保持する。この印象のため、少女は大人になったときに、乱暴で暴力的なパートナーと関係を持つ傾向が強くなる。すべての経験は、反復を求めるような印象を残す。すべてではないが、心理療法の中にはヨーガの考えとうまく一致しないものもある。心理療法では、深く内部に蓄積されたトラウマは、表面にまで出して追体験すれば、理論上はその後消えていくという考え方がある。しかしヨーガでは、トラウマを追体験することでトラウマの持つ力はより強力になり、実のところは新たな印象を作り出して、より一層のトラウマ体験が要求されることになると考えられている。

言い換えれば、トラウマを追体験することで一層、トラウマのなくなる可能性は低くなるのだ。「私には、外に表出すべき多くのものがある」とか「現在、強烈なプロセスを体験している」などというニューエイジの表現は、実はより一層深く条件づけられた状態へと巻き込まれていく徴候であり、痛みをさらに経験することにつながるのである。

現代の西洋文化の流れにおいて、感情はある意味、思考よりも真実に近いと言っているのは興味深い。長期間抑圧された感情を抱いていたため、失った時間をここで埋めようとしているのである。ヨーガでは、感情は心の別の形と見なされ、思考と同様、機械的であると考えられている。感情とは実際、過去の状況に基づく気持ちでしかない。たとえば寂しいと感じていれば、この気持ちは現時点にのみ関わるものである。しかし、愛する人を失ったことで全体的な拒絶の経験を引き起こし、

他人から切り離され意思疎通することができなくなれば、この状態を適切に表現するには、私は孤独という「感情」を持っていると表現すべきである。孤独は今「表面化」した過去の経験であり、これは対象（愛する人を失うこと）が現れることで心の中に目覚める一般的傾向である。

つまり、感情的になることは、現在に在ることに反することなのだ。ヨーガの観点では、感情は単に過去について考えること、あるいは過去の感覚を求める気持ちに他ならない。明らかに、感情は私たち本来の姿とは異なるものである。感情に気づく力、感情の起こる存在が、私たち本来の姿（意識）なのである。

この違いのわかる人が、識別をする人（ヴィヴェーキン）である。こういう人にとっては、トラウマの逆のことですら痛みである。なぜなら、これもトラウマに対する反応だからである。自己の中にいることだけが永遠の自由（意識）なのだ。

潜在印象が痛みの内面的原因であると述べたパタンジャリは、次に外的原因を2つ挙げている。まず1つ目は、根本原質（自然）の質（グナ）が絶え間なく揺らぐことである。ここでの「根本原質（自然）」はプラクリティのことであり、ここで使われている意味は崇高な鯨保護、熱帯雨林保護とは何の関係もない。プラクリティとは、DNAコードの遺伝情報、分子構造、そして銀河の動きである宇宙における知性の源である。この宇宙の知性の源、根本原質は、質を表す3つの要素で世界を具現化する。この3つの要素が、ラジャス、タマス、サットヴァである。世界のものでない意識を除いては、この3つが割合を変えることで、世界のすべては作り上げられると考えられている。

ヴィヤーサは、1つのグナだけでは何も作り出すことはできず、すべての対象はかたまり（タマス）、活力（ラジャス）、知性（サットヴァ）の組み合わせでできていると説明する[17]。

対象を引きつける力とそれを楽しめるかどうかは、観点、観察者、時間によってかなり変わる。広告業界は女性美を完璧な広告ツールとして賛美し、多くの消費者はわずか数十年の間に体がいかに変化するか知っているというのに、これに騙される。もっと違った観点で見れば、体はそれほど魅力的なものではないかもしれないのだ。あるスートラ注釈者が言っているように、「あなたの結婚した女性は、結婚当時は20歳で天使のように見えたかもしれないが、30歳になると、あなたには悪魔のように見えるかもしれない。しかし、他の誰かには天使に思われるかもしれないのだ」。このように、必ずしも対象が大きく変わらなくとも、観察者の見方は変わるのである。

---

17 S.Dasgupta、*A History of Indian Philosophy* で使用された言葉

これが3つ目で最後［外的原因の2つ目］となる苦しみの形、すなわち絶え間ない変化を通しての苦悶へつながる。私たちは自然に、体系だった関係、たとえば家族、家庭、友人の輪、会社、近隣、クラブ、コミュニティ、社会、地区、文化、国家、帝国などを形成する傾向にある。こういう関係は枠組みを提供し、私たちはそこに安住して心地よくいることができるのだ。しかし、すべての体系にはエントロピーがあり、それによって体系は常に変化し最後には壊れてしまう。

エントロピーは人間の体の死、人間関係や家庭の崩壊、企業の倒産、人種問題の騒乱による近隣破壊、テロによる爆破攻撃、戦争や内乱による国家の崩壊、衰退や愚行による帝国の崩壊などの形で現れる。こういう変化はすべて、それを経験した人々の中に苦悶をもたらす。たとえ変化によって暮らし向きが悪くなるわけではなくとも、変わらなくてはならないという不安定さが不安を生み出すのだ。

これら3つの理由で、識別をする人は世界や経験を痛み多きものと見なす。このように判断するのは、唯一痛みのない状態が何かがわかっているからである。それは本来の歓喜と自由の状態であり、これこそがヨーガの本来の姿なのである。

## *2.16* 未来の苦は、避けることができる。

煩悩に基づく経験は、すべて痛みを伴うとスートラ*2.15*に説明があった。煩悩に基づく経験はカルマの貯蔵庫を満たし、新たな苦しみをもたらすのである。

カルマは、3つの形態に区別される。1つ目は、過去に作り出され、すでに成果の実ったカルマである。このカルマが現在の私たちの体を形成し、寿命、誕生や死の形、経験の種類の枠組みを決める。この枠組みはある程度受け入れなくてはならないが、それでも変えられることも多くある。しかし、すべてを正しく行ってもつまずきがあるからといって落胆すべきではなく、自分自身の過去の無知の結果として受け入れるべきであり、責任を他人に転嫁してはならない。

2つ目のカルマは、形成はされてもいまだに成果の実っていないものである。その成果は、現在の体を作り出したカルマによって妨げられている。このカルマが何を貯蔵しているのかはわからないが、妨げなくてはならないものである。良いカルマをこの存在ですべて使い果たし、より低次の形に具現化される可能性もあるからだ。これは、避けねばならない。聖仙ヴァシシュタによる偉大な教えが書かれた『ヨーガ・ヴァシシュタ』では、いかなるカルマも妨げることはでき、真に自分で努力する者にはカルマに決められた運命などないと主張されている。実際、努力を積むことで運命が変えられた証拠はある。自分の運命を変えられると信じれば、変わる可能性は大きくなる。まだ残余の状態にあるカルマ、いまだに芽生えていないカ

ルマを妨げようという強い決意を持つことが必要なのである。

3つ目は、現在作り出しているカルマである。すでに学んだようにこのカルマは、強力であればすぐに結果を生み出し、そうでなければカルマの貯蔵庫に蓄積される。どちらの場合でも、スートラ2.15で見たように新たな苦悩を生み出す。未来の苦悩を避ける唯一の方法は、今目覚めることなのである。

多くの人間は、死が何らかの形ですべての問題を自動的に癒してくれるという考えを受け入れている。神が私たちを、歓喜に包まれた場所に住めるようにしてくれると願っている者もいる。また物質主義者であれば、死によって自分の電源が切れ、問題が対処されることを望む。しかしJ.K.タイムニによれば、死によって私たちのスピリチュアルな問題が解決されると信じるのは、夜になればわが家の家計の問題が解決されると信じるのと同様ばかげたことなのである[18]。暗くなってテーブル上にある未払いの請求書が見えないからといって、請求書がどこかへ行ったわけではない。同様に、体の具現化という明かりが切れたからといって、カルマの責任が消えるわけではないのだ。

物質主義は、人は何の責任を感じることもなく自分の好みに従って行為できるという思い違いを生み出した。多くの物質主義者たちは、文字どおりまるで明日はないかのようにふるまう。物質主義者の信じるところでは、どんな罪を犯そうとも、人生の終わりにはただすべてを忘れ、すべてを消し去って死の中で抱擁されるという。それならなぜ、成長のためにあらゆる努力をしなくてはならないのか。

ヨーガでは、自分の行為のつけた実を収穫するために戻ってくるのだと言われている。苦のつけた実を収穫するのがいやであれば、苦の種をまくべきではない。次のスートラでは、未来の苦を妨げる方法について説明する。

## 2.17 避けなくてはならない（苦の）原因とは、見る者と見られるものの結合である。

現在、ヨーガに関してさまざまな誤解が広まっているが、特にニューエイジの世界ではそうである。ヨーガは体、心、そして魂の結合であると言われ、書籍の中では、する者とすることの完全な結びつきの中に幸福はあると説明されている。「すべてと1つになること」というのも、よく聞くフレーズだ。パタンジャリは、苦の原因はまさしく、見る者と見られるものとの結合にあると言って、これらすべての概念を払いのけている。現代における思い違いによって、探求すべきものとして挙げ

---

18 I.K.Taimni, trans. and comm., *The Science of Yoga*, The Theosophical Publishing House, Adyar, 1961, p.168.

られている結合は、古代の師たちにはまさしくすべての煩悩の根源として定義されていたのである。

　ヴィヤーサは、病気、病気の原因、健全な状態、治療法という医学の4つの部分に分けられる医学論文と同様、ヨーガも4部に分けられると述べている。病気は、条件づけられた状態(サンサーラ)である。病気の原因は、見る者と見られるものを無知を通して認識し、誤って結びつけてしまうことである。健全な状態が独存(カイヴァリャ)である。これは、「超越した孤独」とも訳すことができる。意識とは世界から離れ、世界に影響を受けることのないものだからである。この健全な状態に到達するための治療法が、識別知(ヴィヴェーカ・キャーティ)、つまり見る者と見られるものの違いに関する知識である。

　ヴィヤーサはまた、自己／意識は獲得することも避けることもできないと指摘している。これによって行くべきところはどこにもなくなり、スピリチュアルな道のりという概念は壊されるのである。これはまた、進歩と過程という概念を打ち壊すものでもある。意識は永遠で、創造されることのない不変なものであり、到達できるものではない。意識とは観照し、意識を獲得しようという試みに光を射すものではあるが、その過程で意識自体が変わることはない。

　こうした認識を扱う体系が、ヴェーダーンタ哲学である。これは自由へのもっとも直接的な道だが、多くの人々はすでに自分は自由なのだということが理解できない。ヨーガ体系は、ある意味もっと無知な人のために作られたものである。自分は目的地とするところから離れたことはないという認識にやがて目覚めるために、無知な人間にはどこかに行くという錯覚が必要なのである。つまりヨーガは、知性に関してより高度な方法であるヴェーダーンタの崇高な高みに比べ、地に足の着いた寛大な方法なのである。

　これまでのスートラでパタンジャリは5つの煩悩を説明し、識別をする人にとって条件づけられた存在はすべて苦であると結論づけている。条件づけられた存在はここでは、医学システムのうちの1番目である病気として説明されている。次に医学面における2つ目、病気の原因に焦点を当てよう。ここでパタンジャリの下した診断は、原因は見る者と見られるものを誤って結びつけることにあるというものだ。見る者とは意識(プルシャ)であり、気づきを指す。見られるものとは、対象となる世界全体のみならず、知性、マインド、自我からなる内的器官(アンタハカラナ)を指す。

　スクリーンの前にすわって、ホラー映画を見ているとしよう。もし、スクリーン上の登場人物と自分自身を同一視し、映画に引き込まれれば、恐怖におののく気持ちは真実味を帯びる。汗ばみ、心臓の鼓動が速くなるかもしれない。この苦から逃

れるには、スクリーン上で演じられているのは自分の人生ではないということを認識することだ。ただ、傍観しているだけなのだと気づくことである。同じようにヨーガでは、私たち意識は行為の主体ではなく、世界の中の行動原理でもないと捉えている。そうではなく体、マインド、そして自我が立ち現れるのに対する、純粋な気づきなのだ。自我としての体と心は環境（プラクリティ）の一部と見なされ、私たち本来の姿（プルシャ）ではないと考えられているのである。同じ考えが、『バガヴァッド・ギーター』3.27でも「行為はどんな場合でもすべて、プラクリティのグナが成すものである。自我意識で心が惑わされている者は、私こそが行為者であると考える」と述べられている[19]。

　スートラ2.6でパタンジャリは、自我意識とは見る者と見ていることという2つの力を1つの実体として捉えることであると説明した。この2.17では、認識の原理としての見ていること〔内的器官〕を含む見られるものを扱い、より普遍的なことを述べている。これら2つのスートラで私たちは、見ていること（心）でも見られるもの（世界）でもなく、意識なのだと説明されている。純粋で何も含まず、限界も質も持たない無限の意識である自分の姿を心や自我やそこに含まれるものと一体化することが、ここで苦悩の原因として定義されているのである。

## 2.18 見られるものは光、活動、不活発という質で作られ、元素と感覚器官で構成される。これは、経験と解脱を目的に存在する。

　パタンジャリはここで、見られるものである、世界とは何かについて説明する。パタンジャリはプラカーシャ、クリヤー、スティティという言葉を使っているが、これらの意味はサーンキヤ哲学で使われているサットヴァ（光、叡智）、ラジャス（動き、活動）、タマス（鈍さ、不活発）という言葉の意味とまったく同じである。この3つは根本原質（プラクリティ）を作る3つの要素であり、さまざまに組み合わさってすべての現象を形成する。

　大宇宙（世界）の中の対象は、空、風、火、水、地という5つの元素の形で存在する。小宇宙（人間）の中では、知性、自我、マインドからなる内的器官および5つの感覚器官と5つの運動機能からなる外的器官（体）という形で存在する。グナ、元素、内的器官、外的器官が一緒となり、見られるものを形成する。これと異なるものが、見る者、すなわち意識（プルシャ）である。

---

19 *Srimad Bhagavad Gita*, trans. Sw. Viresvarananda, Sri Ramakrishna Madras p.79.

ここで大切なのは、パタンジャリによると、見られるものは目的なしでは働かないということだ。というよりもむしろ、私たちに経験の機会を与え、その後私たち自身が解脱するために行為しているのである。ヨーガによると、世界とは、自分自身を意識として認識するために必要な稽古が演じられる舞台のようなものである。この稽古が経験と呼ばれるものであり、圧倒的に楽しいというわけではないが、快楽と苦の両方を適度な割合で持ち、やがて私たちが両方を越えられるように助けてくれる。パタンジャリは、世界は世界のために存在しているのではなく、意識を認識するため存在していると言っている。『サーンキヤ・カーリカー』5章58節では、人々が欲望を目的として行動に従事するときですら、プラクリティはプルシャのために姿を現していると言っている。

こうして意識のために世界が姿を表すことで、経験と解脱が起こる。経験とは快楽と苦悩の経験を意味し、束縛とも呼ばれる。一定量の経験をすれば、経験された一時的なものと自分は異なることに気がつく。そして、自分は永遠で不変の存在に属する唯一のもの、すなわち意識であると認識するのである。

意識と世界の関係は、太陽と花の関係になぞらえることができるだろう。太陽が昇れば、花は太陽の方向を向いて開く。太陽が道を描いて空を渡れば、花はその動きを追う。最後に太陽が沈んだ時には、花は閉じる。このプロセスすべてを通して、太陽はまったく変化していない。花がなくても、まったく同じ動きをするだろう。一方花は、太陽に完全に依存している。太陽の光がなければ、花は存在できないのである。

花に太陽が必要なように、世界には意識が必要である。意識が気づきという光を照らせば、プラクリティという花はそちらに向かって開く。意識という太陽が沈むまで世界は太陽の行く道を追い、世界の終わりが来れば世界は見えなくなる。夜の間も太陽がまったく変わらないのと同様に、意識という太陽も世界が多数の変化を遂げる間まったく変わらない。太陽と同じく意識は完全に自由であり、太陽自体のためにだけ存在しているのである。そして花と同様、世界は意識の光に依存しているのだ。

## 2.19 グナには、粗雑、微細、現れる、現れていないという4段階がある。

世界が生じる前には3つのグナのつり合いがとれていて、根本原質（プラクリティ）は表に現れない形でのみ存在した。これは、ビッグバン以前の宇宙の状態に似ている。存在していないと言うこともできるが、本当は潜在的なものとして、種

子の状態で存在していたのである。ヴィヤーサは、プラクリティが出現していない状態（アリンガ）は、存在でも非存在でもなく、現実でも非現実でもないと説明している。これは、ギリシャ哲学の基盤を築き、その後の西洋哲学すべての基礎となったアリストテレスの論理学の見解を忘れて初めて、理解できる考えである。西洋論理学では、Ａが正しくてＢが間違っていればＡがＢであることはありえない。これは心の論理である。

東洋的なパラドックスの論理は、意識の論理と呼ぶことができる。意識はすべての可能性を生み出す容器である。つまり、意識の論理にはすべての可能性が含まれていなくてはならない。パラドックスの論理では、Ａが正しくＢが間違っている場合、ＡとＢは同一のものかもしれないし同一でないかもしれず、同一でありなおかつ同一でないことも、そのどちらでもないこともある。これらの可能性はすべて意識の中には現れるが、限界のある単純な人間の心の中にはない。

グナの第２段階は、現れている状態である。聖仙ヴィヤーサによると、宇宙の知性あるいは知能は具現化されていないプラクリティから生じる。つまり、知性はプラクリティから最初に進化したものである。瞑想（退行）を実践する際には、知性は明らかに最後まで表に現れ出てこないものである。現れているものから、グナの微細な状態が生じる。これが自我と微細な特質（タンマートラ）を生む。まず自我が生まれ、次に自我、すなわち宇宙的な私を作るもの（アハンカーラ）が、私という概念を知性の認識するものすべてに投げかける。自我は現象を所有し、これがなくては世界は生まれ出ない。自我の後には、微細な５元素の本質が生じる。これは超微細電位とも呼ばれている。これらは、すべての現象や出来事が発達する元となる元素の奥にある本質、つまり元素についての自然界の法則として理解しなくてはならない。これが音、感触、形、味、匂いの本質なのである。

グナの最終段階では、16種の粗雑なカテゴリーが生起する。５つの微細な本質（タンマートラ）から、５つの粗雑な要素（マハーブータ）が生まれる。音という本質からは空が生じ、感触という本質からは風が、形という本質からは火が、味という本質からは水が、そして匂いという本質からは地の要素が生まれる。これらの概念を理解するのが難しいのは、それぞれの言葉の訳が難しいためである。これらは瞑想の中で見て初めて、的確に理解することができるのである。

自我からは、11のカテゴリーが生じる。これには、５つの感覚器官（聴覚、触覚、視覚、味覚、嗅覚）と５つの行為器官（話す、つかむ〔手〕、運動〔足〕、排出、生殖）が含まれる。最後に当たる11番目は、マインド（マナス）である。

興味深いのは、内的器官（心）の３要素（区分）〔知性、自我、マインド〕は、グナの３元素の変質によって姿を現していることである。このため、心の３要素はこれ

ほど極端に異なる機能を持っているのだろう。現れているグナは、知性を生み出す。微細な状態のグナは自我を作り上げ、最後に粗雑な状態のグナからはマインドが生じる。グナが現れない状態から粗雑な状態へと移行する過程は、進化と呼ばれる。この過程で、世界は外界に投影される。グナが粗雑な状態から現れない状態へ移行する過程を、退行(involution)と呼ぶ。これがヨーガのプロセスであり、スピリチュアルな歓喜と自由はここで到達される。

　西洋の考え方では、「進化」という言葉には進歩という概念が含まれる。インド哲学には、進歩はない。なぜなら無限の意識(ブラフマン)は、時間を超えたものだからだ。創造されるものは何もなく、すべては永遠である。したがって、進化は下へ外へという動き、すなわち知性から地の要素へと向かう動きを意味する。ヨーガのプロセスは退行と呼ばれ、これは意識に向かって内へ上へと向かう動きである。

## 2.20 見る者は純粋な意識である。それは観照する現象の形を帯びているように見えるが、実は何の影響も受けていない。

　知性(ブッディ)は対象について知っている、あるいは知らないという点で変化可能なものである、とヴィヤーサは説明している。見る者(プルシャ)は不変であり、知性の差し出すものに常に気づいている。見る者は、目をそらすことも無視することもできない。つまり、不変の意識なのである。もし意識の持つ空間的特質を覚えているのなら、すべての現象はその中で起こることがわかるはずである。意識には、ある対象を除外し拒絶することもできなければ、欲し望むこともできない。なぜなら本質的に、永遠にすべてを含むのが意識なのである。このことを理解し、熟考し、経験した者が知る者であり、永遠に自由になるのである。

　知性と意識の異なるところは、知性はコンピューターにかなり似た方法で、感覚の入力したものを認識して解釈する点にある。一方、見る者である意識は、感覚の入力したものに何の修正もしない。ただ、傍観するだけである。聖仙パンチャシカは、見る者(意識)は知性の修正に従うと説明している[20]。このため、一方で知性に意識があるように思われ、他方で意識が感覚入力を修正したようにも見えるのである。

　瞑想の道を歩き始めるには、まず粗雑な対象を選ぶ必要がある。なぜなら粗雑な対象は、瞑想しやすいものだからである。アシュタンガ・ヴィンヤサ・ヨーガの瞑

---

20　H.Aranya, *Yoga Philosophy of Patanjali with Bhasvati*, p.180.

想のやり方では、私たちはまず粗雑な対象である動く人間の体に瞑想する。人間の動きには、外呼吸（解剖学上の呼吸）も含まれる。この段階はアーサナと呼ばれるものである。集中を切らすことなくアーサナの練習ができるようになれば、次は内呼吸（プラーナ）の動き、つまり微細な対象に集中することになる。この段階がプラーナーヤーマである。

微細な対象にしっかりと集中することができるようになれば、感覚や認識過程、つまりもっと微細なものを熟考することを始めるとよい。この段階は、プラティヤーハーラと呼ばれる。そして、集中をより洗練させて、感覚を統御して感覚入力を集積するマインドに瞑想をする。これがダーラナーである。ここに集中することができるようになれば、純粋な私という感覚に対する瞑想が始まる。これがディヤーナである。最も高次な形の瞑想は、知性（ブッディ）と意識（プルシャ）の違いに瞑想することである。これが対象のある（サンプラジュニャータ）サマーディである。両者の違いを確立して意識の中にとどまれば、対象のない（アサンプラジュニャータ）サマーディと呼ばれる状態になる。

正しい知識と呼ばれるこの状態になれば、偽りの姿、つまり単に傍観しているだけの見る者が現象の形となって表れることは終わる。そして、自己は影響を受けないものとして正しく見なされる。アルメニアの神秘家、ゲオルギイ・I.グルジエフはこの状態を「自己想起（self-remembrance）」と呼んだ。これは「自己実現（self realization）」より、ずっと洗練された言葉である。自己は常に現実であったが、私たちはそうではなかったのである。自己とは現実そのものであると、聖仙ラマナは断言している。実際、彼は自己こそが唯一の現実であるとまで言っている[21]。これまで私たちは、意識の光は心にあると考え、心の中が変化することを私たちの本質として受け入れてきた。このため、自分自身を自己として、不変で永遠の意識として覚えておくことが不可欠となる。

## *2.21* 見られるものは、まさしくその本質からして見る者の目的のためだけに存在する。

この言葉は、世界はプルシャが解脱する目的のためにプラクリティによってもたらされたという『サーンキヤ・カーリカー』と一致する[22]。世界は、やがて解脱へとつながることになる意識（プルシャ）に経験を与える以外、目的を持たないのである。

---

21 David Godman, ed., *Be As You Are —The Teachings of Romana Maharushi*, Penguin Books India, New Delhi, 1985.（福間巌訳『あるがままに―ラマナ・マハルシの教え』ナチュラルスピリット、2005年）
22 5章56節

意識は、永遠に活動をしないものである。ただ、観照するだけなのだ。意識を描写できる数少ない言葉に、気づきがある。しかしシャンカラは復注書で、対象が差し出されている間に限り気づくことができる、と正しく指摘している[23]。つまり気づきの質は、主体となる意識と気づくために出された対象との関係に関連するものなのである。これは世界が生じた理由を示すものであり、私たちの理解のために欠くことのできないものである。意識が気づきを表すために、世界は生じたのである。

身体的なヨーガ実践者にとっては、人間の体はそれ自体が目的ではないことを理解しておくことが大切だ。体の存在意義はただ、意識に対する行為の乗り物となることだけなのである。つまり、ポーズはそれだけではさして有益なものではないので、何百もの素晴らしいポーズを取ることにそれほど執着する必要はないのだ。解脱に向かっていて初めて目的を成し遂げるのであり、正しい方法で行われなくてはならない。自我を強め、自己満足のためにポーズの実践を行うのでは、真のヨーガにとって障害となってしまう。本質的に、見られるものとは意識のためにだけ存在するのであり、この目的が達成されるならば、見られるものは当然表に現れなくなる。世界の目的は、経験と解脱を与えることにある。これが達成されたならば、世界と体が表に現れることもなくなるのである。

しかし、こうして現れなくなったからといって、それで完全とは言えない。これは、グナが粗雑な状態から微細な状態、現れている状態を経て根本原質（プラクリティ）が現れていない状態（アリンガ）へと戻っただけである。どうして、こうなるのだろうか。なぜ、プラクリティはすべてなくならないのだろうか。この説明は次のスートラにある。

## 2.22 解脱したプルシャに関する限り、見られるものは消滅する。しかし、他のまだ束縛されている人にとっては現れたままの状態である。

ここでシヴァ派における宇宙の創造について、見てみよう[24]。シヴァ派では無限の意識であるブラフマンには、２つの柱がある。それらはサーンキヤ原理で意識を表すシヴァと、根本原質(プラクリティ)を表すシャクティである。シヴァ神は、カイラース山のそばの地上と表されるクラウン・チャクラ（頭頂にある王冠のチャクラ）に休む。シャクティは、虚空、知性、自我、空、風、火、水、そして地を通して凝縮し結晶化して、やがてとぐろを巻くヘビの力（シャクティ、あるいはクンダリーニというよう

---

23 T.Leggett, *Shankara on the Yoga Sutras*, p.244.
24 シヴァが至高の存在であるとされる体系

にさまざまな名前で呼ばれる)として基底のチャクラに休む。

大切なのは、シャクティが基底のチャクラにある時には気づき(自己覚醒)は失われて世界が生じるということだ。これが進化の過程である。ヨーガのプロセスを始めれば、シャクティはとぎすまされ、チャクラと元素を通して再び上昇して、シャクティの恋人であるシヴァという意識と再び結びつく。この時点で気づきが得られ、世界の意識は止む。ここで説明している体系が、ヴァースグプタとアビナヴァグプタが作ったカシミール・シヴァ派である。彼らは、タントラ哲学の基礎を築いたのである。

タントラ学派は、パタンジャリや元々のサーンキヤ哲学が使っているカテゴリーと同じものを使用している。違いは、タントラ学派ではそのカテゴリーを人格化し、シヴァとシャクティの統合という性的な隠喩をあてがったことである。タントラが生まれた頃、多くの人々は古典学派をあまりに知的で抽象的なものと感じていた。サーンキヤのカテゴリーに人々の顔や性別の分かることばを与えたことは、うまく機能したのである。また、世界がなぜ目覚めた者に対して妥当性を失うのかに対する、素晴らしい説明ともなった。しかし、これは完全に新しいものなのではなく、古代の叡智の再解釈であることを覚えておかなくてはならない。

シヴァ派は人格神に対する献身的な道であるが、分析的なサーンキヤのアプローチと同じ結論に行きつく。ラマナ・マハルシのようなアドヴァイタの賢人も、自己の光を見る者にとって世界の意識は止むと証言している[25]。

ここには、気をつけなくてはならない重要な誤解がある。ヴェーダーンタや仏教に鼓舞された現代の注釈者の中には、ヨーガを自己滅却のカルト宗教と表現した者がいる。これは、パタンジャリの体系を理解していない見解である。このスートラでは、解脱したヨーギにおいて止むのは、真の自己の意識ではなく、世界の意識であると明言しているのである。つまりこれは、自由が到達されれば永久に意識の中に安定するということを意味する。これは、自己滅却とはまったく異なる状態であり、むしろ限りない自由、歓喜を指す。そして、限りあるもの、見えているものの世界は目的を果たして視界から消えるのだ。

しかし、世界が解脱した人々にとって重要でなくなっても、まだ世界を必要とする人には続けて尽力する。何と幸運なことであろうか。そうでなければ、それぞれの世界はただ1人の人が解脱するためにだけ貢献することになってしまう。しかし、自然はすべてのプルシャのために「無私」[26]で貢献をし、他のすべての人々のためにも働き続けるのである。ここではすでに、自然の持つ母のような特質が見られる。

---

25 アドヴァイタ・ヴェーダーンタの体系を参照
26 『サーンキヤ・カーリカー』5章60節

これが後に練り上げられて、母なる女神シャクティの概念となったのである。

パタンジャリによるヨーガの集中、アドヴァイタ（二元的でない）による熟考のアプローチ、そしてバクティによる自己放棄のアプローチという異なる方法を比較すれば、これらが時に哲学という点で大きく異なることがわかるだろう。学者にとっては、体系が二元論的か一元論的か、一元論として正規のものであるかそうでないかは、大きな違いとなる。しかし神秘家には、こういう区別はまったく重要ではない。それぞれの体系は、異なる道を通って同じ場所へと到達するからである。海辺を行く道もあれば、山、そしてジャングルを通る道もあるだろう。どの道を通っていくかは、ただその人の好みの問題だ。どちらかの道が優れているからではない。すべての体系は単に現実の模造品であり、それぞれ特定の個性を持つ人によりふさわしいというだけである。どれも、現実を完全に表したものとはなりえない。なぜなら、どれも心が作り上げたものであり、心は本質的に現実をそのまま再現することのできないものだからである。

どの体系が優れているかに関する学者たちの口論は何千年にも及び、単に誰が素晴らしい個性の持ち主かという口論になった。『ウパニシャッド』に基づくすべての哲学体系は、それぞれ異なる個性の持ち主に神秘体験のための道を示すものであり、それぞれ特定の人間にとってうまくいくものである。別のタイプの人間には、機能しないかもしれない。つまり、すべての体系は、人々を解脱へと導くことさえできればそれ自体で存在するのである。もし1つの体系が論理的に他の体系より確かであり、それでも人を自由にできないのであれば、その体系は何の価値もなく、放棄すべきなのである。

解脱への道のりにおいて、人は論理のような心のカテゴリーからも自分自身を解放する必要がある。結局のところ、現実自体、逆説的ですべてを含むものであり、論理的でも分析的でも排他的でもない。心はただ、筋肉のように使う道具でしかない。心が私たちを支配して私たちを使えば、それが束縛と呼ばれるものである。心による暴政の結果は、5000年にわたる戦争と残虐行為の中に見ることができるのである。

体系間の争いを説明するため、サーンキヤでのプルシャ（意識）の概念を考えてみよう。サーンキヤでは、多くのプルシャがあると考えられている。これは、アートマンは1つしか存在しないというヴェーダーンタの概念に、反しているようである。同様に物理学の分野でも、光が微粒子なのか、それとも波として表されるのかという矛盾が存在していた。どちらの観点にも裏づけとなる根拠があり、どちらももう一方を除外して誤りだと立証した。しかし、適用される状況によっては、どちらの哲学・思想学派も有益なものなのだ。やがて物理学者たちは、光は状況によって波

の性質を表すこともあれば、微粒子の性質を表すこともあるということで合意した。敵対者たちが、誰が正しく誰が間違っているかという議論を乗り越えれば、すべてに役立つ説明を見つけることができるのである。

同じことが、意識の場合にも言える。意識は、サーンキヤのものでもヴェーダーンタのものでも仏教のものでもない。ある状況ではサーンキヤのプルシャのようにふるまい、その場合はプルシャの概念を使うことが意識は何たるかを理解する上で役に立つ。別の状況においては、異なる観点でヴェーダーンタのアートマンのようにふるまい、この観点から考えるのが役立つ。また別の場面では、仏教の空（シューニャター）の概念で考えるほうが有益なこともある。こうして、意識はこれらのうちの (a) 多数、(b) 1つ、(c) その両方、そして (d) どれでもないということが認識される。これは必然的である。なぜなら、意識はすべてのものを含んでいるからである。もし (a) から (d) を含んでいないものを観照しているとしたら、それは定義上意識ではありえないことになる。

いずれかに傾倒することなく自分自身を意識として認識するには、ウパニシャッド哲学の諸体系を用いる必要がある。そうでなければ検討課題を作り上げ、知的領域を主張しようとすることになる。そうなると焦点は、自分が真実にとどまっているかどうかではなく、自分が正しく他の誰かが間違っているかどうかに置かれることになる。こうなると現実の概念について、再び心のわなに陥ってしまう。これらの諸体系は、私たちが自分自身になるのを助けることが可能な大切なものである。しかし、深遠な現実（ブラフマン）が見えれば、もはや重要ではなくなるのだ。

## 2.23 （見る者と見られるものの）結合は、所有者と所有されるものという2つの能力の本性を理解する根拠となる。

パタンジャリはここで、重要な矛盾点についての説明をしている。学者たちが疑問に思うのは、なぜ意識はそれ自体を世界に巻き込むのかということであった。なぜ、再び解放されることになるというのに、束縛を受けるのか。そもそもなぜ、意識は世界を出現させたりせず、純粋な意識のままでいないのか。

これらは、心の持つ典型的で無意味な疑問である。こういう質問に答えようと没頭すれば、心による支配を増大させることになる。世界はここにあり、私たちはその一部である。あるいは、もっと正確に言うなら、私たちは世界が生じた収容母体なのである。この母体はすべてを包含し、生じうる世界すべてはこの中で生まれ出る。この母体がブラフマンであり、すべてにとっての子宮であって限りない可能性

を持つ。ちょうど誕生の時を迎える母のように、逃げることも誕生を拒絶することもできず、前に差し出されたものが何であれ、意識はそれに目を向けなくてはならない。判断を下すことは、意識の能力の範囲にない。意識は形のないものなのだからである。

このスートラでは、主体と対象の結合によって2つの本性の理解がもたらされると言っている。結合が起こらなければ、見られるものは何もなく、主体は決して見る者（所有者）になることはない。意識が無限の空間として認識されることもない。空間は、対象および認識する存在が空間の中に生じて初めて意味あるものとなる。言い換えれば、意識が有する空間という本性をもたらすには、世界（見られるもの）の出現が必要なのだ。見る者が自分自身を見る者として経験するには、見られるものが生じなくてはならない。つまり、見る者が何も見なければ、結局のところ見る者とはなりえない。気づくべき対象（世界）とともに差し出されなくては、意識は気づきとしての特質を発展させることができないのである。

シャンカラは、鏡の比喩と鏡に映った顔になぞらえて、これを説明している。両者が結合し、その後一方が他方を描写することでしか、両者の本性は理解されない。意識は、この鏡と大変似たはたらきをする。対象が前に差し出されなければ、両方の本性を経験することはできないのである。どちらの場合も、まず中に生じた対象を享受し認知するよう駆り立てられる。次に、連続して対象が差し出された後、中に現れたものをまったく工作したり修正したりせず、忠実に表すという特質を持つ鏡／意識に、対象は引き寄せられる。これが意識の持つ特質である。意識は、どんな行為を加えることもしないのだ。

心は、私たちの肖像を描く芸術家のようなものである。画家は自分の見方を描き、私たちに対する印象、そして画家自身の気持ちを表現する。実は、画家の過去すべてが合作されて私たちが描かれているのである。この像は、鏡で見る実物よりはるかによく見えるものかもしれない。しかしパタンジャリは、スートラ2.20で、「見る者はただ見るだけであり、何の意図も持たない」と言っている。これは、鏡がものを見る方法とまったく同じである。つまり、ものをより美しく見せようとか醜く見せようとかいう意図がないのである。対象が前に出されても、鏡の中では何の変化も起きない（もちろん、ハンマーやれんがによる強い力を使って割った場合は別である）。この特徴を考慮すれば、意識は何が起きようとも影響を受けず、不変であることが理解できるであろう。

ヴィヤーサは注釈書で、見る者と見られるものは見ることを目的として結びつくと説明している。こうして見ることによって、経験とか束縛とか呼ばれる世界の本性に関する知識が生まれる。束縛を十分経験すれば、そこから見る者の本性に関す

る知識が生じ、解脱する。簡単に言えば、これがヨーガの考え方だ。しかしヴィヤーサは続けて、解脱とは束縛の終わり、束縛がない状態を意味し、世界を経験することが解脱の原因とはならないと説明している。なぜなら束縛は誤解によって引き起こされ、一方解脱は識別によって引き起こされるからである。識別を可能にするには、誤解のプロセスを経験しなくてはならないように思われる。このプロセスがサンサーラ、すなわち条件づけられた存在と呼ばれるものである。

## 2.24 この結合の原因は、無知である。

　主たる煩悩である無知(アヴィディヤー)についてはすでに、スートラ2.5で説明があった。無知とは、間違った知識(ヴィパリャヤ)に起因する信念体系である。
　この間違った知識のために、私たちは自分自身を体であると信じたり、私たちが感情や思考であると思っているのだ。スートラ1.8では、ヴィパリャヤとは現実に基づかない誤った知識であると定義されている。真実とは、永遠のものである。テレビの画面の例を再び持ち出せば、スクリーン上にどんなに多くの画像が表示されようとも、いずれもスクリーンからずっと離れないでいるものではない。常に新しい画像が取って代わる。番組が終われば、スクリーンには何もない。ここで唯一永遠であるものは、スクリーンである。つまりスクリーンが現実であって、画像はスクリーン上に映し出された束の間のイメージでしかない。スクリーンと像の間には大変近い関係が存在するが、それでも両者は永遠に別のものである。スクリーンが像の性質を帯びることはなく、像の質を変えることもない。
　同様のことが、見る者と見られるものにも当てはまる。不変の意識という私たちの本来の姿と、体、感情、思考など常に変化する見られるものの間には、近い関係が存在する。しかし実際には、スクリーンとスクリーン上に表されたイメージの関係と同様に、ほとんど接点がない。私たちは体であり心であるという間違った知識のために潜在印象(サンスカーラ)が生じ、その印象の中では私たちは外部にある常に変化するものと結びついているように思われている。この印象がやがて濃くなり、条件づけ(ヴァーサナー)と呼ばれる状態になる。この場合であれば、間違った認識(ヴィパリャヤ)から生まれた印象が無知に条件づけられた状態へとつながっていくのである。この無知から、煩悩(さまざまな形の苦しみ)が芽生えるのだ。
　意識と世界を混合する原因としての無知(アヴィディヤー)という概念は、その後マーヤ(錯覚のベール)という複雑な概念にまで発展していく。

## 2.25 無知がなくなることで、見る者と見られるものとの混合は止む。この状態は独存、見られるものからの独立と呼ばれる。

このスートラでは、ヨーガの目標である独存（カイヴァリャ）の状態について説明されている。医学体系における4段階においては、カイヴァリャは健全な状態に当たる。そのため、本来の状態とも呼ばれる。ヨーガは、努力することによって、少数のために遠くに高くそびえる楽園を作り出すものではない。ただ自分が誰であるかという真実の中に、私たちを再び立たせるものである。それこそが本来の状態なのである。

不運なことに、本来の状態はもはや普通のことではない。カイヴァリャは独立、自由、孤独、「卓越した孤独 (transcendental aloneness)」[27] などと訳すことができる。これはまた、束縛や精神的服従の反対を示すため、解脱も意味する。

「孤独 (aloneness)」が意味するところを考えると、興味深い。これは幾分寂しさ (loneliness) と似ているところもあるが、実はまったく違う。寂しいというのは誰かと一緒にいることを欲し、切望しているのにもかかわらず、それが奪われた状態をいう。寂しさとは何かが欠如した状態であり、単に一緒にいる人がいないというだけなのだが、それを受け入れることができない。ブルース・シンガーのジャニス・ジョプリンは、「ステージでは5万人に愛を捧げるが、家ではミスター寂しがり屋が私を待っている」と言った。その後すぐ、ジョプリンは多量のドラッグ服用により亡くなった。彼女は、寂しさとは愛がないことである、と表現しているのが興味深い。また重要なのは、ジョプリンが愛のないことによってできた溝を多量のドラッグ摂取により埋めようとしたことである。

孤独は、これとはまったく逆である。これは、all-one-ness（すべてが1つであること）という言葉が一緒になって作られたものである。すべてが1つであることに気づくのは深遠な現実であるブラフマンを見ることだ。最も深いところでは、すべてが1つの現実、無限の意識を表現しているのである。

これを認識した者は孤独であり、同時にすべてと1つである。なぜなら、意識の空間的本質に気づけば、人はすべての生命と永遠に結びついているということが理解されるからである。まったく同じ意識が、私たちすべてを含有しているのである。1人の自己は、すべての生命の目を通して外を眺めているのだ。『バガヴァッド・ギーター』には、「すべての人間の中に等しく存在する至高の神を見る者…その者は

---

27 レゲットはこの言葉を *Shankara on the Yoga Sutras* の中で使っている。

真に見るのである」とある[28]。すべてが1つであるというのは、最も深いところではすべての生命は1つの意識であると認識したことを意味する。こういう人物が孤独だと呼ばれるのは、自分の魂の中にすべての人間の魂を見出したからである。幸福を経験するのに、誰かと一緒にいるというような外的接触はまったく必要ない。この状態では、寂しさと呼ばれる深い傷が癒されている。実は、誰かと一緒にいることは継続できることではなく、そのため寂しさを癒すことはできない。いつの日か、私たちも、目の前にいる友も死ぬ。そうなれば、一時的に隠されただけの傷口は再び開くのだ。

　傷口が癒されるのは、自分の魂の中に自己を見つけた時だけである。そしてそれは、すべての生命の自己なのである。この自己を、『ギーター』では至高の神と呼び、『ウパニシャッド』ではブラフマンと呼び、ブッダはニルヴァーナと呼んでいるのである。この自己が見つけられれば、もはや必要性から他人に近づくことはなくなり、何かを与えたいと思って他人に近づくようになる。神秘家は他人を必要とはせず、ともにいることを自由に選べるため、独りであると言われるのだ。これが自由の状態なのである。人は寂しければ、他人を求める必要に迫られる。しかし、実は他人に興味を持っているわけではなく、自分の寂しさを和らげてくれる他人の力に興味があるのだ。そして仕方なく、自分の痛みを和らげるために他を求め回らなくてはならないのである。

　このため神秘家は、真の友と呼ばれるのである。神秘家は自身を世界とすべての生命を入れる容器として認識し、そのためこの世界には、もはや何もするべきことがなくなったのである。真偽を示す必要のあることもなく、誰かと一緒にいて楽しませてもらったり痛みを和らげてもらったりする必要もない。他人が自分自身の中に見出した真実を見るだけである。これが私たちの中の奥深くにある自己に本当に気づいた、真の友なのである。自由で独立していて、創造されることも汚されることもなく、変化したり生成したりするものとは無関係である自己を見出した友なのである。

　このような「孤独」という語が真に意味するところが失われたため、「卓越した孤独」という言葉がカイヴァリャの訳として使われるようになった。しかしパタンジャリはなぜ、多くの経典では解脱／解放（モークシャ）と言われているものを表現するのに、「孤独（独存）」という言葉を使ったのだろうか。

　束縛は、自己と世界を誤って1つにすることで作り出される。永遠に別個のものを1つにしたのは誤った認識に基づいているとはいえ、これが真実だと捉えられれ

---

[28] 『バガヴァッド・ギーター』13章27節

ば苦悩を生み出す。正しい認識を通して、永遠に手を触れられることのできない汚れなき自己の本質（対象に固執することなく、鏡のように多くの対象を映すことができるもの）を認識すれば、これが独立、自己の独存と呼ばれるものなのである。

　鏡に映った後に対象を取り除けば、鏡には対象の跡は何も残されていない。同様に、いかなる思考、感情、記憶を意識が目撃しても、それらによって意識に汚れが残されることはなく、意識と固く結びつくこともない。意識／自己は見られるものに永遠に影響を受けることのないものであり、そのため孤独（独存）であると言われているのだ。

　無知のために、過去にあった同一視、快楽、苦悩、怒り、あるいは恐怖の印象は、それが現れたスクリーンと結びついているように見える。無知のために、現象と現象が生じることへの気づきとを一緒にしてしまう。無知がなくなれば、気づきだけが独立して見えるようになる。この気づきだけは、決して変わらないものなのだ。ただ観照し、目撃するだけであり、観照した対象、すなわち世界の質が絶え間なく変化していようとも、その性質を帯びることは決してないのである。

## 2.26 解脱のための手段は、永続的な識別知である。

　パタンジャリは煩悩の形態、煩悩の原因、健全な状態について述べた後、次に治療法を説明している。この治療法とは、永遠で純粋で自由で本質的なものと一時的で不純で縛られた非本質的なものとを区別する、不変の能力である。

　もう一度、意識／自己をすべての像が映し出されるスクリーンの比喩になぞらえて考えてみよう。あるいは、現象の起こる空間と時間のマトリックスとして考えるほうがよいかもしれない。4次元のマトリックスのほうがより現実的ではあるが、スクリーンは見ることができるので理解しやすいはずだ。スクリーン上の画像は1晩の間に絶え間なく変わるが、スクリーン自体はそのままで変わってはいない。同様に、自己は永続的なものだが、体、心、そして映し出される対象はすべて一時的なものである。

　過去の経験を通して形成される潜在印象は、体や心、対象に固く結びつけられて離れないため、汚れたものと言われる。私たちが映画を見れば、見ている間に登場人物がする行動によって、潜在印象が汚され染みをつけられるために、登場人物に対する私たちの持つイメージが変わっていくことに気づくだろう。同様に、生み出された対象はすべて、無知、自我意識、欲望、苦痛、恐怖に基づく潜在印象で汚されている。映画の最後に純粋で汚れていないのは、印象の投影されたスクリーンだけである。同じように自己は純粋で、現象は汚れたものなのである。

映画においては、事前に設定された条件づけに従って、すべての登場人物は行動する。西洋心理学では、この条件づけは幼少期に起因すると考えている。東洋の神秘主義では、前世に起因すると考える。いずれにしろ、スクリーン上の登場人物は自由に行動するのではなく、条件づけを受けて行動する。登場人物たちは、過去によって縛られているのである。唯一自由な「対象」が意識であり、これは時空を超えて現れる。実際、時空は意識の中で生じるものなのである。どんなイメージも現象も、意識には潜在印象を残すことはできない。体、心、そして対象は縛られているものであり、意識だけが自由なものなのである。

テレビでニュース、コマーシャル、コメディ、スリラー、ドキュメンタリー、あるいは動物の映画などを見て夜を過ごすこともあるだろう。その夜の間中、どの番組にも基本的要素が現れることはない。スクリーン以外、何も本質的なものはなかったのである。同じように、自己に表れる対象は本質的なものでなく、自己のみが本質的なものなのである。

本物と本物でないもの、本質的なものと本質的でないものを区別する能力を、識別知と呼ぶ。この知識は、永続的なものでなくてはならない。そうなって初めて解脱への手段となる。無知に逆戻りすることもある不完全な知識を得る場合もあるだろうし、識別知はちらりと現れるだけかもしれない。これでは十分ではなく、識別知は永続的でなくてはならないのだ。ヘビとロープの話を思い出してみよう。暗闇の中、道路上のロープを誤って認知することで、ヘビという誤った認識が導かれた。この錯覚に基づく知識（ヴィパリヤヤ）のため、正しい知識（プラマーナ）が認識されることはなかった。しかし、ロープを見せられ、観察者が正しい知識を得ると、誤った知識は打ち壊されるのである。

本物と本物でないもの、ロープとヘビ、自己と自己でないものを区別する識別知は、永続的でなくてはならない。そうでなければ再び、ロープを見て暗闇にヘビがいると思ってしまうことになる。実際には、永遠で不変の自己である自分自身を、変わりゆく体／心として経験してしまうのである。

## 2.27 識別知を得ている者には、7段階にわたってこの究極の洞察力が生じる。

このスートラを理解するには、ヴィヤーサの注釈書をよく読まなくてはならない。ヴィヤーサは、7つの段階を次のように説明している。

1. ヨーギは痛み多いもの、苦しみを伴うものに関する見識を得、それゆえ避ける

必要のあるものに関する洞察も得る。
2．知識の光は蓄積されたカルマを破壊し、煩悩（クレーシャ）が干からびる。
3．サマーパッティ（対象のあるサマーディにおける心の状態）を経験して心は落ち着き、それ以上の洞察力を得たいという願望がなくなる。これは重要な段階である。この地点から、より深い神秘の状態へ突き抜けたいと思う願望は、すべて障害となる。
4．識別知が得られ、ヨーガにおいて熟達するための努力すべてを手放す。定義上、ヨーガにおいてこれ以上熟達できるものは、体、マインド、自我のみである。意識／自己は本質的に永遠で不変のものであり、一層熟達することも熟達しないことも不可能だ。意識は、ヨーガの永続的な真の姿である。自己と非自己の違いを認識したなら、成長し、発達し、深まり、成熟し、より熟達するものはすべて不変ではなく、つまり自己ではないことがわかる。ここまでくれば、実践は自我を強める手段となりうるので、捨て去らなくてはならない。不自然な努力はすべて、やめなくてはならない。

これら最初の4段階は、「心からの自由（も作る）」と呼ばれている。ここまでを終えれば、残る段階に関しては成し遂げることも達成することも不可能である。することによって至ることができるのは、ここまでである。この後は、放棄、無為、止滅、そして慈悲の行為によってプロセスを続けることになる。

この経験に関しては、成就者のティローパの書いた『マハームドラーの詩』という重要なタントラ仏教の書がある。この中で、ティローパは弟子のナーローパに話をしている。ナーローパは後に、『ナーローパの6つのヨーガ』を書き、その中にはクリシュナマチャリヤがチベットで師のラーマモーハン・ブラフマチャーリに学んだものもある。

詩の中でティローパは、「努力することなく、ゆったりと自然のままでいれば、束縛を打ち破って解脱を得ることができる」と語っている[29]。ここでは、努力をやめることが自由を得るための必要条件として説明されている。ティローパはもう少し進んで、「なぜなら、欲望で満ちた心が目的地を探し求めても、光を隠すだけだからである」とも言っている[30]。ここでティローパはナーローパに、他の欲望と同様、解脱への願望も心を曇らせるものであり、教えのこの段階では解脱への願望さえも捨てねばならないと語っているのである。

---

29 G.C.C.Chang, trans., *Teachings and Practice of Tibetan Tantra*, Dover Publications、Mineola, New York, 2004, p.25.
30 Ibid., p.27.

現代の指導者たちの中には『マハームドラーの詩』に解説をつけ、修行をしていない生徒にも前もってティローパの教えに従うようアドバイスする場合がある。しかし、そこで伝えていないのは、弟子のナーローパがティローパのこの教えを聞いたのは、師の指導のもとで非常に厳しい鍛錬をすでに20年にもわたって経験した後だったということである。これほどの修行を終えて初めて、弟子は最も高度な真実を聞く準備ができたと考えられていたのだ。実際、最高の真実を明らかにする書は数世紀の間内密にされ、わずかの師が記憶するだけにとどめられていた。弟子が真実を扱うだけの準備ができた時のみ、話されたのである。
　たとえば『ヨーガ・ヴァシシュタ』には、神々とは自分の意識／自己を直接崇拝することのできない者のために作られたものであるが、この話を弟子でもない者に知らしめた場合、昔は死刑となったと書かれている。これらの教えは、完全に内密に保たれていたのだ。実践と鍛錬に没頭した者だけが、こうした教えを取り扱うことができると考えられていたからである。今日では、こうした情報をすべてインターネットでダウンロードすることができる。これでは、スピリチュアルな生活は容易になるどころか、より困難になったと言えるだろう。私たちは、このような教えの寄せ集めに遭遇し、中途半端に真実でもないものを理解して、教えがまったくわけのわからないものとなり有害無益となることが多々あるのだ。また、いくつかの体系を混合すれば、つい自分の限界に見合う側面を混ぜ合わせて、難しい要素に関しては排除してしまうのである。
　ティローパは、20年間彼の指導のもと懸命に修行を行ったナーローパに、すべての修行をやめ、自然にリラックスしてありのままでいるようにと話したのだ。もちろんナーローパが前段階に当たることをすべて習得したからこそ、行為から自由になる時がナーローパにやってきたのである。現代の指導者の中には、ティローパの言葉を使って生徒に練習と訓練すべてをやめて最初から思うままに生きよとアドバイスする者もいる。こういうメッセージは、間違いなくより売り物となるだろう。これが、人間社会がずっとしてきたことなのである。目新しい点といえば、これが「スピリチュアル」なものとして売られているところである。
　自然なままでいる傾向が強く、訓練に困難を覚える生徒であれば、練習をやめようというアドバイスには飛びつくはずだ。潜在意識の傾向に基づいて自然なままでいるのは、本当は単なる逃避であり、心を集中させておくことができないだけなのである。〔アシュタンガ・ヴィンヤサ・ヨーガの〕フルプライマリー・シリーズの練習を千回、2千回とやっている間に、退屈になってしまう生徒もいる。しかし退屈になる兆候とは、ただ心が現瞬間に置かれている状態にないことを示しているだけである。ただすわって呼吸に注意しているのは、心にしてみれば退屈なことだ。し

かし、もし経験の中に身を委ねれば、どんな感覚入力にも劣らない壮麗な美が明かされる可能性がある。

確かに、識別知を得ていつの日か実践をやめる日がくるかもしれない。しかし、それは識別知を得る前ではない。この知識があってこそ、実践をやめることはまたもや単に心のわななのか、あるいは魂の静けさから生まれたものなのかを知ることができるのだ。

7つから成る洞察力のうち、最初の4段階は行為からの自由と呼ばれる。これに対して次の3つの段階は、「心からの自由」と呼ばれている。

**5．**心とその構成要素である自我（私という原理）は、目的を達成すれば解放されて一時的な状態へと戻る[31]。シャンカラの「一時的な状態へと戻る」という表現は、混乱を引き起こした。これは、存在しなくなることを意味しているのではない。ヨーギを握る手綱が緩み、必要とされる時だけ使われるということである。車を運転する時には手を使っても、その他の時には膝の上に置いているように、心も必要な時だけ働くようにする必要がある。いかなる行為も行わない時ですら努力を怠らない筋肉とは、けいれん状態にあるということである。同様に、人間は精神的なけいれんで苦しんでいるとも言える。そうせねばならない何の理由もないというのに、心が現実を模倣し続ければ、持ち主が心を支配しているのではなく、心がその持ち主を支配していることになる。

**6．**自己の条件づけを捨て去る。条件づけがやみ、観照者がそれに捕らえられてしまうことがなくなれば、再び条件づけられた状態へ戻ることはない。そうすれば、観照者は自然なまま現在の瞬間にくつろぎ、過去の条件づけに制限を受けることはない。しかしこの自発的な自由とは、自我とマインドが通常の状態にある時の行き当たりばったりの状態とはまったく異なるものである。

**7．**ついに自己が現れて、自己を照らす。太陽はそれ自体が光を照らすものであり、月は太陽の光を反射するだけのものだ。同様に、自己は気づきという太陽を輝かせ、知性はただそれを対象に反射させるだけである。この段階では、創造の要素であり特質を成すグナは姿を消す。というよりむしろ、自己から分離したように思われる。自己はまさしく、永遠に何ものにも影響を受けず純粋なものなのである。私たちが現象に付着しているように見えるのは、ただ永遠でないものと本当の自分を誤って同一視するからである。意識は何ものにも影響を受けないという洞察力を得れば、ついに自己が独立して見える。これが独存（カイヴァリャ）に関

---

31　T.Leggett, *Shankara on the Yoga Sutras*, p.256.

する洞察力であるが、これでもまだカイヴァリャ自体の域には達していない。カイヴァリャ自体はどんな洞察力も叡智をも超えるものであり、表現できないものなのである。

## 2.28 ヨーガの諸部門（八支則）を実践することで不純なものが取り除かれ、知識と識別の光が現れる。

これは、『ヨーガ・スートラ』すべての中で軸となる節である。ここまでにパタンジャリは、なぜ実践する必要があるのかその理由を説明し、スートラに含まれるすべての語を定義した。まず、実践者の中に興味を引き起こすため、サマーディについて説明をした。次に、現在の状況は苦しみに満ちた闇であり、この状況に満足すべきではないことを示した。そして次に苦しみはどのようにして生じるのか、そして最後に何によって取り除かれるのかを説明したのである。

残りのスートラの大半において、パタンジャリは、ヨーガの方法と技術について語っている。パタンジャリのヨーガが哲学（ダルシャナ）からは独立した体系であると言われているのは、このためである。宇宙論に関して考えれば、95パーセントはサーンキヤ哲学と同じであり、その目的についてはヴェーダーンタ哲学のものと区別できないほどだ。しかしながら、ヨーガの技法はまったく特有である。サーンキヤとヴェーダーンタのアプローチが主に熟考、熟慮、知的分析に基づくのに対し、ヨーガは方法と技術に関してはるかに広範に扱っているのである。

スートラでは、八支則すべてを何らかの形で実践するように勧められており、うまく調和を取りながら発展していくためには、まずは低次のものから始めるように言われている。八支則のうち最初の4つは堅固な基礎を作るものであり、次の段階のためにしっかりと準備するものだ。これらを無視してすぐに高度な瞑想の実践に進んだのでは、極端な場合には統合失調症（精神分裂病）を引き起こすこともある。統合失調症の人というのは、ヨーガの観点では気が狂っているのではなく、あまりにたくさんのものを見て統一が図れないのだと考えられている。エネルギーの面から考えると、この症状の人は高次の第5チャクラから第7チャクラまでのうちの1つ、あるいはすべてが開かれ、より低次の第1チャクラから第4チャクラのうちの1つ、あるいはすべてが閉じられていることを意味する（ただしこの場合、基底のチャクラは除く。このチャクラは生存に関わるチャクラであり、これが閉じられることは死につながる）。

特に、第6チャクラ（第3の目）と第7（王冠）チャクラが開かれれば物事を強く知

覚することになり、まるでパンドラの箱を開けたような状態になることもある。安全な場所にとどまるにはまず、十分に人格が統合した成熟した人間にならなくてはならない。それには、第２、第３、第４チャクラを開けることが必要である。特に第４チャクラ（ハート）が開かれることで、愛の立場から他者や自分自身を関連づけることができるようになる。これらのチャクラを開けないのは、先に土台を作ることなく、家の壁や屋根を作るようなものである。つまり、まず土台を作り、最初の４つの支則で自分自身をしっかり安定させ、固めることが必要なのである。

しかし、瞑想偏重の対極にも問題はある。たとえば、アーサナの練習によって一定の力が授けられ、これによって私であること、自我（アハンカーラ）が増大することもある。ポーズをうまく取ろうと練習する、他人よりよくなるため、自分の価値を上げるため、指導者に認められるために練習するのはすべて、自己中心的な理由からである。自我意識（アスミター）は、体との同一視を続けることで増大する。自我意識はより高次の支則を実践することによって、やがては減らされなければならない。高次の支則の実践には、超越的な効果がある。つまり、自分は体でも自我でもないことを教えるものなのである。もし、アーサナやプラーナーヤーマだけを強調して実践するようになれば、湧き起こる力に誘惑され、人は簡単に自己中心的になり、条件づけられた存在へより深く巻き込まれることにもなる。この自己中心的な傾向を阻止するには、ある程度先に進んだ時点で、残りの支則の実践も含む必要があるのだ。すべての支則を組み合わせて実践することで不純なものは取り除かれ、統合失調症や自己中心癖などの欠損も避けられるのである。

ここでの不純なものとは何だろうか。これは主に、無知、自我意識、欲望、嫌悪、恐怖といった煩悩である。これらと一緒にして取り除くものが、潜在印象、その結果としての条件づけ、現実の誤った認識、過去の行為から生じたカルマである。こういう不純物が知識の光を覆うのだが、これが取り除かれれば知識の光は、ベールに包まれていたランプからベールが取り除かれるように光り輝く。知識の光を最も高度に表現したものが、識別（ヴィヴェーカ）である。これは、本物と本物でないもの、自己と自己でないもの、永遠のものと一時的なものとを区別する能力である。

ここまでで、パタンジャリは実践におけるすべての疑問を説明してきた。ここからは、その方法について説明している。

## 2.29 禁戒、勧戒、アーサナ、調息、制感、集中、瞑想、サマーディが、ヨーガの八支則である。

パタンジャリは、ここで八支則を挙げている。聖仙ヴィヤーサは『マハーバーラ

タ』で、ヤージュニャヴァルキヤは『ヨーガ・ヤージュニャヴァルキヤ』で、ヴァシシュタは『ヴァシシュタ・サンヒター』の中で、同じく8という数字を言及している。聖仙ゲーランダのサプタンガ・ヨーガ[32]のように、6あるいは7部門を挙げているものもある。これは、倫理が言及されている最初の2つの支則を除いたものである。人生のすべての場面で倫理の施行について指導されているため、後の指導者たちは、倫理はヨーガに限られたものではないとして、ヨーガの支則として言及する必要はないと論じたのである。

また、倫理は直接サマーディに貢献するものではなく、そのため支則に含む必要もないという議論も起こった。しかし、パタンジャリはスートラ2.45で、サマーディは至高の存在へ身を委ねることによっても生じると言っている。至高の存在に身を委ねる（イーシュヴァラ・プラニダーナ）のは、倫理の10項目のうちの最後のものであり、倫理はサマーディの一因となるだけでなく、サマーディの根本的な貢献となるものとして認められているのである。

倫理を廃止したのは、主に中世のハタ・ヨーガの書である。これと同じ頃に倫理基準が一般的にゆるくなり、女性は第3の目に赤い点をつけなくては家を出ることが許されない状況になった。ヨーギは、集積した力を用いて女性に催眠術をかけ、性的サービスを得ることがなされていた。催眠術は第3の目（アージュナ・チャクラ）を的にしていたので、赤い点をつけることでこのような攻撃が防がれると考えられたのである。18世紀の終わりにはヨーギの間に無法な状態があまりに広まり、インドの田舎では多くの地方で「ヨーギ」という言葉と「悪漢」という語が同義で使われるようになったほどだ。インドの正統派の団体の中では、今日でもヨーギのことを魔術的な力を探求する人々として拒絶するところもあるが、歴史的に見てこれは堕落の部分である。悲しいことに、西洋人を引きつけたのは主に、ヨーガの持つこの非本質的な側面なのである。

八支則は、初心者にとっては順に実践すべきものである。つまり、ヤマから始めるのであってサマーディから始めるべきではない。やがて実践のさまざまな形態に熟達してくれば、八支則を同時に実践できるようになる。

## 2.30 非暴力、正直、不盗、禁欲、不貪が禁戒である。

ここでは禁戒（ヤマ）の5つの形態を検討する。ヒンサーは暴力を意味し、アヒンサーは非暴力を意味する。これはヤマの1つ目で、最も重要なものである。輪廻は

---

32 *The Gheranda Samhita*, trans. R.B.S. Chandra Vasu, Sri Satguru Publications, Delhi, 1986.

大変長い期間にわたって続くものであり、すべての生命はそのどこかの時点で自分の母であったことがある。仏教徒は、この事実をよく考えることで凶暴さへの衝動を阻止するように勧めている。すべての生命に感謝の気持ちを抱き、誰も傷つけてはならないのである。すべての目から見ているのは、実は同じ意識であることがわかれば、誰かを傷つければそれはまさしく自分自身を傷つけることになるだけだと理解できるだろう。すべての生命は何らかの幸福を探し求めているのであり、傷つける必要がある程自分と異なるはずはない。傷つけたいという願望は概して、人の中に見出すものは実は自分自身なのだということが理解できていないために生まれる。

　慎み（restraint）という考えは、周りの社会と調和して生きられるようにするためのものである。こういう規則に従わなければ、争いが生じる。争いの雰囲気の中では、ヨーガを実践するのは難しい。他人に対する行為のうち無知、自我意識、嫌悪などの煩悩に基づくものは有害なだけでなく、新たに暴力という潜在印象を生み出す。たとえば、一度誰かを傷つければ、もう一度同じことをするのは簡単である。繰り返すことに対するハードルは、低くなるのである。パートナーと家庭内のもめごとを始めたなら、印象を通してそれを繰り返す素地を築いているのだ。こうなれば、再びもめごとの起こる可能性は高い。連続殺人者は、一度殺人に成功したために、ますます間隔をおかずに次の殺人を犯すようになる。

　他人を傷つけるのは、誤った認識（ヴィパリャヤ）に基づくものだ。他人より勝ろうと努力するがために、他人を傷つけるのである。他人を征服すれば自分の安定が脅かされることはないと信じ、他人に勝ろうとするのである。自分の安全が危険にさらされていると感じるのは、自分自身と争っているからなのだ。私たちが争いという概念と同一化するのは、何かにならねばならない、どこかにたどり着かなくてはならない、発展し、道に従い、探求を完結させねばならないと思っているからである。つまり争いとは、現在の状況を受け入れるのではなく、成就する願望を持つために生じるのである。

　成就し、どこかにたどり着き、成長し発展するのは、体、マインド、自我、そして知性である。これらはすべて、創造（プラクリティ）の一部である。奇妙に聞こえるかもしれないが、スピリチュアルな道という概念が争いを生み出すのだ。自分自身をすでに平穏な状態にあるもの、不変で永遠で無限の意識として見ることが、正しい認識（プラマーナ）である。これを受け入れ、これについてよく考えれば、争いの必要性はなくなり、安全を求める気持ちもなくなる。自分自身のことを一時的なものだと思っている限り、安全は得られない。自分自身のことがわかれば、恐れはなくなり、それとともに他人に勝りたいという欲望も消える。暴力にはもはや、何

の意味もない。動物がジュニャーニン（自己に関する知識を持つ人）の前で敵意をすべて捨て去るのは、このためである。ジュニャーニンは自分の中に幸せを見出しているため、動物が何の脅威も感じないのである。

　第2のヤマは、正直（サティア）である。ヨーギは、言葉、思考、行為において、正直でなくてはならない。正直さが非暴力の後に言及されているのには、重要な理由がある。正直が非暴力を損なうことがあってはならないのである。つまり、非暴力は正直よりも重要なのである。正直であることを理由に、他人を害し傷つけるようなことがあってはならないのだ。

　しかしこの状況を考える時、インド思想史の中で最も悲劇的な誤解が思い起こされる。『チャーンドーギャ・ウパニシャッド』には、「口に出された真実は、決して害になってはならない」とある。これが、「口に出した真実は、決して不快であってはならない」と誤って解釈され、そのためお世辞やおだてが勧められることになった。その結果は、今日のインドでもまだ目につく。通りで道を尋ねれば、尋ねられた人は真実（「悪いが、知りません」）を告げると道行く人を不快にするであろうと思って真実を告げることを躊躇し、間違った方向を告げるのである。10分後には違ったところに行きついて、真実を知ることになる。こちらのほうがずっと不快である。

　叙事詩『マハーバーラタ』の有名な一節には、この問題の核心ある。インドの正統な皇帝、ユディシティラは、いとこに当たる邪悪なドゥルヨーダナにさいころ賭博で騙され帝国を奪われた。神話の正しい行いの神、ダルマ神の息子であったユディシティラは、いとこと率直に話をしようと思えばできたというのに、そうはしなかった。ドゥルヨーダナがどんな人間なのかについて真実を本人に話すことで、ドゥルヨーダナに不快な思いをさせるのは、正しいことではないと思ったからである。賭博でユディシティラは、インド皇后である大変情熱的な妻、ドラウパディーをも失った。邪悪なドゥルヨーダナの弟は、奴隷としてドラウパディーの髪をつかんで集会所まで引きずり、衣服を脱がせて辱めようとした。それでも、ユディシティラも彼の兄弟も、口出しをしなかった。妻が髪をつかまれ引きずられ衣服を脱がされたときに、すべての正直な夫であれば言うはずのことをドゥルヨーダナに話せば、彼が不快になるだろうと思ったからである。

　しかし、不快をもたらす真実が口に出して発せられることがなくなったために、インド史上最大の悲劇は行きつくところまで行き、そこからインドはまだ回復していないのである。〔内乱のため〕防御の力は弱まり、やがて仏教徒、イスラム教徒、キリスト教徒に取って代わられ、ばらばらに砕かれたのである。

　ドラウパディーが辱めを受ける場面を見ていたのが、崇高な年長者、教師のビーシュマとドロナであった。2人はドゥルヨーダナを嫌っていたものの、2人とも割

りこんで彼の性格について不快な真実を言うことはなかった。ビーシュマとドロナは皆に大いに尊敬されており、2人が黙っているため、皆ドゥルヨーダナのしていることは正しいのだと見なしたのである。ドゥルヨーダナは、ユディシティラと彼の兄弟、そしてドラウパディーを12年の追放の刑に処した。ユディシティラたちは、乞食のようにして12年間森で暮らし、13年目は身元を偽って過ごした。13年の後には、すべてを取り返す権利があった。しかし想像に難くないように、13年後にはドゥルヨーダナは富と権力に心地よくなり、5人の兄弟が帝国返還を要求したのを笑い飛ばしたのである。

再び5人兄弟は、不正直なドゥルヨーダナに直面することが不快なことになるであろうと考えた。しかしここで、ドラウパディーはこれ以上我慢することができなくなった。彼女は叫びののしり、自分の名誉を守るために何もしてくれなかった5人兄弟と争い、彼らの不正直さを暴露したのである。5人の英雄にとって、この状況がどんなに不快であったか想像できるであろう。

しかし、不快な状態はこれで終わりではない。ドラウパディーの親友で、おそらく唯一の友人だったのが、偶然にもクリシュナ神として現れた至高の存在であった。偶然その場に居合わせたクリシュナは、5人の兄弟の代わりに、運命の日にその場にいたにもかかわらず、髪をつかまれ集会所まで引っ張られたドラウパディーを助けようと取りなすことをしなかった者全員を、破滅に追いやるという恐ろしい誓いの言葉を発したのである。それだけでなく、悪事を行う人物に味方する者すべてを滅ぼすと誓ったのであった。

『マハーバーラタ』の残りの部分では、クリシュナがどのようにしてこの誓いを守ったかが描かれている。これまでで最大の兵が集められて戦地に赴き、合計250万もの戦士が、破壊的で危険な死の状況へと入り込んだのである。実に、おそらく当時のインドで兵士の階級(カースト)にある者と貴族たちのほとんど全員が撲滅され、その結果インドに防衛力はなくなり外国の侵略の格好のえじきとなった。インドは外国からの侵略を受け、おそらく世界で最も豊かな文化遺産を破壊されたのである。世界最大の図書館を有すると思われるナーランダ大学は、ムガール帝国による侵略の際に破壊された。8か月の間燃え続け、がれきの山と化したのである。

これらすべてが起こったのは、真実は快適なものでなくてはならないという誤った概念をごくわずかの人間が持っていたためなのである。ユディシティラ、ビーシュマ、ドロナがドゥルヨーダナのことをどう思っているかを正直に話していれば、ドゥルヨーダナも最初は不快に感じたとしても、おそらく自分の欠点に気づいて自分の行いを改めたかもしれない。そしておそらく、ドゥルヨーダナの愚かな父、ドゥリタラーシュトラ王などドゥルヨーダナの支持者のうち大多数も彼から離れ、ドゥ

ルヨーダナの親友、カルナのような頑強な抵抗者たちだけがいつまでも彼に忠誠を示したであろう。ドゥリタラーシュトラ王がいなくては、ドゥルヨーダナたちがこれほどの大混乱を起こせるほど強力であったとは思えず、インド史全体がまったく違ったものとなっていたはずなのである。

　真実が快適なものでなくてはならないという考えは誤った認識であり、捨て去る必要がある。元来の考えは、正直とは誰かに害を与えたり傷つけたりするために使うべきものではないというものだが、不快だからといって真実を告げずにいるのは、ドゥルヨーダナの例で明らかなように一層有害なものである。正直な情報は最初、不快かもしれず、危機を引き起こすこともあるかもしれないが、その後治癒をもたらしうるものなのである。

　たとえば、子どもが動物や他の子どもをいじめているとすれば、親はその子の行為を正すであろう。こうして正されると子どもは不快に感じるかもしれないが、動物にとっても周りの社会にとっても、そして長い目で見れば子ども自身にとってもこれは良いことなのである。否定的な行為は潜在印象（サンスカーラ）を残し、これが子どものカルマの貯蔵庫（カルマーシャヤ）を満たして、一層の苦しみと否定的行為を引き起こす。害を避けるためには、このように真実を告げなくてはならないのだが、時にはそれが不快なものとなる可能性もあるのだ。

　第3のヤマは、不盗（アステーヤ）である。これは、他人に属するものを取る行為を差し控えることのみならず、他人の富を欲さないことを意味する。誰かの財産を望むこともまた、意識に関する空間的本質を理解していない結果起こることである。私たちは対象の現れる入れ物であり、対象を拒否することも蓄積することもできないのである。

　第4のヤマは、禁欲（ブラフマチャリヤ）である。聖仙ヴァシシュタは、「世帯をもつ者の禁欲とは、法律上のパートナーとのみ性的関係を持つことを意味する」と説明している[33]。世帯をもつ者（家長）とは社会に住み、普通は仕事を持って家族を持つ人間のことを指す。この反対が僧や隠遁者であり、こういう人々には性関係を持つことはまったく許されていない。ヨーギの大半は、常に家族を持って社会に参加していた。1931年に行われたインド帝国の一斉調査では、インドに100万人以上のヨーギがいることがわかった[34]。そのほぼ半分が女性であり、多くが家族を持っていたのである。このデータはまた、男性のみがヨーガを実践するという作り話を一掃するものである。

---

33 『ヴァシシュタ・サンヒター』1章44節
34 G.W.Briggs, *Gorakhnath and the Kanpatha Yogis*, 1st Indian ed., Motilal Banarsidass, Delhi, 1938, pp. 4−6.

ブラフマチャリヤの意味を尋ねられたK.パタビ・ジョイスは、1人のパートナーしか持たないことであるといつも語っていた。ヨーガの考えにおける関係とは、まるで物であるかのように次々と人間を消費することなく、自分のパートナーの中に神聖さを認めることである。

　聖仙のヤージュニャヴァルキヤは、『ブリハッド・アーラニヤカ・ウパニシャッド』の中で「夫を外的形態として見るべきではなく、不死の意識（アートマン）として見るべきである。妻を肉体として見るべきではなく、不死の意識として認識すべきである」と記している。ヨーガにおける夫婦関係は、他者に内在する神聖さを認識するために使われる。これには、気軽なセックスは含まれない。ここで問題となるのは、概してこういうパートナーのうちの1人（女性であることが多い）はただのセックス以上のものを期待していることである。このパートナーは、見捨てられれば傷つくであろう。この場合、気軽なセックスは一種の暴力なのである。

　2人が同意して、気軽なセックスをしたとしよう。ここには、何の暴力も存在していないと思うかもしれない。しかし、次のように考えてみる必要がある。多くの経典で性関係はカルマ・ムドラー、すなわちカルマの封印として表されている。あまりに鈍感になってもはや存在を感じなくなっていたとしても、パートナー間には強いカルマ的な絆があるのだが、それを封印するものなのである。2人のパートナーの間に微細な体のつながりがあれば、それを通してこのカルマ的な絆が形成される。一般によく用いられる表現では、「深い愛情（heart strings）」と呼ばれるつながりである。この感情は、2人が長い間離れていても感じることのできるものである。こういうつながりが形成されれば、お互いに対してある種のカルマ的義務を負うことになる。特に、お互いを慈しみ精神的に支え、愛されていると感じてもらえるようにしなくてはならないのである。スワミ・シヴァナンダは、どんな関係を持とうと、その相手を結婚生活の中で満足させるために生まれ変わるとまで言っている。これが本当であろうとなかろうと、「誰かの心を傷つけ（breaking hearts）」続ければ、遅かれ早かれそれは自分に戻ってくるのである。

　『ウパニシャッド』では、ブラフマチャリヤという言葉は別の意味を持つ。『ムンダカ・ウパニシャッド』には、「真の自己は、真実、鍛練、知識、そしてブラフマチャリヤを通してのみ到達できる」とある。現代における正統派の注釈者たちは、これを禁欲（独身）の意味に読み取りたがったが、それでは説得力がない。なぜなら、インド史における自己を達成した人物、古代の聖仙たちはたいてい複数の妻を持ち、百人以上の子どもがいた場合もあるからだ。このウパニシャッド的な意味合いでのブラフマチャリヤは、ブラフマン（意識）への専心を指している。自己の達成を導くのは、この専心なのである。しかし、パタンジャリはブラフマチャリヤという言葉

をこの意味では使っていない。パタンジャリは真のサーンキヤ信奉者として、「ブラフマン」という言葉を意識を意味するものとして使ったことは一度もないのである。

最後のヤマは、不貪(アパリグラハ)である。これは、ものを蓄積することに集中すべきではない、ということだ。また、他人が持っているものと比べて自分の所有物が少ないからといって、苦しく思ってもいけない。ものに依存するべきではなく、正当に自分に属するものを享受しながらも、自分の所有物に執着すべきでないのである。もし不運にも(たとえば株式市場が暴落して)自分の持ち物を失ったとしても、失ったものを欲することなく、そのままにしておくのだ。わいろのように、私たちを操るために与えられるものは受け取るべきではない。

## 2.31 出生、場所、時期、状況の種類に妥協することなく、5つの禁戒を普遍的に実践するのが大誓戒である。

多くの人々は、妥協をしながら禁戒に従っている。猟師や農耕の部族、家庭に生まれた者は、非暴力を守りながらも自分たちの職業に関わる動物については殺す。これが出生の種類によって妥協するということである。もし誰かが、教会のように神聖な場所にいる時には殺したり嘘をついたり盗みを働いたりしないというのであれば、場所の種類によって妥協しながらヤマを守っていることになる。クリスマスやイースターの時期だけは子どもを殴ったりしないが、その他のときには殴るというのであれば、禁戒は時期に従って妥協を受けている。もし誰かが非暴力を固守していても、たとえば戦争やテロの最中であればこの態度を妥協するというのであれば、状況によって妥協しているのである。

注釈者のH.アーランヤは、義務のために非暴力が妥協された場合の例を挙げている[35]。『バガヴァッド・ギーター』の英雄、アルジュナは兵士の階級(カースト)にあり、戦う義務があった。ヨーギはいつどんな場所でも、負傷のないよう実践するものであり、この点でアルジュナの立場はヨーギとは考えられないものだとアーランヤは指摘している。

パタンジャリは、5種類の禁戒が妥協を受けることなく遂行され、どんな状態においても普遍的に行われれば、その場合に限って大誓戒(マハー・ヴラタ)を成すと言っている。ヨーガは非暴力に関して、小さな生物の命にも極度に高い関心を示すジャイナ教ほど極端な形はとらないことは、すでに述べた。

---

35 H.Aranya, *Yoga Philosophy of Patanjali*, p.213.

免疫システムのリンパ球が、体に侵入しようとする何百万もの生命体の大虐殺を絶え間なく行っていることは周知の事実である。傷口のうみは死んだリンパ球に他ならず、母国（私たちの体）を「勇敢にも」守るために死んだのである。私たちが生きている限り、まったく非暴力的であることは不可能だ。他の生物を常に殺すという行為をやめる唯一の方法は自殺を図ることだが、これもまた完全なる暴力行為であり、神への辱めと見なされる。多くの場面で非暴力は、富裕層や特定の聖人たちの特権である。こういう人々には、目の前の道を掃いてくれる使用人がいるのだ。農夫は畑を耕して、何百万もの生命体を殺すであろう。しかし、農夫の働きがなくては皆が飢えるのである。靴職人はインドでは、低い地位と見なされている。牛から取った革に、手を触れるからである。しかし同時に、誰もが靴職人のサービスを受け、皮肉にも自分の皮靴に触れることができるのは、彼らが不純物を吸収したと考えられているからなのである。

牛乳はインドでは、最も純粋な食べ物と考えられている。人間が牛を傷つけることなくとも、牛は自由にミルクを出すことができる。しかし牛はミルクを出すには子牛を必要とし、子牛の半分は雄牛である。バラモンは、雄牛を「不純な」人間と考えられているイスラム教徒、〔4つのカーストより下の〕不可触民、キリスト教徒に売り、牛を殺して食べた彼らが、暴力により不純になると考えられた。雄牛を現金化したバラモンにお金を通して不純さが伝わることはなく、〔カーストの最上位にいる〕バラモンは純粋なままなのである。大変悲しいことに、教育を受け特権を持つ人々（バラモン）から無知で貧しい人々（低カースト）へ負が渡されることに、ここでは哲学が利用されているのである。ここで、ヨーガは人類への奉仕のための道具とならなくてはならず、その逆は否定されるべきものであることを覚えておかねばならない。ヨーガは、人間の苦しみを減らすものであると約束して始まった。その約束が果たせないのであれば、何か別のものを探さなくてはならないのだ。

しかしパタンジャリは、大誓戒に関する特定の妥協について受け入れていることに留意すべきである。たとえば、誰かを傷つけるのであれば、真実に対し譲歩するのも構わない。つまり、大誓戒も相対的なものなのである。

## 2.32 清浄、知足、苦行、自己の探究、至高の存在への祈念が勧戒である。

禁戒が外に向けられ周りの環境との調和を作り上げるものであったのに対し、勧戒（ニヤマ）は内へと向かい実践の基盤を形成するものである。清浄（シャウチャ）とは、体と心の清浄のことである。体の清浄は、清潔であること、純粋で自然なもの

を食べること、そして飲酒を避けることで達成される。心の清浄は、貪欲、嫉妬、羨み、嫌悪、怒りなどの思考、感情を避けることで実践され、またこれらの思考が何をもたらすのかについて知ることが必要である。

　2つ目の勧戒、知足（サントーシャ）は、大変興味深い概念である。現代のインドでは、サントーシャという言葉は幸福と同義で使われている。何千年にもわたる教育により、インド人の心には、幸福とは欲望の逆であり、すべての欲望を捨てて完全に満足した状態になって初めて幸福になることができるという考えが深く染み込んでいるのである。

　これは西洋の概念とはまったく異なる。西洋では自分の夢を視覚化するように教えられ、ヨットや自家用飛行機、スポーツカーのコレクション、異なる気候の地域に屋敷を持つこと、500万円もするブランドドレスを着ることなどを思い描く。これらの想像はすべて、とめどなく流れるシャンパンとともに流れ込むかのように起こる。こうして夢を視覚化するプロセスを終えると、次はやる気を起こす番である。確かに、変えようという意思と力を持っているのである。確かに、能力も知性も、何が必要であれそれを成す才能もあるのだ。そして、何事にも止められはしないのである。

　このやる気の過程が始まれば、どのようにして目的を果たすのか計画を立てることになる。そして大変熱心に行動に移し、自分と目的地の間に存在するものは、対抗者であろうが競争者であろうが、ライバルの会社、外国政府、外国文化、原住民であろうが、手つかずの景観、稀有な種類の植物や動物であろうが、すべて脅して片づけるか除去するのである。

　西洋文化が世界中のほぼすべての国を侵略し破壊して飲み込んだのは、まさしくこの態度によるものである。この過程で、果たして幸せになったのだろうか。多分そうではなく、一層欲深くなったのではないだろうか。探している幸せはすべて、すでに自分の魂の中にあることが認識できているのなら、その幸せのために世界中を探し求め滅ぼす必要はないはずだ。平和は満足とともに始まる。今に満足して初めて静かになり、何をなすべきかが聞こえてくるのである。さもなければこの静かな声は、誇張され想像を膨らませた欲求の大きな叫び声にかき消されるのである。

　次の3つの勧戒は、クリヤー・ヨーガ（行為のヨーガ）の項ですでに述べたものである。スートラ2.1ですでに説明したものなので、ここでは簡単に概略を述べるだけでよいだろう。苦行（タパス）は、苦労に立ち向かうことができる力である。実践で困難に出会っても、あきらめてはならない。成功するヨーガ実践者は、何年にもわたって困難な期間を過ごすこともある。真のヨーガ探究者が現れるか、あるいはうわべだけ良くしているヨーガ実践者のままでいるかは、このような困難に直面す

る時に決まるのである。この時点で、自由になるために捨てる準備のできているものは何かと自問しなくてはならない。実践している際に、自分のことを確かめるような何かが起こることを予想しておく必要がある。実践の中で浄化作用が起こると、してきた過去の行為によっては、一時的に不快に感じることもあるのだ。

4つ目の勧戒は、自己の探究（スヴァーディヤーヤ）である。これは、ヴィヤーサによれば、聖音オームを唱えることである。まず声に出して唱え、次に静かに唱えて、その後音を聞く。自己の探究のもう1つは、解脱を扱う経典（モークシャ・シャーストラ）の研究である。これは主に『ウパニシャッド』、およびそこから派生したサーンキヤ、ヨーガ、ヴェーダーンタなどすべての体系を指す。

最後の勧戒は、至高の存在への祈念（イーシュヴァラ・プラニダーナ）である。属性のない無限の意識（ニルグナ・ブラフマン）に祈念するか、クリシュナ、キリスト教の神、地母神（サグナ・ブラフマン）など属性（形）のあるものに祈念するかは、実践者の性格による。属性のあるものもないものも、すべて妥当である。祈念というのは、すべての行為を至高の存在の前に明け渡すことを意味する。この服従が取るに足らない副次的な技法などではないことは、スートラ1.29で証言されている。至高の存在に身を委ねることによってサマーディが生じ、またヨーガの9つの障害が現れなくなるとパタンジャリは説明しているのである。

## 2.33 対立する思考がこれらの禁戒と勧戒の妨げとなるなら、対極にあることを熟考するべきである。

これは、たとえば嫌悪感に悩まされているのならば、このような思考が何につながっていくかを考えるよう提案しているものである。結局のところ、この頭脳を保持し、養い、守り、温かく保ち、休ませているのは私たちなのだから、何を考えるべきかを告げる資格を持たなくてはならないのである。私たちが頭脳を所有しているのであって、頭脳に所有されているのではないのだ。

もし私たちが自分自身に嫌悪感を持つことを許せば、やがてその嫌悪感が他者への暴力的行為へと変わることもある。これがカルマの激しい反動とさらなる暴力的思考を生み出す。周りの社会からこの否定的行為に対する見返りを要求されれば、実践を続けることも難しくなる。こういう思考と行いは、長い目で見れば私たちにとって有害なものであることを理解しなくてはならない。

対極を熟考する方法を通して、しばらくは害を避けられる。しかし、実践を確立し、隣人も自分と同じく無限の意識の現れなのだと理解したなら、お互いにいがみあうことに何の意味もなくなる。知識（ジュニャーナ）を手に入れれば、他人に対す

る思いやりの気持ちを持つようになる。それまで倫理を固守しなくてはならない。そうしなければ条件づけられた状態へますます巻き込まれ、今度はそのために知識（ジュニャーナ）を一層手に入れにくくなるのである。これに関しては、次のスートラでより詳しく説明する。

## 2.34 欲、怒り、または愚かさから生じ、すでに引き起こされ、あるいは容認されてしまった、暴力性などのような障害となる思考は、穏やかなものであれ中庸のものであれ激しいものであれ、一層の苦痛と無知をもたらす。なぜなら、この認識が対極にあるものを高めることだからである。

　ここにある障害となる思考とは、ヨーガの禁戒と勧戒を厳守しようとする際に障害を引き起こすものすべてを指す。これらは、真実を認識する力を曇らせ、そのため無知が引き起こされる。このため将来的には、苦しみを生み出すのである。これら障害となる思考は、私たちの自発的で自由な個性、創造性の表れであると時には思うかもしれないが、実際は単に欲、怒り、愚かさから派生したものである。

　たとえば、ある日目覚めて「今日は練習しないことにする」と言うとしよう。時には大変でも毎日実践するのが、ニヤマ（勧戒）の３つ目、タパス（苦行）である。しかし、勧戒を破っていると認識する代わりに、練習をしないことは自由、自発性、個性、創造性の表れなのだと勘違いし、そう信じてしまうのである。しかし、これは愚かさ以外の何でもない。自我とうぬぼれによって愚かにも、練習を避けることが自由を示し、毎日練習する人々は服従の様子を示すものだと信じるのである。もし本当に自由なのであれば、実践をしない理由づけをする心の奴隷になるのではなく、自由に実践するはずである。

　タパスの持続ができないもう１つの原因は、怒りである。人は常に永遠でないものと自分を同一視する習癖があり、生活の中に怒りとフラストレーションを経験する。怒りを手放し自由になるのではなく、怒りを実践に持ち込んで実践を困難にする。そして、実践は難しいもので楽しくないと主張し、実践をするのがいやになるのである。実践自体は、自由で自発的で、個性的なものであり創造的だ。実践を日々決まった退屈なものにしているのは、自分自身なのである。

　特に欲望に突き動かされて、実践を通してより良く、より強くなり、格好よくなっ

て認められたいと考えると、実践は自由へのうきうきするような旅ではなく困難な義務となってしまう。『バガヴァッド・ギーター』でクリシュナ神は、自分の行為の成果を明け渡すことを勧めている。アシュタンガ・ヴィヤサ・ヨーガの場合では、私たちが上達、目的、利益を忘れて、ただ練習があり、自分がその場にいて、ヨガマットがあるからただ練習するということを意味する。ただ世界が存在するから私たちは生きている。生きているから実践するのである。それ以上の理由は必要ない。これが無心で実践するということだ。

タパスを妨害するもう1つの理由を見つけるとするなら、それは退屈である。練習が退屈だと主張するが、その退屈さの下にあるものは怒り以外の何でもない。私たちが怒りを認めてそれを手放すことができないため、自分に真実を告げられないのだ。自分に真実を話すことができず、そのため今この瞬間に引き戻すことができず、私たちの意識は過去、未来へとさまよい歩く。注意が現在の瞬間から離れれば、実践の中にいることなどもはやなく、練習は退屈になる。こうして、怒りは退屈さをもたらす。自分の生活や実践に退屈になった時には、怒りがどこに隠されているのか探す必要がある。たとえただ呼吸しているだけであろうと、存在の一瞬一瞬は美を明かすものともなりうる。退屈なのは単に、自分が現在にいることを許していないだけなのである。

これで、ヤマとニヤマを妨げる思考が欲、怒り、愚かさからどのようにして生じるのかがわかった。これらの思考は、将来的に苦しみや無知へとつながる。ここでは、暴力や暴力的思考が、穏やかであろうが中庸であろうが激しいものであろうが大差ない。いずれの場合でも、成果を結ぶのである。また、自分自身がそうした思考を抱こうが実際に行動を起こそうとも、他人にそういうことをさせようとも、そういうことを許そうとも関係ない。同様に、成果を結ぶのである。

ここで、非暴力に関して広く行きわたっている、もう1つ興味深い誤解について考えてみよう。インドでは、卵は軽蔑を受けている食べ物である。受精しているわけではなく、生きているものではないというのに、卵を食べることは暴力的だと考えられているのである。牛乳の場合はこれとは異なり、スートラ2.31で見たとおりである。パタンジャリが指摘しているように、暴力行為を成す時にも、暴力行為を他に引き起こす時にも、許す時にも、苦しみと無知を引き起こす。ヒンドゥー教において牛乳を飲むことが非暴力と考えられているのは、信用できないことなのである。

しかし、完全な非暴力が可能であるという考えは捨てねばならない。自分たちの乳牛を保有する、あるハレ・クリシュナのコミュニティでは、完全な非暴力というのは難しいことに気づいたのであった。売れば雄牛は殺されると認識したコミュニ

ティでは、雄牛を保有することを決めた。こうすれば、アヒンサー（非暴力）は損なわれない。「間違いとなりうることは、間違いをもたらす」という原則に従って、コミュニティの牛は続けて11頭の雄牛を産んだ。クリシュナ神は、自分の言ったことを立証するため、助けの手を差し伸べたのかもしれない。

そこでコミュニティは、成長した雄牛を保持するだけでなく、暴力となる去勢もしないことを決めた。このため、11頭の雄牛は何の実用的用途もないままそこにいることになったのである。雄牛はあまりに乱暴であり、荷車や鋤を引くこともできないのである。この用途には、去勢した雄牛が使われるのだ。さらに、11頭の雄牛が互いを殺すことがないよう、別々にかなり大きな放牧場に入れておく必要があった。1995年にコミュニティを訪れてみた時には、コミュニティは牛乳生産をあきらめ、雄牛の療養所と化していた。牛乳は暴力で汚された市場で購入されていたが、それでも牛乳がまったくないよりはましだということだった。

非暴力をどこまで取り入れられるかについて現実的な立場を取ったとしても、できる限り倫理を固守するのは大切である。最善を尽くすことがなければ、将来的に必ず苦しみと無知を経験することになる。倫理にそむけば未来に苦しみが生じるという考えを受け入れることが、対極にあるものへの瞑想なのである。これが、ヴァーチャスパティミシュラとシャンカラーチャーリヤがそれぞれの復注書で主張していることである。

## 2.35 非暴力を確立した人がいるところでは、すべての敵意はやむ。

ここからの11にわたるスートラでパタンジャリは、禁戒と勧戒を習得すればどのような効果がもたらされるかについて説明する。このスートラでは、非暴力をしっかりと確立した人は脅威を感じさせるところがまったくなく、そのため人間も獣も同様に、このような人物のいるところでは防御を捨てて穏やかになると言っている。攻撃性は恐れに基づいていることが多く、恐れる理由は何もないことがわかればなくなるものである。

この洞察に対して、ブッダとアングリマーラの話が思い出される。放浪していたブッダは、広大な森への入口となっている村に行きついた。村に入って施し物を頼むブッダに、村の人々はこれ以上奥には進まないように忠告した。森には、百人を殺してその指を切り取り、首飾りにすると誓った連続殺人者が住んでいた。名前をアングリマーラといったが、アングリマーラとは実際、指の首飾りを意味するものである。彼はすでに99人を殺し、自分の誓いを果たすために最後の犠牲者を待って

いたのである。ブッダはこの話に恐れることなく、村人に自分が道を歩んでいくことを止められるものは何もないと話した。もし彼がこうして百人目の犠牲者となる運命であったのなら、少なくともアングリマーラを恐ろしい誓いから解放することになる。ブッダは、まったく気にしなかった。村人たちは激しく泣き、落胆したが、やがてブッダを森へと進ませないわけにはいかなくなった。

　しばらく歩いたブッダは、森の空き地にすわるアングリマーラに出会った。指でできた首飾りをしていたため、アングリマーラであることは容易にわかった。「ここで何をしているのだ」と、アングリマーラは叫んだ。「これは俺の森だと知らないのか。俺はアングリマーラだ」。ブッダには何か特別なところがあることを、アングリマーラの目は見逃さなかった。大股で歩くブッダの気品と彼を取り囲む平穏な雰囲気は、まったく新しい経験であった。こうしてブッダは、アングリマーラの目の前に立った。アングリマーラは、ブッダの目に静けさと落ちつきを見た。これは、今まで出会ったことのまったくないような人物である。見知らぬ男に心動かされたアングリマーラは、この人物を殺したくないと思ったが、自分の評判を保つ必要があった。「今来たところまで戻るのだ。おまえを通すわけにはいかない。俺は人を百人殺し、殺した人間の指で作った首飾りをかけると誓ったのだ。引き返さないのであれば、お前のことを殺さないわけにはいかない」と、アングリマーラは言った。ブッダは、「何事にも、私を進む道から引き返させることはできない。それが死であってもだ。私はこの道を進むと決めた。何事も私の決意を変えることはできない。これがおまえに受け入れられないのなら、私を殺すがよい」と返した。

　アングリマーラには、信じられなかった。世界中がアングリマーラを恐れているというのに、ここにまったくものともしない男がいる。「俺は今からお前を殺すが、1つ聞きたいことがある。怖くはないのか」。ブッダはただ首を振り、まったく任せきった様子でそこに立っていた。その時アングリマーラは、この男はわが家に還りつき、どうしてもアングリマーラが取り上げることのできない何か、つまり心の平安を見出し、恐れなど知らないのだということをブッダの目の中に見てとった。そしてアングリマーラには、自分が師に出会ったことがわかったのであった。アングリマーラは泣き崩れ、弟子として教えを受けたいと頼んだ。

　これは、完全に無害状態というのは他人の中にも同様の感情を染み込ませるということを、見事に示したものである。しかしこれは、すべての状況において非暴力を保証することを意味するものではない。ブッダ自身、僧侶の共同体を嫌う男に毒を盛られた。ミラレパも同様の理由で毒を盛られ、ブッダの最も偉大な弟子、モーガラナは、盗賊に切り刻まれて殺された。イエス・キリストが死を宣告された時、ローマ総督ポンティウス・ピラトはアングリマーラと同じように、目の前にいる男

が聖人であることに気づいた。キリストの死の責任を負いたくないと思ったピラトは、エルサレムの人々が1人の人間の恩赦を要求できるよう決定したのである。エルサレムの人々は、そこで何と殺人者のバラバの釈放とキリストの処刑を要求したのである。非暴力をしっかりと確立した人物がいたとすれば、それはイエスであっただろう。

アシュラムを略奪した強盗たちは、インドの聖者、ラマナ・マハルシを殴り倒した。スーフィーの詩人、ルーミーの師であったシャムス・I.タブリージーは、ルーミーに大きな影響力を持つ人間として嫉妬を抱かれ殺された。20世紀に非暴力の主要な提唱者であったマハートマ・ガンジーとマーティン・ルーサー・キングの2人は、ともに暗殺された。インドの叙事詩、『ラーマーヤナ』や『マハーバーラタ』には、悪魔に攻撃を受けた聖人の話が多くある。中でも有名なのが聖仙ヴィシュヴァーミトラの話であり、絶え間なく聖地が汚されたため、彼は儀式を終えることができなかったのである。叙事詩の中には、罪人よりも敬虔で高潔な人を滅ぼすほうが一層快楽を得られると公然と認めている悪魔さえいる。ムガール帝国軍がインドに侵略してきた時、仏教徒の街では住人が家を出て近づいてくる軍の前で横になった。侵略者が街を襲撃するのを防ごうとしたのである。しかし、ムガール帝国軍司令官は軍に、穏やかに抗議を示す人々を乗り越え、全員を殺害させたのである。

逸話の中には、非暴力を通して他の人々を平穏にさせることができると証明するものもあれば、同時にその反対を示すものもある。それではなぜパタンジャリは、非暴力を確立すれば「すべての敵意は止む」と概括したのか。パタンジャリは、私たちにヨーガの実践をさせるためにこう言ったのである。生徒が必ず実践を始めるようにとその効果を大袈裟に言うのは、インドの師によく見られる特徴だ。生徒が実践を始め、それに固執できるように説明を行うのが師の責任だということは、ヴィヤーサやシャンカラーチャーリヤからも明らかである。そのため、時には理想的に説明するほうが効果的なのである。

## 2.36 正直を確立したならば、行為とその成果は言葉と一致する。

このスートラも、古代の聖仙が獲得した偉大な能力を言及したものである。聖仙たちは強烈なタパス（苦行）によって、自らの言葉によって事の成り行きを変える力を得た。彼らは完全なまでに正直であったため、必要であれば彼らの言葉に合致するように未来も変わる必要があったのだ。聖仙たちは主に、自らの武器である呪いの言葉を通してこの力を使用した。呪いの中で聖仙は未来について発言をするのだ

が、彼はそれまで不正直であったことがないため、その言葉に従って未来が展開することになるのである。しかし、こうして未来を変えることに、聖仙はそれまでの長いタパスで積み上げてきた徳の多くを使ってしまった。そしてそのため、弱々しくなったのである。

神話では、神々と悪魔たちは時に第三者を使って聖仙に激怒の気持ちを呼び起こそうとしている。続く呪いで聖仙は自分の力を使い果たし、そのため彼は弱くなるのである。天の王、インドラは天女（アプサラス）を使って聖仙のヴィシュヴァーミトラが蓄積したタパスを減らしたのである。

後でパタンジャリが説明しているように、このような能力はヨーガの道に障害を作り出す。この力は、必ず実践をするようにと、目の前にニンジンのようにぶら下げられているものだ。後になって、サマーディの妨げになるからと、これらの力を捨て去るように言われるのである。行き止まりに続く道なのであれば、最初からこういう力を求めることをやめればよいのだ。これは利益を求めることなく、ただ行為するようにと書いてある『バガヴァッド・ギーター』とも一致するものである。

## 2.37 不盗を確立したならば、すべては宝石となる。

ここでは、粘土のかたまりを眺めるのと同じようにして金(ゴールド)を見るように言われている。外見に対する先入観を捨てれば、すべての瞬間が貴重であることが突然自明となる。恩恵や利益を求めることなく世界を見れば、あらゆる美しさが明らかになる。すべての状況から何かを得たいと望めば、一瞬一瞬に受け取るはずの多くの贈り物に対して自らを閉ざしてしまうことになるのだ。

このスートラは元来、富にまったく関心を示さなければ、富のほうが私たちを気にかけてくれるようになるという意味に理解されていた。不盗を確立すれば、天からダイヤモンドを噴出するマングースが目の前に現れて宝石を注いでくれると広く信じられていたのである。

現代のヨーガ実践者にとっては、裕福への道は株式を追うソフトウェアや不動産セミナーに向かうことではあっても、瞑想に行きあたることはないことを理解しておくことが大切だろう。富を追求しているのであれば、瞑想に使う時間はまったく無駄なものである。裕福になるには、富への欲望と強い競争力が必要である。瞑想とはこういう欲望を減らすものであり、競争力にとっては有害となる。瞑想をすれば、必要以上にお金を追いかけることは、もはやしなくてもよいと思うようになる。特に、瞑想によって意識の持つ空間的本質を理解し、物事は得られるものでも失うものでもないと認識するようになれば、なおさらである。物質的なものを得たとし

ても、それが何であれ、神秘体験の結果得たものではない。多くの神秘家たちは、（そのための必要条件というわけではないが）貧しく暮らしていたのである。

## 2.38 禁欲を確立したならば、活力が得られる。

　インドでは、通常性行為によって消耗されるエネルギーが変容して、もっと高次の目的のために使われると考えられている。性的エネルギーは力の源泉と見なされていて、適切に使われれば私たちを神の領域にまで持ち上げてくれると思われているのだ。禁欲は、知性と記憶機能を向上させると考えられている。

　しかし、本当の禁欲というのはまれである。これを習得するのは、一時代に1人だけだと言われている。トレタ・ユガ（ラーマが出た時代）のハヌマーン、ドヴァーパラ・ユガ（クリシュナの出た時代）のアルジュナの養祖父、ビーシュマがそうである。古代の聖仙たちは、完全な禁欲を実行していたわけではなかった。彼らはすべて、多くの子どもの父親となっているのである。

　鍵となるのは、エネルギーを変容して使用する能力である。もし単に性的エネルギーを抑え閉じ込めるだけでは、嫌悪に変わって大変危険になる場合もある。政治指導者の中には、これがわかっていて自分の目的推進のためにこの知識を利用した人間もいる。ウィルヘルム・ライヒが著書『ファシズムの大衆心理』で説明しているとおり、これこそはナチスがうまく人を操り、恐ろしい力を爆発させたものである。単に性欲を抑制しただけでエネルギーをどう使えばよいのかわからないのでは、どうにもならない。

## 2.39 不貪を確立した人は、過去と未来の出生に関する知識を得る。

　欲望は、体と体の享受するすべての対象への執着、およびこれらと自分を同一視することで生じる。永遠なる自己を知れば、体を解脱への媒体として尊重し続け、体の生理的要求に気を配るものの、もはやそれに心奪われることはない。私たちは、喜びの対象によって解脱へと導かれるわけではなく、それらはむしろ私たちを束縛するという特有の傾向を持つことを認識するのである。とはいえ、この傾向は私たちの中の潜在的条件づけにあるのであって、対象の中にあるわけではない。自己理解を永遠に確立した者は、喜びの対象に縛られることはなくなる。これは、禁欲的修行者のようにして暮らさなくてはならないという意味ではない。実際、修行者が狂信的なまでに快楽を避けているのは、まだ快楽に魅せられている証拠なのである。

ジュニャーニン（知る人）は、快楽に無関心である。「快楽が来れば、それはそれでよい。快楽が来なくてもまたよい」という態度がアパリグラハ、すなわち不貪である。不貪を確立した人は、いかなる対象を切望することもない。こういう人は、どのようにして過去と未来について知るのであろうか。

　自己をしっかりと確立した人間は、時を超えて存在する。自己とは、時間を超越した永遠のものだからである。体、マインド、自我、知性が時間の中に存在するものであるのに対し、時間は自己の中に存在する。つまり、時間は自己というスクリーンの上に現れるものなのである。時間の中に存在する現象はすべて、過去のものであれ現在のものであれ未来のものであれ、自己に目撃される。自己の本質は気づきであり、この観照以外の何かをすることはできない。自己は永遠であり、時間の中に起こるすべてを知っている。つまり自己は、微生物に始まり全消滅（プラーラヤ）で終わる進化の過去をすべて知っているのである。自己はまた、常に展開し続ける世の時代（カルパ）の目撃者でもある。それだけでなく、今まで明らかにされなかった深遠な現実、つまり今まで消滅したことがなく、何からも影響を受けずにすべての現象を生み出す真実（ブラフマン）を、自己は目撃するのである。

　つまり不貪を確立した者は、過去と未来の知識を取り込むことができるのだ。しかし、偉大な師の多くはこれを避けてきた。自己という観点からすれば、自分の過去や未来に関する知識への執着は、感覚的対象に執着することと同様に価値のないものだからである。これは他人に感銘を与えるために使える力ではあるが、過去や未来に見るものはテレビの画面に見るものと同じくらいの価値しかない。賢者は、わざわざこの力を発展させるようなことはなかったのである。

　ブッダのところにやってきて、「どれくらい生まれ変わる必要があるのか」と尋ねた者がいる。ブッダは空を見上げてこう言った。「空の星の数ほどである。あなたはそれほど何度も、生まれ変わるであろう」。うんざりする人生を送っていたその男は、恐ろしくなって逃げ去った。別の男が、ブッダにこう尋ねた。「どれくらい、この世に戻ってくるのか」。ブッダは巨大なバニヤンの木を指して、「木の葉の数ほどである。それほど何度も、あなたは生まれ変わるであろう」と言った。自分の人生を大変好ましく思っていたその男は、非常に喜びその場で跳びはね小躍りした。そして、その場で解脱を得たのである。男は解脱したのだから、将来具現化されて戻ってくることはなかったと思われる。それなら、質問した男にバニヤンの木にある葉の数ほど生まれ変わると告げたブッダは、間違っていたのだろうか。

　そうではない。ブッダは、この男がそれほど多くの人生を生きる可能性があるのを見たのである。しかしこの男は、（すべての人々が生命の一瞬一瞬に持っている）今この時に自由になるという機会を手に入れたのだ。ブッダの見た将来の生命はま

だ確かに存在しているが、この男に関してはもはや存在していない。この男は同一視することをやめ、自分自身の未来から解放された。真のジュニャーニンにとっては、残余のカルマすべてが中断される。残余のカルマとは、まだ成果を結んでいないカルマである。このカルマが中断されれば、自由が生じる。このため、未来を覗くのは興味のわかないことなのである。予見可能な未来は、そこから解放されたいと願う未来なのである。

伝統的にインドでは、すべての生命は30兆回の生を経験した後に解脱すると考えられている。ヨーガはこの運命を受け入れず、今ここで私たちを解脱させようとしているのだ。聖仙ヴァシシュタが語っているとおり、「真に自己努力をする者には、運命などない」のである。

## 2.40 清浄であれば、自分の体は守られ他人に汚されることはない。

体と心が清浄であれば、体の周りには防御の盾が作られる。清潔にすることによって体は感染症から守られるが、ここで言及される清浄とは嫌悪や欲、愚かさにかかわる思考をおもに慎むことを指す。こういう思考は嫌悪の行為などとして現れ、体にとって有害である。また、否定的な行為が暗示するものについても、考えておく必要がある。ヨーガの実践の初期段階では、生徒はかなりもろく、簡単に道から外れてしまうものである。

こういう初期の段階には、実践に対する熱意と興味を守ることが重要である。

エネルギーは常に高いところから低いところへ流れるという、自然界の法則がある。初心者は、周りの人間がよくなければ、蓄積したヨーガの功績を簡単に失いかねない。特に他人に対してオープンになっているときには、他人から容易に否定的行為や否定的感情を呼び寄せてしまう。このように他人に汚されることが清浄によって阻止される、とこのスートラでは言っているのである。「汚されない（non-contamination）」という表現を使ったのは、ゲオルグ・フォイヤーシュタインに従ったものである。フォイヤーシュタインは、パタンジャリの使っている「ジュグプサー」という用語は「体については見張りをし、命にかかわる構造に対しては執着を離れた態度を取る、という考え方を伝えている」と述べている[36]。

「汚されない」という言葉の使用は、注釈者たちの何人かが不適切にも使っている「嫌悪感（disgust）」という言葉に反対するものである。キリスト教やヒンドゥー教

---

36 Georg Feuerstein, *Yoga Sutra of Patanjali*, p.87.

など、宗教的権威の中には体を嫌なものとして捉えるものもある。一方物質主義者たちは、体とその欲求に完全に没頭している。この点ヨーガは、中立の立場を取っている。体は潜在的に精神を縛るものと見なされるが[37]、一方で解脱を達成するための手段とも認識されているのである[38]。

しかし、自分の体や他人の体に対する嫌悪感は、ヨーガに対する新たな障害を作り出すことにほかならない。嫌悪感は、5つの煩悩のうちの1つである嫌悪（ドヴェーシャ）のカテゴリーに入るものだからである（スートラ2.8）。

嫌悪は、人の行動を条件づけ、将来的な苦悩や無知へとつながる否定的な印象（サンスカーラ）に基づくものである。スートラ2.8で学んだように、これは誤った認識（ヴィパリャヤ）の一形態である。誤った認識では、自分の意識を誤って嫌悪感などのようなわがままな考えと結びつけて認識するのである。自己はまったく判断を下すものではないため、体は自己を忌み嫌うことはできない。しかし、自我には判断を下すことができ、喜んでそうする。すでに説明したメカニズムを引き起こし、自我を増加させるからである。嫌悪感を持って体を見るのは、決してヨーガの教えではない。

## 2.41 心の清澄さから喜び、1点集中の状態、感覚の制御、自己を知る準備が生じる。

ここでは、心の清浄の効果について論じられている。心の清浄とは、嫌悪や欲、ねたみ、嫉妬、自尊心などについての思考、感情と同一化するのをやめることを意味する。これらが捨て去られれば、知性が元々持つサットヴァの性質となり、喜びが現れて光り輝く。この喜びから1点集中の状態へと発展するのだと、ヴィヤーサは言っている。これは簡単に理解できるだろう。不幸や悪意、心が抱える問題に乱された状態のままでは、どうして心が1点集中の状態になれるだろうか。これらはすべて、熟考することからエネルギーを奪い取ってしまうものなのである。

心の清浄が達成されれば、私たちは喜びを経験する。なぜなら、自由がすぐそこにあることがわかるからである。発展した喜びによって、私たちは自由に修行に専念すること（サーダナ）ができるようになる。これが1点集中の状態である。1点集中が得られれば、そこから感覚の制御へと発展する。

これまで私たちの幸せは、外的刺激によるものであった。幸せを持続するためには、権力、金銭、セックス、ドラッグ、興奮、消費を無限に必要としたのである。

---

[37]『シュヴェーターシュヴァタラ・ウパニシャッド』5章10節
[38]『シュヴェーターシュヴァタラ・ウパニシャッド』5章12節

まず、感覚がこれらの刺激に到達する。感覚はマインドを刺激に引き寄せて、集積された印象を整理する。次に自我がそこに到達して印象を所有し、最終的に知性が曇らされて私たちは本来の姿を見失うのである。この一連の展開が、感覚の制御によって阻止される。つまり、次に欲望の対象となるものが目の前に浮かんできた時には、感覚が手を伸ばして対象を抱くことをやめるのである。そうすれば、対象はただあるがままで、私たちはそこに固執することもない。

感覚の制御によって、必ず自己理解に対する準備ができる。絶え間なく幸せを外に求めている限り、幸せはすでに内に存在しているものだということに気づくことはない。まず、「欲するものを得ようと外へ向かう」試みを捨て去らなくてはならない。そうして初めて、気づきがこちらを向いて、すべてはすでにそこにあることが分かるのだ。これが自己を知る準備となるのである。

## 2.42 知足から、この上ない喜びが生じる。

ヴィヤーサは『プラーナ聖典』から引用して、次のように説明している。性的快楽を通してどんな喜びが得られようと、天国にどんな喜びがあろうと、欲望が消えた時の喜びにははるか及ばない。

進化の過程で、私たちは無限の意識だという本来の姿を忘れても、かつて得た満足感の記憶はかすかに残っている。つまり、自分自身の魂[39]、自己の魂との関係を通して得た充足感、すべての愛の中で最初で最高のものが、残っているのである。エデンの園から追放された私たちは、人生をさまよい歩いて自分の願望を外の世界に投影している。しかし、自分自身を意識として認識することに比べれば、天と地の喜びに新鮮さを味わうことはできず、何度も何度も落胆することになる。私たちが喜びと呼ぶものは、一時的に失望を覆い隠すものにすぎず、条件づけられた存在というジャングルの中で道に迷ったことで生じた痛みを和らげているだけなのである。あっという間に消えていく束の間の喜びを経験することで、傷を覆っているのである。再び痛みを感じれば、刺激が必要になるのだ。

私たちは、薬を受け入れなければ傷は治らないことを認識しなくてはならない。薬とは、何らかの外的刺激によって助けを得られるという考えを捨てることである。この考えを手放せば、満足感が得られる。より良くなるために何かを試みることなく、生まれて初めて、ただすわってそこにいるだけでいられるのだ。すわってそこにいることで、やがて純粋な存在である喜びが生じ、地球や天にある対象に基づく

---

[39] インドの専門用語に合わせて、ここでは心臓の中枢(フリダヤ)はロマンチック・ラブ(恋愛)を指しているのではなく、自分の中核にある自己を意味している。

いかなる喜びにも勝る喜びが得られるのである。

## 2.43 苦行は不純物を破壊し、それによって体と感覚器官に超能力がもたらされる。

　苦行（タパス）はヨーガと同じく精神技術の体系であるが、ヨーガより古い。タパスは、シャーマニズムから発展したものである。タパスヴィン〔タパス実践者〕は、超能力とも呼ばれている超自然力（シッディ）を得るために極端な形の苦行を実践する。肉体的な超能力とは、時空を超えて旅したり水上を歩いたりできる能力のことである。感覚の超能力とは、透視力、他人の心を読む能力、あらゆる音を聞き分ける聴力、病いを治癒する手の力などを指す。タパスの実践が、このような力を生み出すというのである。

　しかしヨーギにとっても、また多くのタパスヴィン（タパスだけを実践し、ヨーガは実践しない人）にとっても、こういう力を得ること自体が目的ではない。欲、ねたみ、嫌悪などの不純物によるベールが取り除かれれば、ヨーギは自己理解を得るために手にした力を使い、それによって束縛から解放されるのである。超自然力への願望は、富や地位などに対する願望と同様、束縛をもたらすのだ。

　ヨーガでのタパスは、ヨーガの関与しないところで実践されるタパスとは異なる意味合いを持つ。ヨーガでは、苦難に出会っても実践を続ける能力のことをタパスと言うのである。この能力を通して、大きな力が生じる。これは、アシュタンガ・ヴィンヤサ・ヨーガの方法の場合には特に顕著である。しかし、この力の使い方については、注意を払う必要がある。ヨーガの考えでは、タパスの実践は不純物によるベールを取り除いて、自己の光を明らかにする準備を整えるためのものである。力への執着は、新たな無知のベールで光を覆い隠すことになるのだ。

## 2.44 自己の探究を確立することで、自らの選んだ神との交わりが生まれる。

　自己の探究（スヴァーディヤーヤ）とは、聖典の研究を意味する。この聖典には、古代の師たちの証言が含まれている。時間の経過とともに人類の知性の状態は次第に悪化しており、現代の指導者による証言については疑いを持った上で参照しなくてはならない。現在の暗黒の時代（カリ・ユガ）で、堕落していない指導者は大変まれなのだ。つまり、『ウパニシャッド』のような古代の経典に関する研究に頼らなくてはならない。スヴァーディヤーヤには、聖音オームのようなマントラを復誦する

ことも含まれる。これらの実践を確立した人には、自分の選んだ神、あるいは瞑想における神が現れるのである。

どんな神であろうと構わない。ヨーガの実践は、あらゆる信仰に開かれたものなのである。ヨーガの教えでは、すべての神はただ1つの至高の存在の現れでしかない。至高の存在は1つしかないのだから、どの神も他のものの現れとはなりえない。至高の存在とは、属性（形）のない絶対的なものの投影である。理解するのが難しいため、至高の存在に何らかのイメージを投影するのである。このイメージが、それぞれにとってのイシュタデーヴァター、つまり自分の瞑想における神となる。瞑想における神によって、人は至高の存在と親密で個人的な関係を築くことができる。しかし、『バガヴァッド・ギーター』にもあるように、「どんな神を崇拝しようと、それは常に私を崇拝していることなのである」。

過去には、自分のイシュタデーヴァターのほうが他人のイシュタデーヴァターより優れていると考えて、他人を判断することが一般的であった。これが嫌悪、戦争、そして組織的大量虐殺を生み出した。大切なのは、寛容の態度である。もし私たちが隣人が崇拝しているものを理解できなくとも、自分の神のほうが優れていると思い優越感を抱くのは許されるべきことではないのである。

## 2.45 至高の存在への祈念によって、サマーディは成就する。

パタンジャリは、ラーマーヌジャなどの一神論哲学者に至高の存在を過小評価していると批判されてきた。一方、イーシュヴァラクリシュナのようなサーンキヤ哲学の指導者たちは、至高の存在については言及していない。ブッダと同様、彼らは神への崇拝を受け入れ寺院や習慣を維持したものの、これが解脱への一助となることは否定したのである。それに対してラーマーヌジャやマーダヴァなどの師は、解脱のためにできることはただ至高の存在の慈悲を願うことだけだと説いたのである。

パタンジャリは、その中間の立場を取っている。彼は（自分自身が仕事することを意味する）行為の道とともに、至高の存在に身を委ねる道も含めたのである。神秘家の観点からすれば、学派が異なろうとサマーディは同じであり、どの技法を使用しようと問題ではない。これが、まさしくパタンジャリの取る立場なのである。

無限の意識に他ならない至高の存在に、感情に基づくバクティ（献身）の角度から近づくか、あるいは分析的なアドヴァイタ・ヴェーダーンタの観点から近づくかは、単に個人の性質の問題なのである。復注釈者のヴァーチャスパティミシュラは、至高の存在への祈念がサマーディに到達する唯一の道であり、（八支則のうちサマー

ディ以外の）7つの支則はそれを支えるためのものであると説明している。しかし、『ヨーガ・スートラ』の内容から考えれば、パタンジャリが祈念をサマーディへの唯一の道であると説明しようとしていたと結論づけることは、できそうにもない。スートラの他の箇所で、パタンジャリは他の可能性についても大変寛大に受け入れているからである。

ラーマーヌジャの追随者のクリシュナマチャリヤは、『ヨーガ・スートラ』は初心者、中級者、そして上級者という3段階のヨーギに適応できるものであると言っている。しかし3段階すべてにおいて、至高の存在への献身（イーシュヴァラ・プラニダーナ）が実践されなくてはならないのである。

クリシュナマチャリヤによれば、スートラ2.1で初心者（クリヤー・ヨーギ）が至高の存在に身を委ねる方法が指示され、スートラ2.32で中級者（アシュタンガ・ヨーギ）にとっての方法が指示されて、このスートラ2.45ではヨーガの上級者（単にヨーギと呼ぶ）に対しての方法が述べられているというのである。クリシュナマチャリヤは、真のヨーギなら身を委ねることが直接可能であると言っている。この献身により、低次の実践形態によって価値を落とすことなくサマーディを達成できるのである。

## 2.46 アーサナは安定していて、なおかつ
ゆったりしたものでなければならない。

パタンジャリは禁戒（ヤマ）と勧戒（ニヤマ）の効果について挙げ、そこで最初の2つの支則の説明を終えている。彼はこの2つの支則について、簡単に説明しているだけである。事実、最初の5つの支則に関しては大変簡潔な説明しかなく、『ヨーガ・スートラ』が多少なりとも実践の確立した生徒に対して書かれたものだということが推測できる。

ここからは第3の支則のアーサナについて、3つのスートラにわたって説明がある。これは何も、アーサナ（ポーズ、座法）が重要でないことを意味するものではない。もし重要でないなら、パタンジャリがアーサナをヨーガの主要部門の1つに入れることはなかったであろう。プラーナーヤーマもわずか5つ、プラティヤーハーラもわずか2つのスートラで扱われているだけである。

『ヨーガ・スートラ』の大部分は、サマーディとその効果に割かれている。これが、パタンジャリが大きく興味を示すところだったのである。スヴァートマーラーマやゲーランダなどの指導者は最初の4つ、あるいは5つの支則に特に専念したが、だからといってサマーディを非本質的な実践形態と見なしていたわけではない。

パタンジャリはアーサナを説明するに当たり、2つのまったく相反する特質を説明に使用している。それらは安定、そしてゆったりしていることである。アーサナを安定させるためには、努力が必要である。空間で揺れないように体を止めるため、筋肉を収縮しなくてはならないのだ。一方ゆったりとしているとは、リラックス、柔らかさ、努力が存在しないことを示唆している。これら2つの相反する方向に同時に向かわなくては、アーサナを達成することはできないと、ここですでにパタンジャリは示しているのである。つまり、内側の力強さを示す安定という方向と、リラックスした状態をもたらす安楽という方向へと、手を伸ばさなくてはならないのだ。

　ただ背骨、首、頭を一直線にするだけでなく、ヨーガのシャーストラ（経典）に従ったヨーガのポーズ（ヨーガーサナ）を意味しているのだと示すため、ヴィヤーサは注釈書の中に一連のポーズを挙げている。またヴィヤーサは、快適にポーズを取ることができるようになって初めてヨーガのアーサナと呼べるとも言っている。そうなる以前は、ただヨーガのアーサナを試みているだけなのである。

　シャンカラはもっと詳しく、ヨーガのアーサナでは心と体が安定し、何の痛みも経験されることはないと述べている。アーサナに安定が必要なのは、混乱の元となるものを防ぐためである。なぜならアーサナが完成されれば、次にはプラーナーヤーマ、そして集中等に進みたいからである。

　シャンカラが「痛みがない」と言っているのは興味深い。知覚領域が痛みで満たされていれば、心は混乱する。アーサナをゆったりしたものと定義しているパタンジャリの言葉は、自動的に痛みの原因となるものを排除しているのである。アーサナを取っている時に痛みがあれば、ゆったりとした状態にはならない。

　現代ヨーガに広まった、体を痛めるような方法でポーズを練習する傾向では、体のことに心が奪われがちになる。これでは、ヨーガのアーサナの定義に当てはまらない。

　経典によれば、ヨーギの集中の妨げとならないように、アーサナでは手足を快適で安定した位置に置かなくてはならない。そうすれば、内呼吸（プラーナ）が捕らえられ、中心の経路（スシュムナー）へと流れ込む。スシュムナーが時間を使ううち、心のはたらき（ヴリッティ）が捕らえられる。そうして、ブラフマンへの瞑想が起こるのである。

　このように、アーサナはサマーディへの準備なのである。しかし、痛みへつながる実践なら、現象となる自己（ジーヴァ）と体のつながりを増大させてしまう。これは、ヨーガの定義でいうと苦しみなのである。こういう練習は体操であって、健康的かもしれないがヨーガではない。ヨーガとは、見る者（ドラシュトリ）と見られ

もの(ドリシュヤ)の誤った結合(サンヨーガ)を見極めることなのである[40]。

## 2.47 アーサナの確立は、努力がやみ、無限への瞑想によって得られる。

このスートラは、シャンカラーチャーリヤの『アパロクシャーヌブーティ』の114節、「真のアーサナとは、自発的で絶え間ないブラフマンへの瞑想をもたらすものであり、苦しみをもたらすものではない」とよく似ている[41]。ここでもまた、努力している限り真のアーサナにはなっていないことが示唆されている。努力と苦痛が示されるのは、アーサナの準備段階である。自己受容の気づきを訓練することで手足が正しい位置にくれば、努力は突然やむのである。

努力をやめることについては、スートラ2.27ですでに説明があった。そこでは、することからの自由が、高次のヨーガへの必要条件として挙げられている。スートラ1.16の説明にあるように、ようやくすべての努力と意図は完全な離欲(パラヴァイラーギャ)の前に投げ出されるのである。そうすればプラーナが穏やかに流れ、心をかき乱す動きはやむ。そして無限への瞑想が起こり、体と心が空なるもの(emptiness)として経験される。シャンカラが言っているように、この瞑想は人工的な努力をしなくても自然に起こるものである。なぜなら、体と心の空なる性質が認識できれば、無限(アナンタ)への瞑想に対する障害は取り除かれるからである。

空なるものへの瞑想は、どのように実践するのだろうか。パタンジャリはここでは、(報われることのない瞑想対象である)空間の無限性について語っているのではない。空間の無限性については、精神的な考察を通して理解されるものであり、瞑想を必要としない。パタンジャリはここで、意識の無限性に瞑想するように言っているのである。『タイッティリーヤ・ウパニシャッド』では、「ブラフマンは実在であり、知識であり、無限である」と書かれている[42]。ここでの無限は、ブラフマンの特質として挙げられている。パタンジャリは、「ブラフマン」という言葉を使ってはいない。なぜならこの言葉は、パタンジャリが分けて考えているプルシャとプラクリティという異なるカテゴリーを1つのものとして扱うことを示唆するからである。しかしパタンジャリは、意識の無限性を言及するのにアナンタという言葉を使っている。意識の無限性と比べれば、空間の無限など重要ではないのである。これについては、4.31ではっきりと述べられている。

---

40 『ヨーガ・スートラ』2.17
41 *Aparokshanubhuti of Sri Sankaracharya*, trans. Sw. Vimuktananda, Advaita Ashrama, Kolkata, 1938.
42 2.1.1

しかし、シャンカラが無限を表すのに選んだブラフマンに代えて、パタンジャリがアナンタという言葉を使うのには意味がある。アナンタとは、「ヴァンデーグルナーム」の詠唱で呼びかけられる神聖なるヘビ、アディシェーシャの別名である。アナンタの任務の1つが、ヴィシュヌ神の眠る寝床を提供することであった。時にヴィシュヌ神は、大変重いものの外見をとった。悪魔の王、バリの戦いに打ち勝った時には、ヴィシュヌは非常に巨大であり、3つの世界を3歩でまたいだという（トリヴィクラマ）。3歩目でヴィシュヌは、バリを地獄へ押し戻したのであった。

『バガヴァッド・ギーター』では、ヴィシュヌの普遍の姿（ヴィシュヴァルーパ）の現れについて、次のように説明している[43]。「その時パンドゥの息子（アルジュナ）は、数多くの細部が統合されて宇宙全体となったもの、それを神の中の最高の神の体に見たのである」[44]。その後3つの節にわたって、アルジュナは叫んでいる。「多くの目、手、腹部、口を持ち、あらゆる部分に無限の形態を所有している。おお、宇宙の神よ、宇宙の形を成す神よ、しかし私には、どこがあなたの始まりで、中間で、そして終わりなのかがわかりません」[45]。

ヴィシュヌは、無限と広大さを表す神として描かれている。すでに見てきたように、ヴィシュヌが眠るためのソファを提供する時には、無限の権化であるアナンタが呼ばれたのである。ソファには、2つの相反する特質が必要であった。広大な神を支えるために非常に安定していなくてはならず、一方でヴィシュヌに最高のベッドを提供するためには非常に柔らかでなくてはならなかった。このためアナンタは、すべての動きを真のアーサナにするための安定（スティラ）と柔らかさ（スッカム）という相反する特質を併せ持つ、理想的なヨーギと見なされているのである。

これは第3の支則にとって厳しい要求であると思われるかもしれないが、ヴィヤーサは「心が無限へのサマーディにある時、アーサナは完全となる」と断言している。『ヨーガ・ヴァシシュタ』にあるように、ヴィシュヌ神は私たち自身の自己に他ならないということも、理解しておかなくてはならない。こうして神話上の無限のヘビが、私たちの奥深くにある自己を表す神に完全なベッドを提供している。その一方で、個人的なレベルでは、柔らかさと安定という2つの特質を享受して私たちの体が完全なアーサナを取れば、まさしくその自己が努力せずとも自然に見えるのである。

このようにアーサナは、学者たちには軽視されるが、こうした高度な観点で実践すれば、聖なるものの表現となるのである。そうでなければアーサナは、単なるス

---

43 11章13節
44 *Srimad Bhagavad Gita*, trans. Sw. Vireswarananda, Sri Ramakrishna Math, Madras, p.226.
45 Ibid., p.228.

ポーツになってしまう。

　アーサナについてのパタンジャリの見解は、完全な離欲（パラヴァイラーギャ）と対象のない（アサンプラジュニャータ）サマーディという2つの最も高度なヨーガの実践のための枠組み、あるいは基礎となるものだということだ。アーサナとは、これらの実践のための枠組みを作るために実行するものであり、こういう状態にとどまる時初めて、アーサナの目的は達成される。一方で、明け渡しとサマーディは、アーサナの中で生じる。私たちが上達するにつれて、低次の支則を捨てるのではなく、低次の支則が自然に起こり、高次の支則の基礎を準備するようになるのである。

## 2.48 アーサナにおいて、相反して対となるものに攻撃を受けることがなくなる。

　この節は真のアーサナが達成された時の状態を言及しているものであり、努力と痛みのある準備段階のアーサナのことを言っているのではない。

　相反して対となるもののうち最初に検討したのが、安定と安楽さであった。両極端となる2つを同時に1つに統合することで、私たちは中核に無理なく自由に休まる。そして、ブラフマンへの瞑想が可能となる。ここではパタンジャリは真のアーサナを、いかなる相反して対となるものからも攻撃を受けることのないものと定義している。相反する両極端に、心は執着しようと試みる。たとえば瞑想するより前に、何百もの異なるヨーガのアーサナを習得する必要があると考えるとしよう。これは極端なことであり、心がこれを主張するのは、心には理解することのできないものとして定義されるヨーガを、なんとか理解しようとするためなのかもしれないのである。

　この反対が、瞑想には何の準備も必要ないという態度である。この考えでは、瞑想にはどんなアーサナに熟達することも必要ない、と心に騙され信じ込まされるのである。こういう極端な考えの中間が、心のささやきに影響されることなくただ在る、という純粋な状態である。心は絶え間なく、そこで何が行われているのかを知ろうとする。心は現実のひな形を作り上げて、自我、知性、意識という認識の道に差し出すのである。ここで「極端なもの」とか「相反する対となるもの」と呼んでいるひな形に手を伸ばし、これと自分自身を同一視すれば、条件づけられた存在へと後戻りし、厳しく言えば、ただヨーガを試しているだけになってしまう。ヨーガを実践する以上、ヨーガとは何であるかを理解することに心は興味を示す。アシュタンガ・ヴィンヤサ・ヨーガが正しい方法であって、他のスタイルは間違っていると言うかもしれない。あるいは、〔アシュタンガ・ヨーガの伝統的な練習法である〕

マイソール・スタイルのクラスが正しくて、話を交えるクラスは間違っていると言うかもしれない。また、ヒンドゥー教はよくてキリスト教やイスラム教はよくないとか、あるいはその逆であるとかの考えに行きつくかもしれない。

　こういう信念については、アーサナ自体の中で考えるのが一番いい。たとえばハンドスタンド（逆立ち）のポーズをとっている時、ハンドスタンドとは床を自分から離すような気持で押しつけることであると、心は思うかもしれない。相反する対となるもののうちの1つに固執していれば、床の中へ伸びて胸を床のほうまで引き寄せるという別の考えは、受け入れることができないのである。私たちは、相反するものからの攻撃を受けて1つの極端なものに巻き込まれ、そのため中心を失ってしまうのである。

　バックベンド（後屈）について考えてみよう。心は、後屈とは背中を収縮することである、と言うだろう。しかし、心が言っていることを無視し、極端なものからの攻撃を受けないようにすれば、背中を縮めればアーチ形に曲げることはできないのだから背中は伸ばさなくてはいけない、ということが理解できる。パシュチモッターナーサナ（座っての前屈）では、心は最初、このアーサナは「頭を膝に押しつける」ポーズであると捉えるかもしれない。1年後には、心はこれを「胸を足に引き寄せる」と修正するかもしれない。こちらの考えのほうがはるかにいいのだが、それでもまだ極端な考えである。その後、次第に心の言うことを聞かなくなり、体のすべての細胞が目覚めて、アーサナを取ることに加わるようになる。

　その時になって「パシュチモッターナーサナとは何か」と聞かれたら、もはや何も言うことはできないであろう。新たにどんな概念を言ったところで、それもまた相反する極端なものであるにすぎないからである。概念や極端なものに手を伸ばして、それと1つになるのではなく、中核にとどまって、ただありのままに在るのだ。

　注釈者の中には、このスートラでパタンジャリは一種の麻痺状態（長くポーズの痛みに耐えることで無感覚になる状態）について話していると誤って主張している者もいる。この無感覚の状態は、ヨーガ実践者が練習を進めていくうちに確かに起こり、実際多くのヨーギがこの道を通ってきた。しかしヨーガとは、無感覚というより偉大な感受性へとつながる、純粋な存在への道なのである。

　ヴィヤーサはスートラ2.15に関する注釈で、識別力のある人（ヴィヴェーキン）は、クモの糸に触れることにすら敏感な眼球のようなものだと説明している。これに対して普通の人は、クモの糸に触れても無感覚な体の一部分だと言っている。つまり、ヴィヴェーキンは痛みに対してより敏感であり、無感覚ではない。それにもかかわらず、悩まされることはないのである。なぜなら、自分自身が痛みなのではなく、ただ痛みを観照しているだけだということがわかっているからである。

第 2 章：実践

ヨーガを無感覚なものと結びつけるのは、悲しむべき進展である。それでは、太陽が昇って最初の陽の光が木の葉の上の透明な露に差し込み、心による何の解説もないままに純粋な存在が初めて姿を現すのを観察するという汚れなき瞬間が、奪い取られてしまう。私たちは、知識という太陽が内側に昇ったことを知るのである。どんな麻酔も、こんなことを起こすはずないのだ。

## 2.49 アーサナが成し遂げられたならば、プラーナーヤーマを実践する。プラーナーヤーマとは、吸気と呼気を通して動揺を取り除くものである。

サンスクリット語の「タスミン・サティ」は、前の支則（アーサナ）が成し遂げられたことを意味する。ヴィヤーサはプラーナーヤーマの実践にアーサナの習得が必要であると断言している。これは『ハタ・ヨーガ・プラディーピカー』でも言われていることだ[46]。しかし、「成し遂げる」や「習得」が正確には何を意味しているのかは、どこにも説明がない。現代のインドでは、アーサナの完成の意味するものを気楽に捉えているようである。とはいえ、もちろん体操や曲芸と思っているわけではない。また、ヨーガの師、T.クリシュナマチャリヤは、病気のためにアーサナの実践ができない生徒にプラーヤーナーマを指導したことで知られている。

プラーナーヤーマとは、プラーナとアヤーマからできた複合名詞である。微細なレベルでは、これは生命力の拡張、広がりを言及している。スートラ1.31で、心の障害に伴って吸気と呼気が乱されることについての話があった。この意味では、つまり粗雑なレベルでは、プラーナーヤーマは呼吸プロセスの調整であると理解されている。どちらの定義にも共通する考えが、プラーナの穏やかな流れと静かで均一な身体上の呼吸が瞑想の前提条件として必須だということである。

3番目の意味は、A.G.モーハンの訳した『ヨーガ・ヤージュニャヴァルキヤ』に記されている[47]。ここでは、プラーナは体の表面に指の幅12個分だけ広がっていると書かれている。これは、心が散り散りになった状態に対応する。ヤージュニャヴァルキヤは、プラーナとしての体と粗雑な体（肉体）の大きさを等しくするためプラーナを体に引き入れることを教えている。これが心の穏やかな状態に対応するのである。この意味では、プラーナーヤーマは収縮、あるいはプラーナの集中と呼べる。『ハタ・ヨーガ・プラディーピカー』でも収縮について説明があり、幅が髪の毛千分

---

46 2.1
47 p.10

の１と言われる中央エネルギー経路にプラーナを流し込むことが勧められている。

　パタンジャリは次のスートラで、プラーナーヤーマにさらに別の定義づけをしている。そこでは、プラーナーヤーマは呼吸の保持（クンバカ）を意味すると説明しているのである。これはプラーナーヤーマの発展した段階であり、プラーナの流れを静めるという現段階が達成されてから取り組むべきものである。この最初の段階はクンバカを取り入れず、ウジャイ呼吸や交互に鼻孔を使う呼吸（ナーディー・ショーダナ）など、単純な技法を通して練習する。

　普通プラーナーヤーマという言葉は、プラーナマヤ・コーシャ、つまり微細なシート、あるいは微細体に働きかけていることを示している。外的な身体上の呼吸の動きを方向づけることで、内呼吸、あるいは生命力であるプラーナの動きに影響を与えるのである。プラーナの動きはヴリッティ、すなわち心のはたらき、心の変化の動きに沿うものである。つまり、プラーナの動きが静まり落ち着けば、心の揺らぎにも同じことが起こるのである。

　西洋では、プラーナーヤーマは主に単純な呼吸練習から成り立っている。しかし、私がインドでプラーナーヤーマを学んだ時には、数か月の導入期間の後に１日のかなりの部分を保気（クンバカ）に費やすよう言われた。これには、次のような考えが基盤となっている。すばやく呼吸をする小動物の寿命は短く、中くらいの呼吸をする動物の寿命は程々であり、ウミガメようにゆっくりと呼吸をする動物は800年も生きる。急いで呼吸をするのは時間を加速することを意味し、ゆっくり呼吸するのは時がゆっくりと流れることを意味する。クンバカのように呼吸がまったくなければ、ヨーギの時間は静止する。ヨーガの教えでは、クンバカに費やす時間すべてが、カルマによってあらかじめ決められた寿命に加えられる。私が教えられたプラーナーヤーマの練習は、日に４度、それぞれ64マートラ（およそ64秒）のクンバカを80回行うことであった。つまり１日5.7時間クンバカを行っていたことになり、その間は年をとっていないことになる。このようにして、日々このパターンで過ごせば、残りの人生に25パーセント分の長さを加算することになるのだ。

　ここで注意しておかなくてはならないのは、中世の書にはプラーナーヤーマの危険性が多く記されていることである。これは軽んじるべきことではない。プラーナーヤーマは指導者から学ぶものであり、決して指導者の監督なしに本を読むだけで行ってはならない。プラーナーヤーマは、心を熱し圧縮して集中させる傾向にある。プラーナーヤーマによって短気な性質が助長されることもあり、その結果怒りっぽい性格となることもある[48]。

---

48　事例の比較のために以下を参照。Sangharakshita, *The Thousand-Petalled Lotus: The Indian Journey of an English Buddhist*, Sutton Pub. Ltd., 1988

頭がい骨を割ってしまったヨーギや、頭の中の圧力が増して死んでしまったヨーギすらいるのである[49]。

激しい性格であってもアーサナや瞑想、自己探求を実践することはできるが、プラーナーヤーマの練習はむしろ激しさを悪化させることになる。西洋のペースの速いライフスタイルには、適合しづらいものなのだ。たとえば、役員会議と子どもを保育園に迎えに行く時間の合間にプラーナーヤーマのセッションを行うのは、無理なのである。

それでもプラーナーヤーマを行いたい場合は、短い呼吸の保持（クンバカ）のみを行うのがいいだろう。インドで指導されているような1分を超す典型的保気を練習したい場合は、私たちのライフスタイルを修正する必要がある。

徹底したプラーナーヤーマを西洋のライフスタイルに取り入れるのであれば、考えられるのは、休みの間に田舎にこもって集中的に練習することであろう。伝統的に、徹底した強度の高いプラーナーヤーマは都市部では実践されておらず、人里離れたところで行われていた。人口密度が高くなり、何百万人もの心の緊張が蓄積されて大都市にしっかりと詰め込まれているため、徹底したプラーナーヤーマに悪い影響を与えかねないのである。大都市にはファラデーの箱（外部の電界を遮断する容器）のような効果があり、多くの興奮した心が近く集まっているため神秘的な洞察力がゆがめられ、遮断されるのである。汚染された大都市でプラーナーヤーマを練習するのは、空気のよいところで練習するほど有益なものではない。徹底したクンバカは、空気のきれいなところで行うほうがよいのである。

プラーナーヤーマの時の手の位置は、シャンカ（巻き貝）・ムドラーと呼ばれる。右親指を右の鼻孔（ピンガラー）を押さえるのに使い、薬指と小指で左の鼻孔（イダー）を押さえる。人差し指と中指は丸める。

シャンカ・ムドラーの意味は、次のとおりである。親指は、最高の精神（ブラフマン）を象徴している。自己（アートマン）を象徴する人差し指と知性（ブッディ）を象徴する中指は、消極的である。なぜなら、プラーナーヤーマでは、自己と知性を扱わないからである。人差し指と中指は親指のほうに曲げられて、最高の精神に頭を下げていることを象徴している。薬指はマインド（マナス）を象徴し、小指は体（カーヤ）を象徴している。プラーナーヤーマは体と心の浄化を促進するものであり、薬指も小指もともに積極的な役割を果たしている。

---

49 Ram Das, *Miracle of Love*, Munshiram Manoharlal, New Delhi, 1999.
（大島陽子・片山邦雄訳『愛という奇蹟―ニーム・カロリ・ババ物語』パワナスタ出版、2000年）

## *2.50* 外的保持、内的保持、そして中間の保気がある。空間、時間、数を観察することで、呼吸は長く微細になる。

　パタンジャリは、呼吸を保持する方法を3つ挙げている。これより後の経典にはもっと多くの方法を言及しているものもある。しかしハタ・ヨーガでは、プラーナーヤーマははるかに大きな役割を担い、その焦点は体を永遠のものとすることである点を理解しなくてはならない。パタンジャリの八支則のヨーガでは、プラーナーヤーマは集中と瞑想を促すための道具として使われているのであり、それ以上のものではない。

　プラーナーヤーマという言葉は、しばしばクンバカの同義語として使われる。『ハタ・ヨーガ・プラディーピカー』では、「クンバカには8種類ある」として、その後プラーナーヤーマの技法の名前が挙げられている[50]。

　このスートラで言及されている3つの技術はすべて、保気の方法である。吸気でも呼気でもなく、多くの現代注釈者が誤って主張している吸気−呼気−保気とも違う。ヴィヤーサは注釈書ではっきりと、「外的保持とは呼気の後の停止の動き、内的保持とは吸気の後の停止の動き、そして第3の中間の保気は、単一の努力で呼気の後と吸気の後の停止が起こる限定的な働きである」と言っている[51]。

　つまり、最初に言及されている技術は、息を吐いてその後呼吸を止めることであり、外的（バーヒヤ）クンバカとして知られるものである。パタンジャリはこれについてはすでに、スートラ1.34で心を浄化する力があるものとして述べている。

　2つ目の方法は、息を吸ってその後呼吸を止めるというものであり、ハタ・ヨーガのテキストでは内的（アンタル）クンバカと呼ばれている。この技術は主に、プラーナを蓄積することで活力を増加させるのに使われる。

　3番目の方法については、注釈者の意見が一致していない。ヴィヤーサは、呼気の後と吸気の後の停止が単一の努力で起こると言い、これが中間の保気と呼ばれると言っている。H.アーランヤによると、ヴィヤーサの言う「単一の努力」とはすべてのバンダを同時に行うことを意味しており、これをハタ・ヨーガではマハーバンダ・ムドラーと呼んでいる[52]。マハーバンダ・ムドラーとケーチャリー・ムドラーは、よく似た技法である。ムドラーの使用は秘伝のものであり、師から個人的に学ぶものであるため、ヨーガのスートラでは多くは語られていない。

---

50 『ハタ・ヨーガ・プラディーピカー』2章44節
51 *Yoga Sutra of Patanjali*, trans and comm. J. R. Balantyne, Book Faith India, Delhi, 2000, p.63.
52 H. Aranya, *Yoga Philosophy of Patanjali with Bhasvati*, p.233

パタンジャリはさらに、空間、時間、数を観察すれば、これら3つの技法によって呼吸が長く微細になると言っている。空間とは、呼吸が終わるか始まる領域、あるいはプラーナが感じられる場所を指している。吸気は通常、へそ（ナビ・チャクラ）で始まるように感じられるが、訓練すれば脊柱の基底部（ムーラーダーラ・チャクラ）から始まっていると感じられるようになる。呼気は普通、鼻孔から指12本分のところにあるドゥヴァーダシャーンタと呼ばれる場所で終わる。プラーナ体が伸びているのは、この場所までである。

　時間とは、吸気、呼気、そして保気に使う時間の長さのことである。これはマートラで数える。典型的なプラーナーヤーマでは、たとえば16マートラでプーラカ（吸気）を行い、64マートラでクンバカ（保気）を行って、32マートラでレーチャカ（呼気）を行う。1マートラは、手で膝を1度回すのにかかる時間、あるいは手を2度たたくのにかかる時間、あるいは3回瞬きするのにかかる時間である。つまり、1マートラはおよそ1秒に相当する。しかし、なぜこのように非常に主観的な尺度を使うのかというと、それはその日の自分の調子や周りの環境の様子によって変えることができるように、また変える必要があるからなのだ。たとえば、湿気が多く暑い日には、使用できる酸素が少ないのである。

　同様のことが、標高の高いところについても言える。もし私たちが、疲労していたり体が弱っていたりすれば、酸素やプラーナを効果的に利用することはできない。こういう場合は、自動的にマートラの数え方が速くなり、また、そのように意図されているのである。

　ストップウォッチを持って難しいプラーナーヤーマを行い、1マートラを1秒として厳密に数えれば、肺組織にダメージを与えることにもなりかねない。また、ラジャスとタマスが心の中に生じてしまう。しかし『ハタ・ヨーガ・プラディーピカー』にあるように、「プラーナーヤーマは、毎日サットヴァ性のブッディの状態で行うべきである」[53]。つまり、知性が穏やかで明るさに満ち、興奮も鈍さもない状態であるべきなのである。

　呼吸を長く微細にするための3つ目の要因は、数である。たとえば、まずイダー（左、あるいは月の鼻孔）を通して息を吐き〔1カウント〕、その後ピンガラー（右、あるいは太陽の鼻孔）を通して息を吸い、その後保気、呼気を3度行い〔吸、吐×3＝6カウント〕、次にイダー・ナーディーに戻って〔戻るときに右で吸って左で吐く＝2カウント〕吸気、保気、呼気を2度行い〔吸、吐×2＝4カウント〕、最後にイダーから吸ってピンガラーから息を吐く〔2カウント〕という方法がある。これ

---

[53] 『ハタ・ヨーガ・プラディーピカー』2章6節

は多くの方法のうちの1つであり、この方式での数は15になる。呼気はすべて奇数で、全部で8になる。吸気は偶数であり、全部で7になる。すべての吸気の後にはクンバカが行われ、これも全部で7になる。「数」という言葉はこのように、使用する特定の技法に関わるものなのである。

　空間、時間、数という3つの要因を観察すれば、呼吸は長く微細になる。では、なぜこれが必要なのか。

　プラーナーヤーマは、ダーラナー、すなわち集中に備えるという目的を果たすものである。集中も、集中を伴う瞑想も、心がかき乱されていれば不可能である。散慢な心では呼吸パターンは一定ではなくなり、プラーナの流れも乱される。呼吸とプラーナの動きがプラーナーヤーマによって長く微細になれば、心は穏やかに流れて1点集中へと向かう。こうして集中と瞑想が可能になるのである。

## 2.51 内的領域および外的領域が超越すれば、第4(のプラーナーヤーマ)である。

　内的領域とは、吸気の源が観察できるところのことを言う(ナビ・チャクラ、ムーラーダーラ・チャクラ)。また、内部領域は心臓を指すこともある。外的領域とは呼気の終結点を言及し、これは鼻孔から指12本分離れたところである(ドゥヴァーダシャーンタ)。

　最初の3つのプラーナーヤーマの間に、呼吸が長く微細になるまで時間と数の観察とともに領域も観察する必要がある。呼気と保気が長く微細になれば、内的領域と外的領域が超越すると言われる。そうなれば、第4のプラーナーヤーマへ入る。これは、他の書ではケーヴァラ・クンバカ(自発的な保気)と呼ばれるものである。このプラーナーヤーマは、対象のないサマーディにもはや助けとなる対象が伴わないのと同じように、何ら補助となるようなものを伴わない。

　第4のプラーナーヤーマは、技法というよりむしろ性質上の用語である。真のアーサナと同様に、努力しなくても生じる真のプラーナーヤーマなのである。この前の3つの技法は、第4のプラーナーヤーマに続くための道である。たいていの人間は、極度のショックや恐怖、あるいは至福により呼吸の動きが自動的に止まる経験をしたことがあるはずだ。この現象は、第4のプラーナーヤーマに関わるものである。第4のプラーナーヤーマは、サマーディを経験して呼吸かプラーナが自然に停止する時に生じる。この時には生命自体を経験することになり、そのため生命を外に具現化したいという渇望がなくなるのである。中には、これを呼吸の停止を意味するものと解釈している注釈者もいるが、プラーナだけがスシュムナーの中にと

どまって呼吸は引き続き生命持続のための機能を果たすと捉える注釈者もいる。たとえば、T.クリシュナマチャリヤのように、かなり長い間心臓の鼓動と呼吸運動を止めることができるヨーギの報告も確認されている。しかし、クリシュナマチャリヤが主張しているように、これはヨーガの本質的な特徴ではなく、決してヨーガの目的地に達するために必要とされることではない。

深い瞑想で止まる他の自然運動として、腸のぜん動運動がある。このため、ヨーガやそれ以外の精神的修養においては、食事に重きを置いているのである。胃に負担のかかるものを食べれば、ぜん動運動が自然に止まることは不可能であり、ぜん動運動が止まらなければ、心の動きが自然に止まることは難しい。不可能とまではいかなくとも、可能性は低くなるのである。

興味深いことに、ぜん動運動が止まれば心の動きも性的欲望も止まる。腸のぜん動運動が起こる場所のそばにある、性中枢(セックスセンター)から絶え間なくメッセージが送られ、性的欲望と興奮は生じる。このように、長時間断食することは、高次の瞑想やプラーナーヤーマを妨げることにもなりかねない絶え間ない性的思考を取り除くためには、手っ取り早い方法なのである。4日間の断食の後にぜん動運動は停止し、それとともに性欲もやむ。そうなれば、高尚な瞑想体験にも手が届きやすくなるのである。すべての呼吸が新しい発見となり、プラーナーヤーマは自然に起こる。断食の方法もまた、資格のある指導者から学ぶべきものであり、そうでなければ健康面で危険を冒すことになる。断食の間は腸の中には何もない状態にして、毎日浣腸(エネマ)で洗浄をする。体には十分なエネルギーの蓄積がないので、断食と同時にアシュタンガ・ヴィンヤサ・ヨーガの練習をすることはできない。ただ、ゆっくりとストレッチをするのは、効果的である。

断食は、プラーナーヤーマに必須なものというわけではない。ヴィンヤサの実践は大変強力なものであり、断食やシャットクリヤー(中世のハタ・ヨーガのテキストに記されている、体液のアンバランスを正すために考えられた6つの行為)に頼らなくても体を浄化することができると考えられている。普通は、果物、牛乳、野菜などの軽い食事をとっていれば、ぜん動運動は軽く保たれる。

軽い食事を守って外的保持、内的保持を実践すれば、努力をしなくても保気ができるようになり、それに伴ってサマーディが生じることもある。サマーディを、1.5時間を超える呼吸の保持であると定義している書もある。これに関しては、パタンジャリは何も言及していない。実際、保気に伴ってサマーディが必ず起こるとは言っていない。しかし、その可能性もあるかもしれない。

では、なぜ呼吸が簡単に自然に止まるのか。真のプラーナーヤーマには、真のアーサナと同様に努力を必要としない自発的な特質がある。この仕組みを理解する

には、プラーナーヤマの導入的概念に戻ってみなくてはならない。つまり、呼吸（プラーナ）と心の波（ヴリッティ）はともに動くということである。どちらか一方が動きを変化させれば、自動的にもう一方の動きに影響が及ぼされる。プラーナーヤマが重要なのは、心のはたらきに作用するより呼吸の動きに作用するほうがはるかに簡単だからである。

　もし、うまくヴリッティをとどめることができたなら、プラーナは自然に流れる。ヴリッティを長時間とどめることができたなら、プラーナは生命維持に必要なだけの動きをする。もし最も高次のサマーディ（アサンプラジュニャータ）を長時間維持できれば、プラーナの動きが没入に影響することはまったくない。真の現実は、創造されもしなければ破壊されることもないのである。

## 2.52 こうして、輝きの覆いが取り除かれる。

　「こうして」とは、アーサナとプラーナーヤマの実践が正しく行われる時のことを指している。覆いは不純物、つまり過去のカルマ、煩悩を基盤とする行為、条件づけ（ヴァーサナー）、潜在印象（サンスカーラ）を言及している。これらすべてから、無知（アヴィディヤー）が生み出されるのである。

　無知とは、永遠であるものと一時的なもの、現実と非現実との区別ができないことであった。この無知という覆いが取り除かれれば、輝きと清澄さが現れ出て、これより先のヨーガへと進む準備ができる。「輝き」と「清澄さ」は心の質であり、サンスクリット語の「プラカーシャ」を訳したものである。これは「光」と訳すこともできるが、その場合は現代注釈者たちが自己の光を指すものと解釈してしまうかもしれない。しかし、自己の光（ジュニャーナディプティ）はヨーガの目的地であり、高次の支則を実践して初めて見い出せるものである。ここで言っているのは心の明晰さであり、これは集中（ダーラナー）のために必要なものである。

　これを理解するため、次のスートラに説明がある。

## 2.53 その時、心は集中に適したものとなる。

　パタンジャリは、マナス（マインド、あるいは思考原理）について話をしている。プラカーシャ（輝き）とは、集中（ダーラナー）に適した状態になった心の質を表している。もし前のスートラが、自己の光がプラーナーヤマを通して達成されると主張しているものであるなら、それ以上の心の集中は必要ないはずである。

　しかしパタンジャリは、一度に一歩ずつ進んでいけるようにしているのである。

このスートラは実は、スートラ1.34ですでに述べていることの繰り返しである。呼気と保気を通して、心の清澄さが得られるというのである。そして、これこそがプラーナーヤーマがしようとしていること、つまり心の浄化であり、神秘的な知識を得ることではないのだ。

　心が輝きと清澄さとを得れば、集中への準備が整う。集中は、瞑想のために必要な条件である。ヨーガでは、瞑想に対して特別な敬意を払う。多くの生徒は、準備が整うまでは自発的な瞑想には向かないと考えられている。瞑想を誤った方法で行えば、有益でないばかりだけでなく、実は有害ですらある。チベット仏教の僧たちは、経験のない状態で瞑想を行っても、すわることによりただ尻が平らになっていくばかりであると言い、中には誤った方法で瞑想した者はすべて魚として生まれ変わるとまで言う僧もいるほどである。

　すわって退屈になり、前述したように「白壁効果」と言われる状態になれば、すぐに瞑想をやめて詠唱やジャパ（マントラの繰り返し）を行う必要がある。退屈にすわっているのでは、タマス（愚かさ）が生じるだけである。一方で、興奮した心ですわっていれば、ラジャス（行動）が生じて新しい何かに執着する（ラーガ）ことになる。K.パタビ・ジョイスは、瞑想は初心者のする実践ではないと指導している。さらに進んで、間違った瞑想を確立してしまうと、それを正すことは不可能であると言っている。これは、瞑想状態は外から評価することができないからである。つまり、生徒が正しい方法で実践を行っているかどうか、指導者には判断する方法がないのである。適切な瞑想は、サットヴァの状態の時に成されるものだが、これは正しい準備があって可能となる。もし自然にその状態にならなければ、アーサナとプラーナーヤーマを準備として行うべきである。

## 2.54 心が外側から引き寄せられれば、その時感覚はそれに追随し、感覚の対象となるものから離れる。これがプラティヤーハーラである。

　次に、プラティヤーハーラ（感覚の撤退、制感）について説明がある。ヨーガの流派の中には、これを中心に置いて多くの異なる練習を行い、かなりの時間を割くものもある。パタンジャリは、プラティヤーハーラについては2つのスートラを使うだけで簡単に取り扱っている。この実践は、アーサナ、プラーナーヤーマ、ムドラーとともに、書物からではなく資格のある指導者から学ぶべきである。

　ヴィンヤサの練習でウジャイ呼吸の出す音に集中する時には、周りの他の音には注意が向かず、聴覚は制止される。所定の焦点となるもの（ドリシュティ）を見つめ

ることで、視覚は制止される。触覚は、体の全表面を使ってアーサナを行うことによって制止される。同様にして、嗅覚や味覚も制止することができる。たとえば、練習している部屋に料理の匂いが漂ってきたとしても、キッチンに入って食事をするよりむしろ、感覚を積極的に撤退させるのである。

ヴィヤーサはこのスートラについて、ハチの群れを例に説明している。ハチの群れは、女王バチが飛び上がるのとともに上っていき、女王バチが落ち着くと一緒に落ち着く。同様に、心が興奮状態にあって集中していないと、感覚は手を伸ばして感覚の対象に付着する。パートナーがお互い仕事で忙しく過ごした日には、家に帰って争いとなる可能性がより高い。これは心が争いの状態にあり、感覚が適切な対象へと付着するためである。もし性的欲求のある状態にあれば、誰か魅力的な人に目がいくのである。

もし心がただ集中していないだけであれば、感覚は前にあるものなら何にでも付着し、心はその衝動に従うことになる。このメカニズムはスーパーマーケットで使われている。出口付近には、甘い菓子のような衝動的商品と呼ばれるものが陳列されてある。こういうものを買うつもりはなく、買い物リストにも書いていなかったというのに、突然前に現れたために「ああ、そうだ、これも買おう」と急な衝動に従ってしまうのだ。こうして、私たちは1日中さまざまなわなにはまっているのである。私たちは、まだ選択の余地があった瞬間を覚えているかもしれないが、それが突然こういう状況に陥ってしまい、どうしてこうなってしまったのかと後で不思議に思うのである。

最初の4つの支則を通して心の準備ができていれば、選択の自由は保たれる。外的刺激に影響を受けず、離れていられるからである。

プラティヤーハーラには2つの面がある。まず、私たちが外にある対象によって幸せになることはなく、むしろ苦境に陥るだけだと理解できれば、外界から離れることができる。もう1つは、私たちの欲するものはすべて自分の中にあることを理解して、内へと入ることである。このように、プラティヤーハーラは内側と外側のヨーガの間にいる門番なのである。

多くの人間は、プラティヤーハーラを経験したことがあるはずだ。強い欲望や中毒症状から自分自身を切り離すことができれば、それがプラティヤーハーラである。何年後かに同じ対象に再び直面しても、自分の中にある何かがその対象に手を伸ばして執着することはもはやない。ヨーガのプラティヤーハーラでは、この仕組みが自覚的に用いられるのである。

## 2.55 そこから感覚に対する最高の統御が起こる。

　感覚に対する最高の統御は、外的な満足と刺激から完全に離れた時に得られる。内なる自由を見つければ、それは穏やかに自然にやってくるものである。内なる自由に比べれば、感覚的満足はすべてくすんで感じられるのである。

　感覚の統御には別の方法もある。その方法とは、実践者が完全なる意志の行為によって外界を閉ざし、それに対して無感覚になるのである。この強硬症に似たトランス状態は、超能力を発達させる上で必要なものであり、また呪術師が呪文をかける前の集中した状態ともよく似ている。このトランス状態は、意識がもうろうとして自我が肥大化し、それとともに力の生じる気づきが減少した状態であり、ヨーガの道には反するものである。これは超認識の歓喜、すなわち恍惚としたトランスの状態である対象のないサマーディとは、対極となるものである。対象のないサマーディでは、トランス状態に陥ることもある。なぜなら、ブラフマンから自然に湧き上がる何百万もの宇宙の眺めがあまりに強力であるため、近づいてきたものに反応することができないからだ。ちょうど、ギラギラと輝く太陽のもとではろうそくの灯が見えないのと同じである。

　この最も高次のサマーディは気づきを最大限に高める可能性のあるもので、強硬症に似たトランス状態とはまったく反対のものである。

　意志の力で世界を完全に閉ざすという子供っぽいエクササイズを通して自由が得られると説く注釈者もいるが、これは悲劇的な間違いである。意志とは自我に他ならない。スートラ2.21によると、世界はただ自己認識のために存在するのであり、閉ざす必要などはない。意志力による行為はすべて、世界は私たちが無限の意識として自分を経験するためにだけ存在しているのだと認識するのを妨げるばかりである。世界はわなではなく、自由への道である。体は汚れたものではなく、自由へと向かう道における乗り物なのである。

# 第3章 超自然力

　まず、八支則の後半部である集中、瞑想、サマーディの解説がなされる。それを同時に行うサンヤマの結果得られる超自然力の数々が列挙される。しかしそれらの力はあくまでヨーガ修行の副産物であり、サマーディにとっては障害である、とパタンジャリは強調している。

## 3.1 集中は、心をある場所に固定することである。

　5つにわたる外的な支則（バヒランガ）の説明の後は、内的な支則（アンタランガ）の説明に入る。6番目の支則は集中（ダーラナー）であり、心を空間の1点にとどめることと定義されている。パタンジャリは、ここで心を表すのにチッタ（chitta）という言葉を再び使用している。チッタには知性（ブッディ）、自我（アハンカーラ）、マインド（マナス）が含まれる。ヴィヤーサは、集中は心を外的あるいは内的対象に固定することによって実践できると説明している。内的対象とは蓮華（チャクラ）であり、主にへその中央、心臓の中央、第3の目、頭頂部である。鼻先と舌先も言及されている。

　集中では、内部の音、つまり心臓の音（アナーハタ・ナーダ）に焦点を合わせてもよく、これに関しては、『ハタ・ヨーガ・プラディーピカー』において詳しい特徴が示されている。心と心臓にある蓮華の光（ジョーティ）を結びつけることは、すでにスートラ1.36で言及されており、浄化効果があると述べられている。

　集中するのにふさわしい外的対象とは、聖なる対象のカテゴリーに属するものである。これは主として、自分の選んだ神のイメージなどである。対象の質はサットヴァ性でなくてはならず、ラジャスの性質を持つ対象であれば心は乱れ、タマスの性質を持つ対象であれば心が鈍る。サットヴァの性質を持つ対象のみが、心を光り輝く叡智で満たすのである。

　西洋の人々は、多くの神々がいることでインドを誤解していることが多い。しかし、神々とは1つの無限の意識（ブラフマン）の現れであるにすぎない。それらは瞑想や集中のための考案物であり、その意味ではサグナ・ブラフマン（属性のあるブラフマン）と呼ばれているものだ。イメージなしでブラフマンを直接崇拝する場合には、ニルグナ・ブラフマン（属性のないブラフマン）と呼ばれる。この2つの間に

何ら対立はなく、ただ十分理解されていないだけである。カビールは、サグナとニルグナは1つであると言っている。

ここでは集中とは、選んだ場所に心の変化やはたらきが保たれることを意味している。たとえば、もし心臓の光を対象にする1つの思考がやんだとしても、同じ対象への別の考えに置き換えられるのである。心臓の光についてずっと考えていれば、それが集中である。

元々の思考が知らないうちにまったく異なる対象に関する思考に置き換えられてしまえば、それは集中ではない。1時間半以上続くものが集中である、と定義することもある。ヴィンヤサ・ヨーガの練習で心をずっと呼吸という神聖な対象（『ブラフマ・スートラ』では呼吸はブラフマンだと言っている）に結びつけていれば、これは集中の実践になるのである。

## 3.2 そのダーラナーで対象への気づきが途切れることなく流れれば、これが瞑想である。

瞑想（ディヤーナ）にはさまざまな概念がある。この言葉はしばしば、何かについて考えるという意味で使われる。もし私が何かについて考えているのなら、異なる角度から対象に近づいているかもしれず、あるいは対象全体を示しているわけではない側面について考えているのかもしれない。これらはすべて、ヨーガでは集中（ダーラナー）の項目に入る。ダーラナーには対象についての考察や熟考も含まれ、通常脳にベータ波を作り出す。もし集中することによって、選んだ1つの対象以外には何も心の中に入ってこないようになれば、集中の脳波であるベータ波が作り出されるのである。

これに対して瞑想においては、心はリラックスしてアルファ波のパターンに変わり、より深く対象と交わる。そして選んだ対象に対して途切れることなく気づきが向けられる。これがディヤーナなのである。ヨーガの瞑想では、アーサナ、あるいはプラーナーヤーマの状態において感覚が遮断され、心は集中する。ダーラナー（集中）には存在しなかった対象への絶え間ない気づきが加われば、ディヤーナになる。ダーラナーでは、気を散らすものを避けてはまた始めるという繰り返しで、進んでは停止するプロセスがあった。瞑想では対象に向かう絶え間ない流れがあり、対象とのつながりが途切れることはない。

「対象（object）」という言葉は事物を意味すると捉えられることが多いため、この語を使うのも誤解の原因の1つである。しかし、対象とは単に集中しているものを指しているのであり、たとえばアーサナの中での呼吸も対象となる。瞑想の究極の

対象の1つとしては、シューニャター(つまり無、大いなる空)というブラフマンの局面が挙げられる。ヨーガでは、空は集中する「対象」としては最も困難な部類に入ると考えられている。心は常に、次に起こる思考に付着しようとする傾向があり、空と思考のどちらかを選ぶのであれば、たいてい思考が選ばれる。つまり、空は初心者にとってよい瞑想対象ではない。あるいは、すわって考え、それから空を思い出し、また考え、そしてまた空を思い出し、というようにプラティヤーハーラとダーラナーの中間のような状態となってしまうが、これはディヤーナではない。

シャンカラは、ダーラナーとディヤーナの違いを次のように説明している。「ダーラナーでは、たとえ心が1つの対象だけに落ち着いたとしても、対象について想像される他の考えの影響を受ける。たとえば太陽を対象に心が落ち着いたとすれば、太陽の軌道や光度の輝きもまた集中の対象となる。なぜなら、心は純粋な精神的過程としてそこで機能しているからである。しかしディヤーナはそうではない。ディヤーナでは単一の考えの流れがあるだけであって、種類の異なる他の考えの影響を受けることはないからだ」[1]。

## 3.3 その瞑想において、心の修正をまったく受けることなく対象だけが輝き出れば、それがサマーディである。

これは単純な作業上の定義であり、単に対象のある(サンプラジュニャータ)サマーディを定義したものにすぎない。実際このスートラは、対象のあるサマーディの最中の心の状態であるサマーパッティを定義している *1.41* と、ほぼ同じである。*1.41* では浄化された心を鮮明な水晶になぞらえ、そばに置かれたものをすべて忠実に映し出すことができるとある。3つの内的支則は、以下のとおりである。

**6. ダーラナー**：心は1つの対象について考え、他の思考を避ける。対象への気づきはまだ妨げられている。

**7. ディヤーナ**：同一の対象について、絶え間なく気づきが流れる。

**8. サマーディ**：心の中は完全なる静寂であり、もはや動きはない。対象のみが光り輝く。まるで心は存在しなくなったかのようである。こうして対象は正確に複製され、対象についての完全な知識を得ることができる。

---

1 T.Leggett, *Shankara on the Yoga Sutras*, p.283.

通常、心の活動とは、対象に関わる感覚入力を取り込んで、過去に蓄積したすべてのデータと比較することである。その後、対象はこのようなものであろうと思われる最も近い解釈を生み出すのである。たとえば、感覚が大きな物音を心に報告すれば、心は「電車がどんどん近づいてくる。後ろに下がれ」と指図する。これが心のはたらきの典型的なものである。心は常に、対象が私たちにもたらす影響を分析する。その対象は私たちの生命を脅かすだろうか、何か利益が得られるだろうか、と考えるのである。心は対象そのものに興味を持つことはけっしてない。心はどんどん変わっていく表面的外観を分析しているので、対象に深く横たわる現実、つまり純粋で修正されていない対象そのものを認識することはできないのである。

サマーディにおいて心の波が収まれば、意識／自己は、瞑想（ディヤーナ）の基になっている対象自体を直接体験することができるようになる。事実、そうなって初めて、心という名のものをゆがめるメガネを通すことなくものを見、対象を直接体験することができるのである。これは直接体験が本当に意味するものである。私たちが感覚を通して対象を眺め、情報がさまざまな精神的活動のフィルタを通るのであれば、これを直接体験と呼ぶのは難しく、むしろ伝達された経験とでもいうものである。対象についての深遠な現実、対象の何たるかを直接体験できるのは、修正を行う心の動きがやむ神秘体験の時だけなのである。

心の活動に関して見事に説明しているものに、4人の盲目の男の前にゾウを差し出し、その正体を確認させた仏教の説話がある。最初の男は、鼻をつかんでゾウのことをゴム管だと思ったという。2番目の男は耳をつかみ、1枚の紙だと思った。3番目の男は脚を持ち、木の幹だと考えた。そして最後の男は尾をつかんで、ブラシだと思ったという。これと同じように、私たちの内部は盲目であるため、心は対象の一部を見ているだけであり、対象の本質的特質は私たちの視界から隠されているのである。

この過程が誤解と呼ばれるものである。幾重もの誤解を重ねることで、真実に近づくと信じられているのである。これは、日々の技能を取得するにはいい方法かもしれないが、物事の本質を見つけたいと思えば、一般的理解（apprehension）ではなく包括的理解（comprehension）が必要だ。心の表面からさざ波が消えて静まり、意識がゆがむことのない対象の眺めを得る時、包括的理解は起こるのである。

ヴィジュニャーナビクシュは注釈書『ヨーガ・ヴァーティカ』の中で、ここでのサマーディの定義は「ある場所に結びついた」サマーディだけに関するものであり、「（場所によって）限定されないサマーディのことは含まれていない」と断言している[2]。後者はもちろん種子のないサマーディ（超認識のサマーディ）のことであり、このサマーディではすべての対象が取り除かれて、ティローパが言うように「マハー

ムドラー（意識）は無にとどまる」³。そして私たちは、自分自身を意識として認識するのである。

## 3.4　もしこれら3つを同時に行えば、それはサンヤマと呼ばれる。

　ダーラナー、ディヤーナ、対象のあるサマーディを同じ対象に対して同時に行えば、このプロセスがサンヤマである。対象のないサマーディがやがて永遠なる自己認識へと達するものであるのに対し、サンヤマは外界にある何かに関して完全な知識を得る方法である。対象のないサマーディでは心は静止しているため、これは起こらない。

　サンヤマは、対象のある（サンプラジュニャータ）サマーディを基盤としたものである。ダーラナーとディヤーナは対象を基盤とするものであり、対象のないサマーディとともに行うことはできない。対象のないサマーディは、主体に基づくものであり、対象が消えて初めて生じるものなのである。サンヤマの定義は単に、サンヤマに含まれるサマーディはサンプラジュニャータ・サマーディ、つまり対象という意識のあるサマーディしかありえないということである。

　対象のあるサマーディに達するためには、ダーラナー、ディヤーナ、そしてサマーディを順に行う。サンヤマでは、これらを同時に行う必要がある。これは順に行うよりもはるかに難しい。普通、ダーラナーで残っている自我意識の痕跡が、サマーディの妨げとなるからである。

## 3.5　サンヤマに熟達すれば、知識の光が輝く。

　ヴィヤーサはさらに、サンヤマを確立すればするほど知識の光の輝きは強くなると付言している。これは困難な技法であり、徐々に熟達するものであるが、聖仙たちはこれを通してすべての知識を得たのである。彼らは科学者のように一生研究していたわけではなく、また特定の芸術を完成させたわけでもないが、聖仙たちはまず自己知識を得て、その後医学、占星術、天文学、ヨーガ、文法、法律など何でも自分の興味あることについて知っておくべき知識をすべて取り込んだ（download）のである。

---

2　*Yogavarttika of Vijnanabhikshu*, vol. 3, trans. T. S. Rukmani, Munshiram Manoharlal, New Delhi, 1998, p.6.
3　G.C.C.Chang, trans., *Teachings and Practice of Tibetan Tantra*, p.25.

こうして太古の昔には、人類は可能な限り高い水準で始まった。その後自分自身を失い、世界についての知識はどんどん粉々に砕け散ってまき散らされ、現在のカリ・ユガ（暗黒の時代）の状態になったのである。知識あるいは洞察力と訳されるプラジュニャーは、サットヴァ性になった知性（ブッディ）の持つものである。これは、識別知（ヴィヴェーカ・キャーティ）に至る前の状態であり、『ヨーガ・スートラ』で大きく取り上げられているものである。プラジュニャーの起こる7段階については、スートラ2.27で説明されている。

サンヤマを実践するのは、これによって知性がサットヴァ性になり、識別知にふさわしくなるからである。この知識は、意識の中でなく（知能の中枢である）知性の中に生じるものである。

知性と意識の違いは、次のとおりである。意識は永遠に自由な気づきである。意識の中には、すでにすべてのものが存在している。その中には、何も生じることはない。でなければ、不変とは言えないからである。しかし知性は、対象に気づくこともあれば気づかないこともある。それまで私たちが無知であったというのに突然識別知を得れば、定義上はこの知識は変動している知識の中に生じたことになる。識別知を得た知性は、意識から分離する。この状態を独存（カイヴァリャ）と呼び、誤って投影された知性と意識の同一化は消され、意識の自由に対する正しい知識が認識されるのである。

## 3.6 サンヤマは、いくつかの段階を追って行う。

サンヤマは難しい技法である。このため、ヨーガ実践者は蓮の花のような単純で粗雑な対象から始める必要がある。その後、宇宙のように複雑で粗雑な対象を選ぶ。粗雑な対象を完全に習得してから、要素が微細な特質を表すチャクラやマインド、感覚などの微細な対象に移行するとよいだろう。

ヴィヤーサは、至高の存在の恩恵を受けて高次の形態への適応をすでに習得している場合、たとえば他人の心を読むといった低次の形態に戻って試みる必要はないと指摘している。こういう能力には大きな責任が伴うが、他の人々を操るためにこの力を使用して、自分自身をおとしめてしまうことが多いのだ。ヴィヤーサはここで、サマーディの完成は至高の存在への祈念によって得られると言っているスートラ2.45について、言及しているのである。こういう人は技法に戻るのではなく、高次の見地の状態にとどまるべきだとヴィヤーサは述べている。

シャンカラは、アートマンの認識に比べればテレパシーは取るに足らない段階であると言っている[4]。イーシュヴァラ・プラニダーナ（至高の存在への祈念）は、『バ

ガヴァッド・ギーター』では非常に強調されている見解であるが、ここでは近道として捉えられている。この近道を行くのであれば、目的のすでに達成された技法に後戻りするような後退をすべきではないのだ。

ヴィジュニャーナビクシュは、弓の射手がまず大きな（粗雑な）対象を射る訓練をした後に小さな（微細な）対象に移行することを例に挙げている[5]。サンヤマを行うときにヨーギがたどるべき道も、これと同様である。

## 3.7 これら3つの支則は、（第2章で説明のあった）これより前の支則に比べて内的なものである。

ヤマ、ニヤマ、アーサナ、プラーナーヤーマ、そしてプラティヤーハーラは心が外側へ向かう活動であり、外的な支則である。これらを予備的なヨーガと呼んでいる注釈者もいるとおり、外的支則はそれだけで完結するものではない。

ヴィヤーサは、後半の3つの支則はサマーディへの直接的手段であると述べており、ヴィジュニャーナビクシュはさらに、最初の5つの支則はサマーディへの間接的手段であると言っている。ヴィジュニャーナビクシュによれば、すべての外的行為はサマーディへの障害であり、どこかの時点で捨て去らねばならないものなのである[6]。そして彼は、『ヨーガ・ヴァシシュタ』からの1節を引用して、鳥が空を飛ぼうと思えば両翼を使う必要があるのと同様、最も高いところに到達するには知識と行為の両方が必要だと主張している。ここでヴィジュニャーナビクシュは、知識を内的支則、行為を外的支則と同等とみなしており、内的支則、行為を引用部分では「単に一般的な方法として、手段と目的の両方を混合して実践することを勧めているだけである。両者が一緒になって解脱を達成すると説明されているわけではない」と言っている[7]。

シャンカラはさらに明確である。ヴィヤーサが内的支則を直接的手段と言っているのに対して、「ヴィヤーサは、これより前の支則（外的支則）が完成されていなくても、これら3つの支則を試みるべきであることを示したかったのである」と論じている[8]。つまり、アーサナを完成していなくても、内的な3支則を試みるべきである。なぜなら、この3つのみが解脱へと導くものだからである。シャーストラ（経典）を根拠とすれば、古代の師と権威は、アーサナを真のヨーガへの単なる準備と

---

4　T.Leggett, *Shankara on the Yoga Sutras*, p.258.
5　*Yogavarttika of Vijnanabhikshu*, vol. 3, trans. T. S. Rukmani, p.9.
6　Ibid., p.12.
7　Ibid.
8　T.Leggett, *Shankara on the Yoga Sutras*, p.286.

して受け入れていたようである。シャーストラに照らし合わせれば、生涯をアーサナの練習に費やすのは、時間の無駄のように思われる。

現代では、特に欧米において、ヨーガをアーサナの練習に限定する考え方が存在している。確かにアーサナは、特に初心者にとってはヨーガの必須部分である。しかし、ヨーガをアーサナという1つの支則に限ってしまうのは、不当なことなのである。

## 3.8 しかし、ダーラナー、ディヤーナ、サマーディも、種子のないサマーディに比べれば外的支則である。

このスートラは、パタンジャリがすでに述べているサンプラジュニャータ・サマーディが種子(新たな具現)のあるサマーディであることを確認しているものである。種子のあるサマーディは、(知性のような)外的対象に依拠するものであり、それゆえ人は対象についての境界と意識のアイデンティティを保持していることになる。(サンヤマにおいては)世界に関する知識を得るのに使えるが、それでも新たなカルマと来世の種子を残してはいる。なぜなら、境界を置き去り、存在という海と一緒になってはいないからである。

境界を置き去るのは、種子のない(ニルビージャ)サマーディでしか起こらない。ニルビージャ・サマーディでは、自我意識の痕跡もその種子もまったく残されていないのである。このサマーディは、アサンプラジュニャータ・サマーディ、あるいは超意識のサマーディとも言われるが、それは意識のアイデンティティを捨て去り、超意識(ブラフマン)と1つになるからである。

種子のないサマーディは、まったく無益な体験である。より多くの知識を得たり、より強力になるために、サンヤマにおいてこのサマーディを使うことはできない。その上、このサマーディを経験すれば、他人より有利になることに興味がなくなる可能性が高い。他人の中にあるのと同じアートマンを自分の中に見れば、他の人間より優れていたり偉大であったり、あるいは知的であることにどういうわけか興味を失うのである。

まだ損得のゲームに参加している状態であるサンヤマとサンプラジュニャータ・サマーディは、種子のないサマーディの準備にすぎないのである。

これらはなぜ、種子のないサマーディに比べて準備段階、あるいは外的行為であると言われるのだろうか。それは、「3つの停止という状況を呈しているためである」[9]。

つまり、種子のない(対象のない)サマーディは、達成することも生み出すこともできないのである。他のもの(ダーラナー、ディヤーナと対象のあるサマーディ)を停止し、手放した時に起こるのである。私たちは、対象のないサマーディに到達することもできなければ、これを実践することもできない。ただ、その中にたたずむだけである。シャンカラは『ブラフマ・スートラ』の注釈書の中で、「解脱とは、ブラフマンと同一化した状態のことである。つまり、浄化によって到達できるものではない。その上、行為を伴う解脱の形態を示せる者はいない。つまり知識を除いては、行動のひとかけらも存在しないのである」と言っている[10]。

　どんな人間的、超人的努力も、無限の意識の輝きを明かすことはできない。その努力をやめて初めて、探している存在がまさに自分の魂の中に永遠にあることに気づくのである。つかむことも閉じ込めることもできず、追うことをまったくやめた時、特別の計らいでやってくるものなのである。その時に、『サーンキヤ・カーリカー』にあるように「つまり、束縛する者は誰もなく、解脱する者は誰もいない。同様に、転生する(化身となる)者も誰もいない」ということを認識するのである[11]。

　決して束縛されることなく、解脱することも転生することもないもの、それは意識つまり私たちである。縛られていると思っているのは、ただ無知だからである。対象のないサマーディは、自分というわが家に帰ることに他ならない。これは明け渡し、つまり行為をやめて初めて起こるものである。外的支則をやめ、次に内的支則をやめれば生じるのである。

　では、なぜそもそも実践をするのか。ヴェーダーンタは禅仏教と同様に、その場で明け渡すことを提唱している。これは、一歩の歩みで真実への距離すべてが埋まる絶対的な方法なのである。ここではどんな技法もすべて、「私たちはすでに真実なのだ」という真理を覆ってしまう虚言と見なされる。この高度な考えが理解できず、この一歩が踏み出せない者のために、ヨーガ、チベット仏教、タントラのような体系によって相対的な真実の範囲内で動き、絶対的真理へ向けて少しずつ歩み寄りを図るのである。

　ブラフマンを具現化することはできないので、これは論理的アプローチではない。いつも、そこにあるものなのである。しかし、ヨーガはブラフマンを扱うものではない。ブラフマンは、パタンジャリの関心事ではない。パタンジャリは、私たちの無知に心を傾けているのだ。無知を減らすことができれば、やがてブラフマンを見

---

9　*Yogasutra of Patanjali*, trans. and comm. B. Motilal Banarsidass, Delhi, 1976, p.68.
10　*Brahma Sutra Bhasya of Sri Sankaracarya*, trans. Sw. Gambhirananda, Advaita Ashrama, Kolkata, 1965, p.34.
11　G.J. Larson, *Classical Samkhya*, 2nd rev. ed., Motilal Banarsidass, Delhi, 1979, p.274.

しかしヨーガとは、必ずしも絶対的真実を認識するものではない。無知でない者は、心のように不変でないものと自己との同一化をやめるという一歩を踏み出すだけで、真実を認識することが可能である。ヴィジュニャーナビクシュは、「（ダーラナー、ディヤーナ、サマーディは）間接的原因であり、必ずしも（直接的に）アサンプラジュニャータに到達することはない」と言って、この点を確認している[12]。シャンカラは、「ヨーガは、最初の5つの手段（外的支則）を行わなくても集中、瞑想、サマーディの3つを経験すれば達成される」とまで述べている[13]。

　また、「散漫な心を持つ者にとっては、アーサナの習得はヨーガをする上で効果的ではない。欠点をなくすこととサマーディを得ることという、この2つが必ず良い結果を生むのであり、その他のものは役には立たない」とも言っている[14]。

## 3.9 心の揺らぎによる潜在印象が（心の活動の）止滅の印象に置き換えられれば、心のはたらきが停止する瞬間が起こる。これは、止滅への転変として知られている。

　意識が永遠に自由で不変であることを私たちは理解した。では、いずれにしても変えることができないのなら、なぜ実践するのだろうか。すでに自由なのに、なぜ実践しなくてはいけないのか。

　実は多くの人々は、すでに自由であるという情報から何も得ることはできない。それを聞いても、ただ悩み続けるだけである。情報が役に立たないもう1つの理由は、私たちは不変の意識であるとはいうものの常に変化を経験し、その変化と同一化してしまっていることにある。自発的に意識の中にとどまることができない人のために、パタンジャリは転変（パリナーマ）の心理学を説明しているのである。すべての否定的な潜在印象（サンスカーラ）は、ここで肯定的な潜在印象に置き換えられる。こうして、ゆっくりと一歩一歩、自分の個性を変えることができるのだ。冷酷な殺人犯から始まっても、ヨーギのミラレパが証明したように、賢者へと変わることは可能なのである[15]。

　現代の精神療法の中には、パタンジャリのヨーガのプロセスとよく似た方法で潜

---

12　*Yogavarttika of Vijnanabhikshu*, vol. 3, trans. T. S. Rukmani, p.14.
13　T. Leggett, *Shankara on the Yoga Sutras*, p.287.
14　Ibid.
15　W.Y.Evans-Wentz, ed., *Tibet's Great Yogi Milarepa*, 2nd ed., Munshiram Manoharlal、Delhi, 2000

在意識の内容を置き換える形を取るものがある。これらのアプローチとヨーガとの違いは、ヨーガではどういう印象が必要とされるかという点がはっきりと示されていることにある。セラピーのように、クライエント（患者）に選択の余地が与えられていることはないのだ。妨げとなる潜在印象は心の騒音となる印象であり、奨励されるものは心を静かにする印象なのである。

　パタンジャリは、非二元論的な指導者の高尚な話を聞いて理解したにもかかわらず、結果として何ら肯定的変化を経験していない人に、希望を与えている。しいたげられた人に対して、救いの手を差し伸べているのだ。つまり、「ゆっくり無知（アヴィディヤー）から叡智（プラジュニャー）へと個性（ヴァーサナー）を変えれば、最初は無理でもやがて知識の光（ジュニャーナ）が見える」のである。

　このように、ヨーガとは大変寛大で地に足の着いたアプローチであり、人間の状態を考慮して自分自身のペースで進歩できるようになっている。最初はどんなに大きな失敗を犯し、落胆が深かろうと、自分の努力が無駄になることはないとわかっているのだから、ただ続けていくだけである[16]。今は心が鈍っていて知識の光が見えなくとも、転変（パリナーマ）は可能である。静寂への変化や変容は、心の混乱から静寂へと潜在印象を置き換えることで生じるのだ。

　潜在印象がなければ、心の揺らぎはない。このことは深く理解する必要がある。つまり心は、荒々しく暴れるままに放っておく限り、永遠に動き続ける。しかし心の騒音という印象が、心の活動の止滅というより強い印象に圧倒されれば、心には静けさがやってくる。その瞬間に、意識という本来の姿が垣間見られるのである。

　私たちが臨死体験をした時にも同じことが起こる。そのとき心は、はるかに強いサンスカーラに圧倒されて一瞬とどまる。こういう体験をした人にとって、これがスピリチュアルな探求の糸口となることが多い。心がとどまっている短時間に、人はジュニャーナ、つまり自己の知識を経験するのだ。その体験が終わっても記憶は残り、そこから現実とは何か、死に直面しても変わらないものとは何かを探し求める始まりとなるのに十分なものとなるのである。

## 3.10 心の活動の止滅という印象を繰り返し適用することで、心は静かに保たれる。

　静寂の印象は一瞬の静けさをくれるものであり、同じかよく似た潜在印象を繰り返し与え続ければ、心は静かに保たれる。こういう技法にマントラの使用がある。

---

16 『バガヴァッド・ギーター』6章41節、42節

マントラを繰り返すことは、平穏という同じ潜在印象を繰り返すことになる。また、呼吸に瞑想をするのも静寂という印象を繰り返し適用することに他ならない。1日のうちのある時間に瞑想する、あるいは決まった場所で瞑想することも、心を落ち着ける助けとなる習慣を染み込ませることになる。

どんな状態にある心にも、その心を繰り返し求める傾向がある。もし私たちが1時間静かな心の状態にあれば、この状態自体が将来の傾向を固めていくことになる。また、興奮して攻撃的になったり落胆したりすれば、これもまた残された印象のためにその状態の繰り返しが求められる。常に静寂の印象が置かれれば、心はゆっくりと興奮や鈍感さを解き放ち、静かになるのである。

サンスカーラを適用するにあたっては、自分自身の心と格闘することのないよう気をつけなくてはならない。格闘は興奮にほかならず、心に怒りをもたらすだけである。そうではなく、私たちは心を穏やかに静けさへと導く必要がある。暴れ狂う雄牛を鎮めようと試みれば、雄牛をより一層怒らせるだけである。しかし緑多い牧草地に連れて行けば、雄牛は落ち着くことだろう。

心を静かに保つためには、静寂の印象を安定して供給し続ける必要がある。これが多くの瞑想技法で実践していることなのである。

## 3.11 散乱した状態の心が1点集中に変われば、これを心のサマーディへの転変という。

パタンジャリは再びパリナーマという言葉を使用し、今回はサマーディの文脈で用いている。サマーディ・パリナーマ、つまり心のサマーディへの転変（変容、transformation）とは、心がサマーディに適した状態になることを言う。ここで言及されているサマーディとは、対象のあるサマーディのことである。対象のないサマーディへの変化は、ニローダ・パリナーマである。

ヴィヤーサは、散乱した状態が心の典型的な様子であると説明している。結局のところ、心には次に起こる対象へと付着する傾向があるのだ。しかしヴィヤーサは、1点集中の状態もまた同じく心の特徴であると続けている。パタンジャリはスートラ4.23でこれについて述べていて、心は見る者であろうと見られるものであろうと、心の向かっているものに色づけされると言っている。

見られるものは多種多様であり、見られるものの方向に心を向けると、心は散乱した状態になる。見る者のほうに向けられれば、見る者は一様であるため心は1点集中の状態になる。このように特質が変化するのは心の能力であり、不変である見る者の特質ではない。

つまり、心が見られるものから見る者へと向かえば、心はサマーディに適した状態になる。この過程をサマーディへの転変と呼ぶ。単に時間を過ごすうちに無自覚に、あるいは見られるものを打ち消し、目をそらせることで自覚的に、サマーディへの転変は達成される。もし自由になろうとする中で、外的刺激が永続的な幸福を供給することはできないことに何度も何度も落胆しているのなら、私たちは徐々に外的刺激から目をそむけて内にある王国を見つけるようになるだろう。このように、無自覚のうちのサマーディへの転変のプロセスには、1人の人間がおよそ30兆回転生することが必要だと考えられている。

また別の方法として、自分の引きつけられる対象すべてを、私たちが自覚的に打ち消そうとすることが挙げられる。ある出典によれば、これに必要なのはおよそ1回分の生であるという。時には一瞬で起こる場合もあるが、そういう稀有な人は過去世ですでに作業をしていたのだと、伝統的な権威ある文献に説明がある。

否定の技法は、以下に説明するようなものである。たとえば、すわって瞑想をしている時に心が富の蓄積に向かえば、富は一時的なものであり、一瞬にして失う可能性のあるものだと自分自身に言いきかせる。たとえ自分自身は慎重でも、地球規模での経済危機が起こることもあれば、自分の住む国が戦争で破壊されることもある。つまり、富の蓄積を幸せのよりどころとするのは、賢明とは言えないのだ。

それなら心は、感覚的な快楽を追求しようとするかもしれない。これに関しては、体が年齢を経て病気になれば、誰もそんな人と感覚的快楽を共有しようとは思わない。つまり、感覚的快楽を幸せのよりどころとするのは、賢明ではないのである。

次に心は、友情や他人との人間関係を目的地の候補に挙げるかもしれない。しかし、こうした他者はすべて一時的なものでいつかは死に、自分のほうが先に死なない限りは1人残され落胆することになり、これも適当な目的地ではない。人間関係とは一時的なものなのである。つまり、人間関係を幸せのよりどころとすべきではないのだ。また、こういう態度は必要性から起きたものであり、人間関係を壊すこともあることを頭に入れておく必要がある。自分の要求を満たしてくれるだろうと思って他人に興味を示すのは、利用であって人間関係ではない。

それなら心は、体を健康にして時間の影響にも耐えることができるようにすればよいと思うかもしれない。しかし、この体をどんなに気遣ったところでやがては死ぬことになるのだから、適当とはいえない。体は一時的なものなのである。一時的な対象を幸せのよりどころにすれば、落胆することになるだろう。

こうして心の思いつくものすべてを、一時的であるという理由で一つ一つ否定し拒絶するのである。やがて心は、唯一の永遠に支えとなるもの、つまり見る者に目を向けることになる。これが心のサマーディへの転変である。

このプロセスを行っている時には、何度も後退するからといって落胆してはならない。ヴィジュニャーナビクシュは、「突然すべての迷いが根絶することなどなく、突然1点集中が達成されるわけでもない。ゆっくり、少しずつ起こるのである」と語っている[17]。

## 3.12 過去に弱まっていった想念と次に起こっている想念が類似していれば、これが心の1点集中への転変である。

瞑想の際に、新たに生ずる思考がその前にあった思考と類似していれば、心は1点集中に転変していると言える。2つの思考の波の関係を描写するのにパタンジャリが使った言葉が *tulya* であり、これは「類似の」、「同種の」、「同等の」などに訳すことができる。たとえば、心臓にある光に瞑想していて、新たに生じる思考の波が前の想念と大体同様のものであれば、1点集中の心であると言える。

ここで説明している転変の状態は、この前に出てきたサマーディ・パリナーマ、ニローダ・パリナーマより穏やかなものである。ヨーガの師は概して、より高度な状態についての説明から始める。ヨーガの師は知識（ジュニャーナ）という立場で生きているので、自分に近いもの、つまり真実についてまず説明する。初心者向けの状態については、その後に説明をするのである。

ここで説明されているプロセスは、マインドの知性への転変と呼ばれているものである。先述したように、マインド（マナス）とは、サルが枝から枝へと移るように1つの考えから次の考えへと飛び移る思考形態である。マインドは未来か過去を扱うものであり、そのため止まることがない。未来の運んでくるものに終わりはなく、それらすべてがマインドの燃料を供給しているのである。

一方知性は、現在について考える傾向にある。完全な理解が得られるまで、1つの事柄について考えるのである。心をヨーガの道具にするためには、マインドを知性に転変させる必要がある。思考プロセスが選んだ対象にとどまることができるまでは、ダーラナーの練習が用いられる。そうすれば、心は1点集中（エーカーグラ）の状態になったと言える。この状態への転変を、心の1点集中への変化（エーカーグラター・パリナーマ）と呼ぶ。

---

17 *Yogavarttika of Vijnanabhikshu*, vol. 3, trans. T. S. Rukmani, p.19.

## 3.13 これによって、元素や感覚器官に関する特性、出現、状態の転変もまた説明されたのである。

　ここまでパタンジャリは、心(チッタ)の３つの変化形態に限って説明をしてきた。このスートラでは、同様のことは粗雑なもの(要素)や微細なもの(感覚)にも当てはまると言っている。つまり、心の特質(グナ)の転変の法則は、粗雑なものと微細なものの世界にも適用できるということだ。これによって、自分の心を支配しているヨーギは、なぜ自分の周りの環境も支配できるのかについて説明がつく。心の転変の法則を当てはめることで、世界も転変させることができるのである。こうして、超自然力(シッディ)が生み出されるのだ。

　パタンジャリは、特性、出現、状態という３つの側面に関する転変について述べている。たとえば心であれば、特性の変化というのは、１点集中から止滅(ニローダ)に変わることを言う。ニローダになれば、心の特性は大変大きく変化し、心がないとまで言えるほどである。

　出現の転変とは、心が現在にあるか、あるいは過去や未来にあるか、ということである。心が現在の瞬間にあるのであれば、心のサマーディへの転変が起こったのである。

　３番目のカテゴリーである状態の転変とは、どんな揺らぎが心に起こり、どんな印象(サンスカーラ)や条件づけ(ヴァーサナー)が心に存在するかということである。具体的には、たとえば焦点というサンスカーラが強くなって散乱というサンスカーラが弱くなることを指す。ここでは、心の基本的特性や時間形態(出現)は変わっていないが、その範囲の中で１つの瞑想対象に集中する能力が変化しているのである。前述のスートラではこれについて、マインドの知性への転変と呼ばれていた。

　心だけでなく、すべての対象はこれら３つの転変を経験する。心もまた対象であり、同じ転変を経験するのである。意識(プルシャ)だけは唯一対象ではなく、永遠で不変であるため転変を経験することはない。

　粗雑な対象は、空、風、火、水、地という粗雑な要素から成る。粗雑な対象に起こる転変のうち最も基本的なものが、特性の変化である。これは、変化が起こった後も対象はそこに存在するが、特性の変化が激しくもはや同じ対象として認識できないことを指す。

　たとえば、肉体を例に考えてみよう。人が死ねば、肉体は埋葬されるか火葬される。埋葬されれば、体は腐敗というプロセスを経て崩壊する。大部分はアンモニアに変化し、窒素循環を通して硝酸エステル、リン酸エステルに変わって植物の肥料となる。肉体の大部分は、植物として地に再び現れるのである。同様に、もし死体

が火葬されれば、灰として残される無機物を除いて、体の他の部分は変化してガスになる。ガスのほとんどは、雨を通して地に帰るか光合成を通して植物によって大気からろ過される。いずれにしても、対象の特質は変化しているのである。対象を作る原子、分子、エネルギーはすべて保持されているのだが、まったく新しい形を帯びる。これは今では、1つの対象が他のものへと転変すると表現するものである。

2番目の転変は出現（manifestation）の変化であり、これは時間的性質の変化と呼ばれることもある。ヨーガでは、対象とは現実のものであると考えることを、ここで理解しておかねばならない。現実であるものが非現実にはなりえず、非現実のものが現実になることもない。たとえば、私たちが家を建て、百年後に地震で家が壊れたとしても、家はずっと現実のものであったとヨーガでは言う。そうでなければ、家を建てたことにはならないからだ。ただ、出現（具現化）の状態が変わっただけなのである。家を建てる前には、家は出現していなかった。つまり、種子の状態、潜在的状態であったのである。この状態では、出現しうる未来像（ヴィジョン）を受け取ることが可能である。潜在的状態は、未来の状態とも呼ばれる。つまり、この対象は未来に現れ出るものなのである。家を建てることでこの対象は現れ出て、現在の状態へと移る。崩壊されれば、残余あるいは過去の状態へと変化したことになる。一度出現した対象はすべて、世界に残余を残す。家について覚えているかもしれないし、家の写真や設計図が残っているかもしれないのである。

これは、クリストファー・コロンブスがアメリカ大陸を発見したことを例に考えると、理解しやすい。コロンブスはアメリカがそこにあろうとは思いもしなかったが、もしアメリカが現実でなかったなら、コロンブスがアメリカを発見することはなかっただろう。同様に、物理学者が物理法則を発見するのは、何かが現実にそこに存在するからなのである。

人間は法則を作り出すのではなく、ただそれを発見するだけなのである。私たちの前に法則が姿を表すのだ。たとえば、電気や磁気は人間が作ったものではない。ずっと現実のものとして存在したのでなければ、発見できなかったはずである。あるいは発見とは、単なる概念であったと言えるかもしれない。しかし単なる概念では、電気を明かりに使用することはできなかっただろう。

先住民文化の中には、子どもとは無意識に授かるものではなく、両親のどちらかが種子の状態から出現の状態に変わる子どもを夢に見て生まれてくるものだと信じるところがある。そこには、人間を生み出しているのは両親ではないという謙遜した認識があるのだ。両親はただ、体を提供しているだけなのである。夢に見ることの目的は、特定の時期に特定の家族に生まれ出ることに賛同する人間を見つけることにある。こうして昔は、より調和的な家族生活が得られたのだった。ここで興味

深いのが、人間は受胎から始まっていると信じている西洋文化の無知さである。

ヨーガには、非現実と呼ばれる対象もある。これは種子の状態でも存在しないものであり、出現することは不可能である。こういう対象とは、ウサギの角、空に咲く花、空中にある城などのように実際の対象がなく単に言葉だけである概念化か、あるいは実際はロープであるのにヘビだと思っているような幻想かである。これらは非現実で対象はなく、現実とはなりえない。

3番目の転変は状態の変化であり、これが起こる時には、その対象の特性と出現の状況はそのまま変わらない。たとえば人間の体は、最初は若く、成熟して、やがて老いていく。帝国、政府、教会、宗教、社会、企業など、出現の世界における構造はたいてい、確立期、整理統合期、崩壊期という3段階のサイクルを経験することになる。

これらの段階を通じて、対象はずっと同一の対象として認識できるが、外観は著しく変化することもあるといえるだろう。

## 3.14 過去、未来、現在において常に存在する本質は、対象そのものと呼ばれるものである。

対象に対して深い瞑想（サンヤマ）の実践をすれば、対象の出現の状態を通して本質が観察される。本質とは、対象が過去、現在、あるいは未来にあろうと変わるものではなく、言い換えれば潜在的な状態であろうと出現の状態であろうと残余の状態であろうと変わらない。これを対象そのものの実体と呼ぶ。この実体は、若かった対象が老いても変わることはない。それは対象の青写真のようなものである。これがなければ、対象が出現することは不可能である。

ここに、ヨーガやサーンキヤと、ヴェーダーンタや仏教との大きな違いがある。ヴェーダーンタでは、対象の世界は意識に映し出された幻想と考えられる。仏教においては、対象は単に心の中に浮かぶ一瞬の考えとして存在するものである。どちらの思想体系でも、対象は心から離れて存在することはない。対象は、完全に観察者の思い違いを通して作られているのである。

ヨーガは、これらの思想体系とは根本的に異なる。世界も対象も、現実のものと考えられているのである。現実の対象と、空に咲く花などのように言葉だけに基づく概念化とは、はっきりと区別される。それだけではなく、ヨーガでは対象に永続的な特徴を与え、それを本質と呼んでおり、これは観察者からまったく独立したものと考えられている。ヨーギにとっては対象そのもの、対象の本性を認識することが重要である。なぜなら、自分の外に位置する現実の対象を認識することで、識別

知、すなわち自分と対象とは異なると理解する知識が生まれるのである。識別知が生まれれば、そこからやがて対象の世界からの完全なる独存（カイヴァリャ）が得られるのである。

　ヨーガが世界の現実性を証明しているのは、西洋人にとっては大変興味深いことである。インドを訪れたことのある人は皆、インドがある種の「世界など問題ではない」という態度にあふれていることに気づく。1980年代半ばに私がインドを訪れた際には、電車の切符売場で何時間も並ばなければならないことが頻繁に起こった。人々は折りたたみ式のいすと弁当を持ち込み、並びながらも皆満足そうであった。つまり、30兆回もの生まれ変わりを経験するのであれば、そのうちの百を切符売場で過ごしたところで、たいしたことはないという考えである。すべての対象は意識に映し出された幻想でしかないのなら、切符売場も本当は意識にほかならず、この切符売場も他の場所と同様によいところなのである。

　また別の機会に、私がインドの大きな池で、岸から数百メートルのところで泳いでいた時のこと、岸に人だかりができ、皆静かに私を見守っていた。私は岸に戻って見物していた人々に、西洋人が泳いでいることのどこがそんなに面白いのかと尋ねた。ある若い男は、マンジュラが私を捕まえに来ないかどうかみんなは見ていたのだと答えたのである。その男によると、マンジュラというのは、すでに12人もの人間を食べた大変大きいワニだということだった。なぜ誰も私を岸に呼び戻さなかったのかと尋ねると、私が食べられるか否かは私の運命であり、それを妨害したところで運命を変えることはできないからだとその男は答えたのだった。もし妨害したとしても、私は次には木の陰に隠れている腹を空かせたトラの牙に向かって歩いていくことになるだけだというのだ。

　私はこの考え方を軽んじようとは思わない。大変説得力ある考えであり、確かに役立つものである。しかし、この考え方はインド社会にある種の無関心を生み出し、物事を変えたところで実は何の価値もないという考え方につながっているのだ。この態度は、世界は現実ではなく重大なものではないと信じるアドヴァイタ・ヴェーダーンタの教義に端を発するものである。シャンカラ自身は『ヴィヴェーカチューダーマニ』の中で、人はカラスのフンを見るのと同じように、世界を無関心に眺めるべきであると提案している。

　インドの考え方によると世界はまったく重要なものではない、とまで言ってしまうと、おそらく適切ではないだろう。しかし、インドと西洋の考えには大きな違いがある。インドでは、まったく理にかなっていない社会の異常にも喜んで耐えているのに対し、西洋ではうまくいかないことはすべて、そして時にはうまくいっていることまでも、必死になって変えているのである。西洋社会では、世界とは現実の

ものとして見るべきであると、ずっと以前に決められたのだ。しかし一方で、物質から完全に独立した意識の存在を否定したのである。

東洋の神秘主義を学ぶ若き西洋人は皆、世界の現実性を否定する哲学をそのまま受け入れるつもりがあるのかどうかを、しっかり考えてみなくてはならない。そしてもし決心がついたのなら、無意識に一まとめのパックとして受け入れるのではなく、意識的にそれを遂行し、文化的影響すべてを踏まえた上で一体それが何を意味しているのかを理解しなくてはならない。

ヨーガは世界も意識もともに現実のものとみなし、両者の考えをうまく混合している。したがって、ヴェーダーンタの極端に観念的な考え方よりも、私たちの社会的価値と調和させるにはずっと簡単なもののように思われる。

## 3.15 転変の違いは、連続性における相違が原因で起こる。

なぜパタンジャリは他の多くの指導者のように変化について一様に説明するのではなく、変化を3つのカテゴリーに分けたのだろうか。

それは、深い瞑想では連続性において異なる変化が推測できるからである。この連続性によって3種類の異なる変化が示される。ほこりが一塊の粘土になり、それが陶器のつぼになれば、そのつぼはやがて壊れ、その破片は再び粉々のほこりになるとヴィヤーサは説明している。この変化の連続における本質的なものが粘土であり、それぞれの段階において粘土は性質を変えているのである。

もしつぼを本質的なものと考えれば、つぼが粘土から形作られるにつれて、潜在的な状態から出現の状態へと変わることになる。つぼが壊れれば、出現の状態から残余の状態、つまり現在から過去へと変わることになる。これが2つ目の変化のタイプである。

3つ目の変化のタイプは、特質も出現も変わらない状態を指す。それでも何年もつぼを使用すれば、過去の状態からは変化していることが目に見える。使い古されて見えるかもしれないし、ひびが入っているかもしれない。

ヴィヤーサは、こうした連続性を観察することで対象は、対象の持つ特性、出現、状態とは異なるものだという結論に至ると説明している。つまり、対象が単に意識に映し出された様子、あるいは心に浮かぶ一時的な概念なのであれば、このような連続性を観察することはできないはずだ。対象が3つの変化を遂げることを理解することで、心の変化を理解することが可能となる。これにより、心を望む方向へ変化させることができるようになるのである。

## *3.16* 3種の転変に対してサンヤマを行うことで、過去と未来の知識が生じる。

　パタンジャリはここから、異なるタイプの超人的力を列挙する一連の警句を始めている。ここまでのスートラでパリナーマ（転変）という用語、およびパリナーマの3つの精神的形態（止滅、サマーディ、1点集中）と物質的形態（特性、出現、状態）が説明され、これらの差異は連続性によって示されると定義されている。連続性というのは、時間における連続に他ならない。ここでは、変化を決定する側面である時間における連続性について、ダーラナー、ディヤーナ、サマーディを合わせたものを実践することによって、時間そのものに関する知識、そこに隠されたように見える過去と未来についての知識が得られると言っているのである。
　ここで確認しておかなくてはならないことは、私たちはここでは、変化と連続に従って生じる心と物質の相対的世界における全時間について考えているということである。これらはすべて、時間を超越した意識の絶対的世界で生じるものだ。ある対象に関する特性、時間の位相、状態についてサンヤマを行えば、その対象の過去と未来も知ることができるのである。サンヤマによって、対象の本質（対象そのもの）ばかりか、対象がいつどのように変化するのかも明らかになるのだ。
　対象の特性の変化に対するサンヤマでは、その対象が以前どのような形態であったか、そして現在の形態で存在しなくなった時にはどのような形に変わるのかが明らかになる。
　対象の出現の変化に関するサンヤマでは、対象がいつ出現するか、そしていつそれが残余の状態（過去のもの）となるのかが明らかになる。
　対象の状態の変化に関するサンヤマでは、時の経過に伴う過程、つまり現在の形態でこれまでにどのくらい存在し、今後どれくらいの間この形のままなのかが明らかになる。
　しかし、こうした知識が自由をもたらすわけではないことを、頭に入れておかねばならない。真のヨーガという意味では、このような力の行使は些細なものと見なされるのである。ヴィジュニャーナビクシュは『ヨーガ・スートラ』の復注書の中で、「それぞれのサンヤマは、こういう力を得たいと欲するヨーギが実践すべきものである。だが解脱のみを強く望むヨーギの場合は、知性とプルシャ（意識）の違いに対してのみサンヤマを実践すべきである」と指摘している[18]。

---

18 *Yogavarttika of Vijnanabhikshu*, vol. 3, trans. T. S. Rukmani, p.73.

## 3.17 言葉、言葉の説明する対象、および言葉の背後にある概念は、常に混同されている。これら3つに連続してサンヤマを行えば、すべての生き物の意思伝達を理解することが可能となる。

　私たちは通常、言葉と言葉の説明する対象とは異なるということを忘れている。誰か、たとえば異なる文化からやってきた人物が、同じ言葉を異なる対象を説明するのに使ったり、違った言葉を同じ対象を説明するのに使ったりしているのを見て初めて、このことに気づくのである。

　ヴィヤーサは、言葉はアルファベットの文字で作られていると説明している。それぞれの文字、すなわちつなげずに声に出した各文字は、言葉になった時と違って対象のことを言及してはいない。言葉とは、文字を一定の順に並べたものである。言葉の意味は慣例を通して発達する。文字をある順序に従って発声すれば、何の意味も持たないそれぞれの文字とは異なる1つの言葉として知性に認識されるのである。

　知性が文字の連続を認識し、それを慣例によって決められた特定の対象に関連づければ、言葉は現実のものとなったように思われる。しかし実際には、対象に結びつけられた文字の連続であるにすぎない。たとえば、「いす」という言葉が実際のいすになることは決してない。単に文字の連続にすぎないのである。それが何を言及しているのか、皆が同意している限りにおいて意味を持つものなのである。慣例や習慣が変われば、文字の連続が言及する対象も変わるかもしれない。たとえば今日では、「意地悪な (wicked)」という言葉は、子どもをしかるのに使用することはできない。今では、この語は何か賞賛に値すること［うまい、すごいなど］を意味しているからである。

　もう1つ考えておかなくてはならないのは、私たちが同じ言葉をおおよそ同じ対象を説明するのに使用しても、対象に対してまったく異なる考えを抱いていることがあるということだ。たとえば2人の人が、自分のパートナーの嫉妬について話しているとしよう。1人は、嫉妬は相手に対する真の愛情の証であると考え、パートナーへの嫉妬を得意に思っているかもしれない。しかしもう1人は、相手を失うことを心配してこのような行動に出るのであろうから、これを信頼の欠如、結局は愛情不足なのだと考えるかもしれない。この2人にとって、嫉妬についての考えをお互いに伝達するのは困難であろう。同じ現象を言及するのに同じ言葉を使用していても、2人はその言葉に対してまったく違った概念を持っているのである。

　私たちは、過去に作られ記憶に跡を残した潜在印象（サンスカーラ）に基づいて、

言葉に概念を関連づける。お互い皆異なる過去を持ち、それぞれ異なるサンスカーラを集めてきたのだから、言葉に関連づけられた概念も異なるのである。

特定の生き物に関する言葉、言葉の背後にある対象、そして言葉の背後にある考えに対して連続してサンヤマを行えば、その生き物の発した言葉、コミュニケーション方法について理解し、知ることができる。よく考えれば、不可思議なところなど何もない。いつでもお互いを理解するわけではないのはなぜかと言えば、表現方法において異なるコードを使うことがよくあるからなのである。

もし、お互いのコードが重なっていれば、何らかのコミュニケーションが可能である。

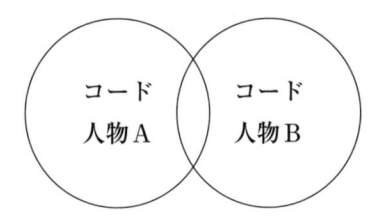

（コード人物A ∩ コード人物B）

お互いのコードが重なっていなければ、コミュニケーションは不可能である。

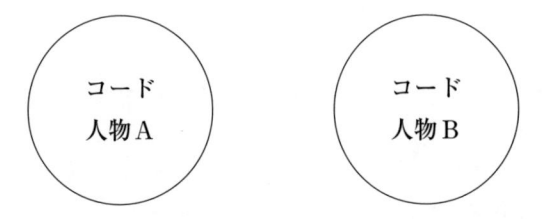

（コード人物A）　（コード人物B）

お互いのコードがまったく同一である場合にのみ、完全な理解が得られる。

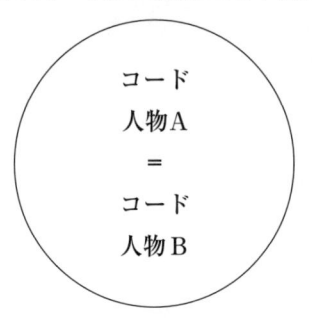

（コード人物A ＝ コード人物B）

私たちのコードが同一でないのは、私たちが過去によって条件づけられ、それに基づいて意思伝達を行っているからである。私たちは皆異なる過去を持ち、それゆえ異なる条件づけを受けているので、コミュニケーションのコードもそれぞれ異な

るのである。

　ヨーギはサンヤマの状態において、スートラ1.41で説明したように過去の条件づけを停止する。サマーパッティでは、心は向けられたものすべてを水晶のように忠実に反映する。つまり複製を作り出すというより、認識したものの写しを作るのである。

> ヨーギにより
> 複製された
> コード
> 人物A

　これが可能なのは、ヨーギが自分の心の活動を管理しているのであって、その逆ではないからである。チェックする人物のコードを忠実に再生して、それが言及している対象と比較することにより、ヨーギはその人物の伝達モードや伝達パターンを理解するのである。前述したように、サマーパッティ、つまり対象をよりどころとするサマーディ（サンプラジュニャータ・サマーディ）における心だけが、忠実に対象を映し出すことを可能にする。普通の人の心は過去で曇っているため、これが不可能なのである。

　次にサンヤマにおいて、ヨーギは、正しく直接体験した対象とその人物が使用しているコードとを比較する。こうして、その特定の人物のコミュニケーション・パターンが持つ異質な性質を経験し、理解することができるのである。つまりヨーギはサンヤマにおいて、対象そのものとその人物によって意思伝達される方法との違いを経験することができるのである。この知識があれば、その人物の言語を理解することが可能となる。つまり、このサンヤマはコード解読装置なのである。

　ヴァーチャスパティミシュラは、「飼いならされた動物、野生動物、はう動物、鳥、その他すべての生き物の叫び声、そればかりか生き物同士の音を発しない会話、（その叫び声が）指す対象や表す考えなど」を理解することができると言っている[19]。動物の言葉を話す能力（キリストの使徒）や動物との意思伝達能力（アッシジの聖フランチェスコ）は、多くの文化圏で報告されてきた。ここで説明したのは、その現象への科学的アプローチである。

---

19 J.H. Woods, trans., *The Yoga System of Patanjali*, p.246.

## 3.18 潜在印象を直接認識することで、過去世の知識が得られる。

　ヴィジュニャーナビクシュは、このスートラに「サンヤマを通して」と付け加えることを提案している。感覚によって潜在印象を直接認識することは、不可能だからである。より高度なヨーガの観点では、ここに挙げられた力はまったく些細なものである。私たちがここまで来たのはどうしてかなど問題ではない。ここから私たちが自由へと至るにはどうすればよいかが重要なのである。
　シッディ（超自然力）がさして重要でないなら、なぜ、『ヨーガ・スートラ』ではこれほどの量がシッディの説明に割かれているのかという疑問が出てくるだろう。パタンジャリがそれについて説明しているのは、シッディの出現でヨーガの技法がうまくいっていることへの信頼と確信が得られるからなのである。また、シッディを説明するのには歴史的、神話上において重要な理由がある。叙事詩（イティハーサ）や『プラーナ聖典』を調べれば、ヨーガが超自然力を得る方法として広く知られていたことがわかる。こうした力をパタンジャリが無視していれば、彼は自分の哲学を真空地帯へ位置づけることによって、一般的に考えられていたヨーガというものから孤立させてしまうことになっただろう。『ヨーガ・スートラ』の第3章では、パタンジャリがインドの呪術的な下位文化を活用して、これらの力を適切に使えば自由へと導かれることを示すことで、より高度なヨーガのために利用しようとしたものだと見ることができる。
　しかしヨーガ哲学を本当に理解すれば、こういう力は自己中心的な執着につながるわなであることがわかるだろう。真意を伝えるために、パタンジャリはまず自身がこういう力の習得者であることを証明し、その後この力を否定しているのである。
　このスートラを理解するためには、まずカルマには3つのタイプがあり、すべてが潜在印象という形で記録され、あるいは蓄積されていることを思い出しておかねばならない。
　3つのタイプとは、以下のとおりである。

・現在蓄積しているカルマで将来の自分を決定するもの（未来のカルマ）。
・過去に蓄積したカルマで、カルマの貯蔵庫で成果を待っているもの（残余のカルマ）。
・過去に蓄積したカルマで、現在成果が実り、この具体化を生み出したもの（成果のカルマ）。

このスートラは、過去世の知識のみに関するものである。最初のタイプのカルマ（未来のカルマ）は現在蓄積されており、現在の具体化の原因となっているものではない。2番目のカルマ（残余のカルマ）が貯蔵庫である。現在の具現のための潜在印象の一因となるものではないため、これについて知ることはできない。最後のカルマが成果と呼ばれるものである。過去に蓄積され、現在の私たちの体を作り上げたのは、このカルマなのである。

この第3のタイプのカルマに関わる潜在印象が、現在の私たちの体と心を作ったのであり、その印象は今現在の潜在意識の中に位置しているのである。これらの印象に対してサンヤマを実践すれば、これらを生み出した状況を知ることができる。どんな対象に対しても深く瞑想をすれば、対象の原因と根源を認識することが可能である。純粋な（サットヴァ性の）知性を持つヨーギは、長期にわたってサンヤマを行うことができ、先に述べたような自分の潜在意識に隠されたものや、他の誰かの意識下に隠されたものを明らかにすることができる。たとえば、ゴータマ・ブッダには来世についての知識があったことが知られている。またクリシュナはアルジュナに、「私たちは2人とも、この世で多くの生を過ごしてきた。違うのは、私はそれらすべてを知っているということだ。あなたは知らないであろう」と語ったのである。

ブッダの場合のように、これらの印象はすべて、深い洞察によって自然と姿を現すかもしれないのである。

しかし、なぜこういう記憶を自覚的に生み出そうとするのか、私たちは自問してみなくてはならない。過去世がどれほど重要かといえば、テレビのメロドラマと同程度のものである。ただ単に、娯楽のためのものなのだ。過去世は過ぎてしまったものであり、もはや変えることはできない。変えることのできるのは現在である。聖仙ヴァシシュタが「真の自己努力」と呼ぶものを実行すれば、自分の運命を変え、新たに作り上げることができるのだ。未来は現実となり、本来の状態へと自由に入り込むのである。現在の私たちは、過去に残存する心の奴隷なのである。過去を楽しんでいるのでは、この傾向を増長させるだけである。

## 3.19 他人の考えや思考に対してサンヤマを行うことで、その人の心の状態すべてを知ることができる。

もし私たちが誰かの考えや思考に対してサンヤマを行えば、その思考を生み出した心の活動すべてを理解することが可能となる。ここで使用されている概念は、小宇宙は大宇宙に反映され、大宇宙も小宇宙に反映されているという考えである。思

考や考えは常に、それを生み出した個性や条件づけ（ヴァーサナー）に色づけされている。ある思考に対するサンヤマを行うことで、その思考を生み出す母体（思考を生み出した条件づけ）を理解することができるのだ。こうした理解を用いれば、今度はこの特定の個性は、差し出された感覚入力をどのように修正しようとするのかがわかるのである。つまり、その人の思考を予想すること、よく使われる表現で言えば他人の思考を「読む」ことができるのだ。

聖仙ヴィヤーサは、多くの機会にこの技術を施行した。『マハーバーラタ』には、ヴィヤーサの孫で徳の高いユディシュティラが追放され、森で兄弟と暮らしていた話がある。ユディシュティラを森に軟禁しただけでは満足できなかったヴィヤーサのもう1人の孫、邪悪なドゥルヨーダナは、ユディシュティラと兄弟を殺そうと軍とともに追ったのであった。ヴィヤーサはその心を読み、突然ドゥルヨーダナの前に姿を現して、あさましい企てを実行しないように説得した。ここで大切なのは、ヴィヤーサは自分の力を自分の利益のために使用したのではなく、他の誰かが脅かされているのを止めようとして使ったことである。自分の利益を得るために人の心を読むことは「貪欲」のカテゴリーに入り、ヨーギには許されていないのである。

## 3.20 思考の基盤となる対象は、このサンヤマでは明らかにならない。

前のスートラで用いた例を考えてみよう。ヴィヤーサは、ドゥルヨーダナの思考についてサンヤマを実行した。このサンヤマによってヴィヤーサは思考を生み出した母体、つまりドゥルヨーダナの心を理解した。こうしてヴィヤーサは、ドゥルヨーダナの思考すべてを知るようになったのである。この例では、ドゥルヨーダナの心は主にユディシュティラへの嫌悪から成っており、そこからヴィヤーサは、ドゥルヨーダナの頭はどうすればユディシュティラを殺せるかで一杯であることがわかったのである。

このスートラでパタンジャリは、サンヤマを実践して人の心を読む時には、その人についてすべてを見出すことにはなるが、考えている対象については何ら明らかにならないと言っているのである。ヴィヤーサは、サンヤマによって、ドゥルヨーダナの思考を知るに至った。しかし、その思考が取り巻く対象について、この例で言えばユディシュティラに関しては、このサンヤマでは知ることはできないのである。

このことを理解するのは、重要である。サンヤマの目的は、対象について知識を得ることである。他人の心（チッタ）は、心のはたらき（ヴリッティ）を通して対象をゆがめている。こうしてゆがめられたイメージにサンヤマを行うことで、その特定

の心が真実をゆがめる潜在力について知ることができる。しかし、そこに横たわる対象を真に表すものは、他人の目を通して眺めたのでは得られないのである。

これは私たちの日常生活においても言えることである。他人の評判から人を判断することはできない。塩や砂糖の味は、人から聞いただけではわからない。海を見たことがないのであれば、他人の説明を聞いただけではどんなものか理解することはできない。（自分自身が経験していたにもかかわらず、その意味を理解していなかったような場合を除けば）偉大な師の言葉を聞いただけで神秘体験をすることは不可能である。経験そのものは、他人の言葉の中には含まれないものなのである。自由になるためには、自分自身が経験する必要があるのだ。

## 3.21 自ら肉体の形態に対するサンヤマを行うことで、外から見られる能力が抑えられる。これは、体から観察者の目へと伝わる光を中断することで生じる。

この仕組みを理解するには、『ヨーガ・スートラ』が立脚する哲学であるサーンキヤ体系を詳しく知る必要がある。私たちの過去の思考や感情（サンスカーラ）はすべて、条件づけ（ヴァーサナー）に濃縮される。過去のヴァーサナー（あるいはヴァーサナーのうち支配的であるものの組み合わせ）はすべて、微細な肉体（リンガ）へと濃縮される。死の際にはリンガは新たに粗雑な肉体（ストゥーラ・シャリーラ）を出現させ、やがて自己知識が生み出されるまでの間、快楽と苦悩の経験を供給するのである。粗雑な要素（マハーブータ）に姿を投影する力を持つ微細な要素（タンマートラ）を通して、このような具現化は生じる。それぞれの微細な要素には、対応する微細な感覚がある。こうして、形態という要素は視覚に関連づけられ、音の要素は聴覚に結びつけられる。

高度な瞑想対象となる微細な要素（タンマートラ）と感覚（インドリヤ）は、サマーパッティの実践を通してヨーギがよく知るものである。サマーパッティではまず粗雑な対象を選び、次に次第に微細な対象へと移行する。ヨーギが微細な形（ルーパ）という要素に対してサンヤマを実行すれば、火の粗雑な要素に投影されるのを中断することができる（先述したようにリンガ、つまり微細な肉体が粗雑な肉体を表す）。粗雑な肉体は依然そこに存在するのだが、観察者の目で知覚できるどんな光も反射することはできない。視覚的に対象を知覚するのは、対象の表面に当たる光線を反射する能力によるものである。この場合では、表面が取り除かれて、光は直接肉体へと入るのである。

同様の方法によって他の感覚も避けることができる、とヴィヤーサは言っている。たとえば、音の微細な要素についてサンヤマを行うことで、他から聞かれるのを避けることができるのだ。言うまでもなく、この力を実行するためにはまず、超熟考のサマーパッティ（スートラ1.44）で微細な要素（タンマートラ）を認識できるようにならなくてはいけない。その後、対象のある深いサマーディを行ったままで、ダーラナーとディヤーナを付加する力を身につける必要があるのだ。

## 3.22 カルマの成果には、すぐ起こるものと引き伸ばされるものがある。カルマに対してサンヤマを行う、あるいは前兆を観察することで、死期を知ることができる。

　解脱することなく死を経験する場合には、新たな肉体が出現して、より多くの快楽と苦悩の経験が与えられなくてはならない。これは人生の目的、すなわち独存（カイヴァリャ）、解脱（モークシャ）が達成されるまで、永遠に繰り返されることになる。

　新たな具現（incarnation）は、カルマの貯蔵庫（カルマーシャヤ）の中で支配的で最も強力な印象によって決定される。その特定の支配的な印象と、それに関連するサンスカーラすべてが一緒になって、新たな生命を出現させるのである。貯蔵庫にあるすべてのカルマは、引き伸ばされるかゆっくりと成果となる。肉体を生み出すことになり活動を始めた瞬間から、内在する状態になるか、あるいは早急に成果となるのである。たとえば、今日を基準に考えれば、現在の私たちの肉体を出現させたカルマは実を結んでいるが、貯蔵庫に潜在しているものは残余の状態であり、ゆっくりと成果となるのである。

　同様に、現在の生で私たちは常に新たなカルマを生み出している。ただし、呼吸を自ら停止する（ケーヴァラ・クンバカ）、サマーディの状態にある、ジュニャーナ（真智）を得る、あるいは至高の存在に集中的に祈念をする（バクティ）などの状態にあれば、それは起こらない。なぜなら、こういう状態の時は真実の中にいる、つまり意識の中にとどまっているため、新たなカルマが生み出されることはないからである。私たちが常に生み出している新たなカルマもまた、カルマを生み出した行為の強さによって、すぐに起こるものもあれば引き伸ばされるものもある。ヴィシュヴァーミトラや聖仙ヴァシシュタといった偉大な師の例からわかるように、熱意を持って実践を行えば一度の人生で自由を得ることも可能である。しかし、大変な悪質さで行われた行為の結果もまたすぐに現れるというのは、本当である。高慢なナフシャ王が聖仙アガスティアを侮辱して、その場でヘビに変えられたという話もあ

る。カルマを生み出す行為がもっと穏やかな態度で遂行されたときには、カルマの貯蔵庫に蓄積されて、ゆっくりと来世で成果をもたらすことになる。

カルマに対してサンヤマを行えば、カルマのどの要素がすぐに現れ、どれがゆっくりと引き伸ばされるのかがわかる。内在しているカルマをすべて切り離せば、死の一因となる部分がわかり、それによって死期を知ることができる。ここでは、すぐに成果となるカルマは肉体にとっての燃料を供給していることを理解しておく必要がある。この燃料が切れれば、肉体の終わりは近いのである。

もう1つの死を予知する方法は、前兆の観察である。たとえば『マハーバーラタ』には、36年の統治の後に皇帝ユディシュティラが悪い前兆を目にした話がある。ユディシュティラは、皇太子パリクシトを王座に就かせ、自分は退いてクリシュナの死を待った。これがカリ・ユガ期の始まりとなり、その後ユディシュティラは死んだのである。

ヴィヤーサは注釈書で、前兆には3種あると述べている。それらは個人的なもの、非個人的なもの、そして神聖なものである。個人的な前兆とは、手で目や耳など体の穴をふさいだ時に、光や音などの生命のしるしを知覚しないことである。非個人的な前兆とは、死の伝言者として働く何かの訪れを感じることである。神聖な前兆とは、天界の存在や神が突然現れることである。このようにさまざまな前兆によって、死が近づいていることを確かめることができる。

## 3.23 親しみ、あわれみ、喜びに対してサンヤマを行うことで、人はそうした力を得る。

このスートラは、スートラ1.33に関連したものである。パタンジャリは1.33で、他人の幸せに対して親しみを持ち、しいたげられた者に対してあわれみを抱き、徳のある人に出会えば喜びを感じ、悪徳な人に出会えば無関心を貫くように説明した。最初に挙げた3つの心情に対してサンヤマを行うことで、確かなエネルギーが生じるとヴィヤーサは言っている。ヴィヤーサによると、無関心はサンヤマの対象としてふさわしくない。それ自体が心情でないばかりか、ヴィジュニャーナビクシュが説明しているように、たとえば親しみのような心情を含むものでもないのである。無関心は、単に他の感情を否定するものであり、サンヤマを行うことは不可能であるし、ここから力が生じることもない。

これ以外の3つの心情に対してサンヤマを行うことで生じる力は、どんな状況であろうと永遠に確立されるものである。ヴァーチャスパティミシュラは、「ヨーギはすべての人を幸せにするために力を得るのであり、生きているものを痛みから救い

出す」と語っている[20]。

　なぜこのサンヤマによって、確かなエネルギーが生じるのだろうか。ヨーガでは、脊柱の基盤にヘビの力、すなわちクンダリーニという形で無限のエネルギー貯蔵庫を持つと考えられている。このエネルギーがどの程度遮断されているかは、それぞれの条件づけによって異なり、それが今度は、どのチャクラが開かれどのチャクラが閉じられるのかを決定する。このスートラで説明しているサンヤマを行えば、過去の痛みによってどの程度の制限を受けるかを決定する条件づけから解き放たれるのである。パタンジャリの述べた3つの場合は過去の条件づけに反応することがないため、このサンヤマを行えば私たちは自由になるのである。こうして、エネルギー源すべてを手に入れることができるのだ。

## 3.24　ゾウの強さに対してなど、どんな形であろうと強さに対してサンヤマを行えば、この強さを得ることができる。

　ヴィヤーサはさらに進んで、ヴァイナテーヤに対してサンヤマを行えば、ヴァイナテーヤの力を得ることができると説明している。ヴィヤーサは、ゾウの力よりもヴァイナテーヤの力のほうが望ましいだろうと考えたのである。ヴァイナテーヤは空腹時にはゾウを1頭食べたというのだから、確かにそうだろう。では、ヴァイナテーヤとは誰なのか。

　「ヴァイナテーヤ」とは、ヴァイナターの息子の意味である。『ガルダ・プラーナ』には、人類の出現のはるか昔に、神々や悪魔たちがその主権をめぐって争っていたとある。そして神はやがて不死の果汁であるソーマを得て戦いに勝ったのである。

　神々の指導者であったインドラは力強く、時に大変利己的で高慢で残酷なことがあった。ある日のことインドラは、ヴァーラキリヤという小さな古代の聖人たちを侮辱した。聖人たちは聖仙カシャパに助けを求めてインドラ神をこらしめようとし、自分たちの力（タパス）をすべてカシャパに注ぎ込んだ。彼は妻のヴァイナターとともに子孫を作り出した。

　500年の後、ヴァイナターは無敵の息子を産んだ。名前をガルダ（ワシの王）といった。ガルダは大変大きく、羽を広げると空を覆って14の世界を揺れ動かすほどだった。死ぬ運命にある肉体を持たず、殺されることはなかった。ガルダは、すべてのマントラの中で最も神聖なガーヤトリー・マントラの振動のパターンを、具現

---

20 J.H. Woods., trans., *The Yoga System of Patanjali*, p.253.

化したものだったのである。ガルダはすべての神々の抵抗に反して天に無理やり進み、インドラと戦って打ち負かし、不死の果汁、ソーマを取り上げた。このガルダの持つ力を、ガルダにサンヤマをすることによって得ることができる、とヴィヤーサは説明しているのである。

このスートラと同様の方法が、今日のNLP（神経言語プログラミング）で利用されている。NLPでは、ある事柄において上達したいと思えば、その分野に熟達している一個人を選び、その人の経験をそのまま真似るように指導する。たとえば作曲家になりたければ、J.S.バッハの経験をそのまま真似るのである。真似ることによって、その人がどのように感じ、何をし、自分自身についてどう考えていたのかに意識を向けることになる。つまり、バッハとは何たるかについて、瞑想するのである。真似るという概念は、揺れる心を持った人がサンヤマに至るためには最も近い道である。真似るとは、心の中に自分の選んだ対象通りの複製を作り出そうと試みることである。その対象のどこかに探している力がある。この場合であれば、J.S.バッハの才能があるのだ。複製をする時にどれほど心の波が揺れているかによって、複製に成功するかどうかは限定されてくる。もちろんこれは、過去の条件づけにどれほど縛られているかに左右される。

サンヤマも類似したやり方で作用する。違いといえば、ヨーギは対象のある（サンプラジュニャータ）サマーディで心が1点集中（エーカーグラ）の状態になっているので、既存の条件づけに限定を受けることなく、J.S.バッハの何たるかを取り込むことができる点である。

力を集積する方法については、サンヤマであれNLPであれ催眠療法であれ、独存（カイヴァリャ）という側面から探究をしなくてはならない。カイヴァリャでは、すべての現象を支える母体（意識）と1つになるため、損得というものを超える。たとえどんなに素晴らしいものであろうと、力は現象である。現象というのは一時的なものであり、私たちを自由に導いてくれるものではない。唯一永遠である神秘（意識）に到達できるという時に、一時的な現象を望むはずなどないのだ。

## 3.25 対象が微細であろうが、隠されたものであろうが、あるいは遠くにあろうが、より高度な認識の輝く光を対象に向けることで、それらを知ることができる。

このスートラは、スートラ*1.36*で説明した実践によって生じるシッディ（力）を定義するものである。*1.36*では、心を清澄にするには心臓にあるさん然と輝く光

集中するようにとあった。

　ヴィジュニャーナビクシュは『ヨーガ・ヴァーティカ』の中で、これは間接的なシッディであり、微細な、隠された、あるいは遠くにある対象に対してサンヤマを行うことによって生じるのではないと説明している。むしろ、所定の瞑想技法を通して、サットヴァ性になった知性（ブッディ）そのものに対してサンヤマを行うのである。このサンヤマを通して、さん然と輝く知性の光が現れる。これが純粋なサットヴァ・グナが現れたものなのである。いかなる対象に向けられようとも、この輝く光が対象を明らかにする。

　この説明は幾分複雑に聞こえるかもしれないが、まさにこのとおりなのである。この仕組みどおりに動いていることは、J.クリシュナムルティなど多くの偉大な師の講話でも明らかだ。目前にあるものが何であれ、クリシュナムルティの知性では1秒もかからず分析されているように思われる。このような師はすべてを知っているのだという誤った考えを聴衆が持つこともありうる。彼らはすべてを知っているのではなく、サットヴァの状態の知性に備わるレーザーのような特質で微細な対象、隠された対象、はるか彼方にある対象を明らかにするため、まるですべてを知っているかのごとく見えるのである。

## 3.26 太陽に対してサンヤマを行えば、全宇宙に関する知識が生じる。

　聖仙ヴィヤーサは、サンヤマを通して見える微細な世界の眺めを数ページにわたって美しく描写している。元来そこは、過去の行為によって生じる気づきのレベルに従って、生命が生息する空間であった。『ヨーガ・バーシャ』（注釈書）の英訳書でこの描写を読むことはできるが、ここでは特に関心を持って触れることではない。シャンカラ、ヴァーチャスパティミシュラ、ヴィジュニャーナビクシュなどの復注釈者が、ヴィヤーサの見る世界空間の様子を確認している、と言うだけで十分であろう。

　20世紀の注釈者の多くは、間違ってこのスートラを空にある太陽を言及するものと解釈してきた。「太陽」という星に対してサンヤマを行うのであれば、太陽の軌道、光度、歴史、性質などについて知ることになり、世界について知ることにはならない。

　多くのスートラは、経験のない人をだますかのような、暗号のような方法で表現されている。スートラとは、指導者が自らの指導を展開していく手引書として作られているものなのである。スートラを暗唱すれば、それまでに探究した膨大な量の

資料が指導者の心の中に呼び起こされるのである。これによって、主要な題材が忘れ去られるようなことは起こらない。今日では生徒も学者も、あらかじめ必要な伝統的ヨーガの訓練を遂行することなく、これらのスートラの意味についてあれこれ推測する。ここでの「ヨーガの訓練」とは、経典を研究し、技法を実践し、実際の体験をし、その内容を伝えられる人から学ぶことを意味する。今日広まっている『ヨーガ・スートラ』にまつわる多くの誤解は、こういう訓練を行っていないために起こるのである。

このスートラを理解する鍵となるのは、すべての世界空間に関する知識を得るために、サンヤマを実践する必要があるのはどういうことかを知ることである。ヴィヤーサは、「太陽の扉の上に」と言っている。これではさしてわからないとは言うものの、空の太陽ではありえないことは理解できる。空の太陽では、粗雑な世界空間の知識が得られるだけで、微細な世界空間の知識を得ることはできないのである。

ヴァーチャスパティミシュラは、『タットヴァ・ヴァイシャーラディー』でより正確な説明をしている。「太陽の扉の上というのは、スシュムナー管の上を意味している」というのである[21]。スシュムナーは、微細な宇宙、小宇宙の軸であり中心である。それは大宇宙におけるメル山（カイラース）と同じ機能を果たすものである。ある神秘主義の考えで言われているように、「上というのは大変低く、内というのは大変外である」。この微細な宇宙の中心に対してサンヤマを実践することで、その広がりすべてを知るようになるのである。ハリハラーナンダ・アーランヤも、太陽の入口とはスシュムナーの入口と同じものを指すという解釈に同意している。特にアーランヤは、魂から上がっていく光り輝く光線がこのサンヤマに使われると説明している。

ヴィジュニャーナビクシュも、太陽の扉はブラフマンの存在する領域への入口、つまりブラフマランドラと呼ばれるスシュムナーの上端を指すブラフマンの扉を指していると言っている[22]。死の際に生命力がスシュムナーの上端から出ていけば、新たな肉体として出現するためにこの世界に戻ってくることはなく、無限の意識と1つになる。つまり、「ブラフマンの領域に入る」のである。

## 3.27 月に対してサンヤマを行えば、星の配置に関する知識が生じる。

ヴィヤーサを含む歴史上の復注者で、このスートラを詳しく説明している者は誰

---

21 J.H. Woods, trans., *The Yoga System of Patanjali*, p.259.
22 *Yogavarttika of Vijnanabhikshu*, vol. 3, trans. T. S. Rukmani, p.123.

もいない。H.アーランヤはここでの「月」は、「太陽」が太陽の入口を意味していたのと同じく月の入口を意味しているのだと解釈している。自己知識を得れば、人生の終末にプラーナは太陽の扉、すなわちブラフマンの扉を離れる。自己知識を得ることがなければ、生命力は月の入口から出ていくのである。アーランヤは、この月の入口を目などの感覚器官であると考えている。感覚器官の穴を通して、私たちは世界、粗雑な世界空間を理解するのである。月は太陽の光を通してのみ知ることができ、太陽が月に光を投げかければ、太陽の道筋を通して輝く意識の光が月の道筋、つまり感覚に投影される。意識の光がなくては、感覚を知覚することはできない。

月の扉（感覚）に対してサンヤマを行えば、感覚を通して知るすべについて、星のようにはるか彼方にあるものですら知ることができるのだ。このサンヤマによって、感覚は遠くにある太陽系のようなはるか彼方にある対象からの感覚入力を集めることにますます熟達するのである。

## 3.28 北極星に対してサンヤマを行うことで、星の運行を知ることができる。

このサンヤマは、直前に説明した月に対するサンヤマの直後に行うべきであるとヴィヤーサは説明している。さらに、「天体の荷馬車（astral chariots）」と訳されることもある天体の乗り物に対してサンヤマを行えば、それについてのすべてを知ることになると付け加えている。シャンカラはこれを占星術に関する知識（天体の連結や対置が生物の未来の好運や不運にどのように影響しているかについての知識）を指すものと理解している。

H.アーランヤはこれを、空の星の実際の動きと解釈している。長時間、北極星をしっかり見つめていれば、星の動きを認識することが可能となる。ヴィヤーサはこのスートラを、天文学および占星術の両方の知識を指すものと捉えている。

## 3.29 へそのチャクラに対してサンヤマを行えば、医学的知識が得られる。

ヴィヤーサは、ヴァータ、カパ、ピッタという3つのドーシャ、皮膚、および血液、筋肉、脂肪、骨、骨髄、精液という7つのダトゥなどが認識されると付け加えている。これらは、古代インド医学体系であるアールユーヴェーダで使われる用語である。

パタンジャリに捧げられた伝統的な聖歌の中で、パタンジャリはヨーガと文法と

医学に関する著者であるという功績で讃えられている。主要医学書である『チャラカ・サンヒター』は、パタンジャリの作品であると考えられているのである。

このスートラでパタンジャリは、いかにして自分が医学の知識を得たかを説明している。彼は何十年にもわたる研究を通してではなく、ただ体の中心に対してサンヤマを行っただけなのである。これによって、体の全体系を理解することができる。ヴィジュニャーナビクシュは、このサンヤマにへそが選ばれたのは、胎児の手足や器官は母親とつながるへそから成長したものだからだと説明している。ちょうど、バナナの木が根にある球根から成長していくようなものである。

へそにとっての球根（カンダ）は、微細な組織の複雑な細部である。ここは、全部で72,000あるナーディーの終結地点であると言われている。聖仙ヴァシシュタは、へそはチャクラが始まるカンダの中心部に当たると指摘している[23]。カンダーサナと呼ばれるアーサナは、両足のかかとを腹部に押しつけることでカンダを刺激することを目的としている。

## 3.30 のどの穴に対してサンヤマを行えば、空腹と渇きがやむ。

西洋医学では、代謝活動とそれに伴う空腹感の増減は、のどに位置する甲状腺に支配されていると捉える。甲状腺機能が活性化している時には、人は空腹を感じ代謝も盛んである。甲状腺機能の活発な人は、大量に食べても体重が増えないことが多い。甲状腺活動が活発でない人は、代謝が遅く空腹をあまり感じないが、少量を食べるだけで体重が増える。正しい位置に対してサンヤマを行えば、空腹とのどの渇きを経験しなくなる。

このサンヤマは究極のやせ「薬」であり、信じがたいほどの商業用途があるはずだ。残念なことにパタンジャリからの具体的な説明はなく、ヴィジュニャーナビクシュは正確な技法は「特別なヨーガのシャーストラ」からか、あるいは指導を行っているグルからしか学ぶことはできないと言っている。

## 3.31 クールマ・ナーディーに対してサンヤマを行えば、完全な堅実性が得られる。

クールマ・ナーディーは特別なエネルギー経路である。ヴィヤーサは、このサン

---

23 Sw. Digambarji, ed. and comm., *Vasishta Samhita*, Kaivalyadhama, Lonavla, 1984, p.20.

ヤマによってヘビやトカゲのような静止、つまり体の静止が得られると言っている。しかし、ヴィジュニャーナビクシュやH.アーランヤはこのスートラは静止した心を言及するものであると解釈し、アーランヤはクールマ・ナーディーは気管支を意味していると解釈している。アーランヤの解説では、呼吸作用を静かにすることによって体が静止するというのである。それによって、心も静止するというのだ。

ヴィジュニャーナビクシュは、このサンヤマは心を落ち着いた状態に導くものであると述べている。彼はクールマ・ナーディー（カメの経路）を心臓に位置する蓮華を意味するものと解釈している。心臓の蓮華は、「カメの形をした」神経の集まりで形成されているからである[24]。これが正しいであろう。ヴィジュニャーナビクシュの解釈によると、このスートラは「心臓の蓮華の外観に対してサンヤマを行えば、心の落着きが得られる」ということになる。心臓と心とをつなげる点で、これはパタンジャリが心の理解は心臓に対するサンヤマから得られると言っているスートラ 3.34 を見据えたものであると言えるだろう。

## 3.32 頭の中の光彩に対してサンヤマを行うことで、シッダを見ることができる。

自由を自ら探求し、その結果他人のために可能な道を描こうと努力をした人間は、解脱によって無限の意識と1つになるばかりか、意図的に再度姿を現し、何度かの具現で大きな教えの体系を形成した。聖仙ヴィヤーサの「姿を現し」「姿を消す」能力は、『マハーバーラタ』の中で何度か言及されている。同様にパタンジャリは、医学に関する指導を行うためにチャラカとして再度出現し、パタンジャリ自身も無限のヘビの具現として知られている。ガウダパーダ、ゴーヴィンダ、シャンカラなどアドヴァイタを継承する師は、ヨーガの師が再び姿を現したものと見られている。

意のままに姿を現すことができる熟達した師のことを、インドではシッダと呼ぶ。このスートラでパタンジャリは、ダルシャナを得ること、つまりこういう人物を見ることについて話しているのである。『プラーナ聖典』には、ヨーギの練習がダルシャナを得る、あるいはシッダの教えを得ることによって、急激に速まるという話がたくさんある。パタンジャリによると、このような機会を得るための方法が、頭の中の光に対してサンヤマを行うことなのである。

ヴァーチャスパティミシュラは、頭の中の光とはスシュムナーのことだと説明しているが、それ以上の説明はない。この光は、クンダリーニがスシュムナーを通し

---

[24] *Yogavarttika of Vijnanabhikshu*, vol. 3, trans. T. S. Rukmani, p.127.

て上昇し、スシュムナーの上端に光彩を作り出す時に生じるものである。この上端とは、頭の中にあるブラフマンの扉である。この光に対してサンヤマを行うことで、神々しい姿を見るのである。たとえば、ゴータマ・ブッダの悟りの際、ミラレパの死の際、ヤージュニャヴァルキヤからガルジ、ヴァシシュタからラーマへの講話の際には、空がシッダ、神々しい人物で満ちていたという話がある。

## 3.33 そうでなければ、光の上昇する輝きから すべてを知ることができる。

　この上昇する輝きとは、人を自由にして解放する識別知を予見することであるとヴィヤーサは説明している。ヴィジュニャーナビクシュはすでに、ここまでに説明のあったサンヤマはすべて、こういう力を使えるようになりたいと願う者だけが実行すべきものであると断言している。解脱のみを望むのであれば、知性と意識の違いに対するサンヤマだけで十分である。このスートラ3.33でパタンジャリは、自己知識を得ればこれらすべての力は自動的に得られると言っている。ここで、砂漠で暗黒の王子がイエス・キリストを誘惑しようと試みたことを思い出すことであろう。ゴータマ・ブッダにも、菩提樹の下でマーラにたぶらかされそうになった似たような出来事がある。

　こうした力は、未熟な実践者を誘惑しかねないわなである。こういう力を身につけて自分のものだと主張するのは、自我の試みなのである。自己知識を得るすぐ前に純粋な知性が認識され、その後で真の自己ではないものとして知性は拒絶されるのである。こうして純粋な知性の認識には、この世のすべての力が含まれている。純粋な知性に固執し、自分自身の満足のためにこれらを使えば、この世の力すべてを所持することができる。この瞬間が象徴されているのは、現れ出た悪魔やマーラがイエスやブッダに世界の帝国すべてを差し出す話である。

　悪魔やマーラとは、自我をたとえたものである。自我には、後もう一歩進んで自己が見えれば、自我は永遠に力ないものとなることがわかっている。神秘主義では、これをたとえて自我の崩壊と呼んでいる。自我は所持する最後の呼び物を演じ、自己知識という太陽が上昇する前に現れる最後の対象との同一化を示す。この最後の対象が、純粋な知性（ブッディ）である。

　自我は、同一化を保ちこの知性を自分のものとして主張すれば、全世界を所有することができると約束する。これは本当である。純粋な知性は、タマスとラジャスの束縛から自由になれば、どんな対象でも貫通することが可能である。しかし、それには相当な代償を払うことになる。もし私たちが同一化を保持すれば、自己知識

も自由も妨げられるのだ。すべてのものとの同一化を明け渡して初めて、無形のもの（意識）を理解することができるのである。

インドの哲学・思想学派の中の細かな違いについて理解するため、以下の補足を付け加えておく。シャンカラは復注書『ヴィヴァラナ』の中で、「ヨーギが自己（アートマン）についてサンヤマを行う時」と言っている[25]。この引用部分により著者がヴェーダーンタを支持していることがわかり、実際シャンカラはヴェーダーンタ支持者である。カピラのサーンキヤ学派を継ぐパタンジャリは、サンヤマをダーラナー、ディヤーナ、サンプラジュニャータ・サマーディを合わせて試みることと定義している（スートラ3.4）。サンプラジュニャータ・サマーディは、たとえば知性のような対象をよりどころとして生じるサマーディであり、そのため「対象のあるサマーディ」と呼ばれている。サンプラジュニャータ・サマーディでは、対象ではなく主体であるアートマンは除外する。サマーディをアートマン（意識）に対して行えば、これは「対象を超えたサマーディ」（アサンプラジュニャータ・サマーディ、あるいはニルビージャ・サマーディ）となる。パタンジャリによれば、ニルビージャ・サマーディをダーラナーやディヤーナと同時に行うことはできない。これらの技法はともに、自我の保持を意味するものだからである。シャンカラのようなヴェーダーンタ支持者にとっては、これは何の問題もない。自我を含めたすべての現象は、唯一の現実である意識に映し出された幻想にすぎないと考えられているからである。

## 3.34 心臓に対するサンヤマを通して、心の理解は得られる。

このスートラでパタンジャリは、自分自身がいかにしてヨーガの知識を得たかを説明している。パタンジャリによると、ヨーガは心のはたらきを静めるための訓練である（スートラ1.2）。この定義において、ヨーガとは主に、意識の中にとどまることに対する主たる障害となる心を扱う訓練であると断言されている。心を障害として経験していない生徒は、意識の科学（ヴェーダーンタ）を直接研究することが可能である。ヴェーダーンタは『ブラフマ・スートラ』の中で、「さて、意識の探究を始めよう（athatho brahmajijnasa）」と始まって説明されている。

始まりを表すサンスクリット語athatoは、この探究に着手するには事前に必要な事柄を満たしておく必要があることを意味するものである。主な必要事項とは、誤った認識がなく、心（チッタ）のはたらきが圧倒的にサットヴァ性であることだ。

---

25 T. Leggett, *Shankara on the Yoga Sutras*, p.336.

これを満たしていなければ、意識の科学に進む準備は整ってはおらず、まずは心の科学であるヨーガを研究する必要がある。意識に瞑想を直接することができない生徒に対して、自由になる機会を提供するのがヨーガなのである。

パタンジャリはこのように『ヨーガ・スートラ』の中で、心を完全に理解していることを示している。このため後に続く師すべてが、パタンジャリのことをヨーガの権威と認めているのである。どのようにして、これほど完全な理解、事柄に関するこれほどまでの知識を得たのだろうか。パタンジャリは、サンヤマの習得を通してこれを得たのである。

パタンジャリの前にもヨーガについての書を記したヒラニヤガルバのような師はいたが、パタンジャリの書いたものがこれらに取って代わった。パタンジャリ以前にはおそらく、サンヤマの技法についてそれほど洗練されてはいなかったのである。

心臓に対するサンヤマを行えば、心（チッタ）を理解し、それとともにヨーガを理解することが可能となる。『マイトリー・ウパニシャッド』には、感覚の燃料が抑えられれば心は再び心臓に吸収されると記されている。心とはそもそも心臓から投影されたものであり、そのため心臓の中に再び吸収されるのである。心臓は心の源である。このため、心臓に対するサンヤマが心を理解するためには必要なのだ。

『チャーンドーギャ・ウパニシャッド』には、「ブラフマンという街の中には、9つのドアのある家がある。この家の中には、蓮華の花の形［心臓］をした小さな祭壇がある」と記されている。この蓮華に対して、サンヤマを行うのである。ヴィジュニャーナビクシュは、心臓と呼ばれる住まいに対してサンヤマを行うことによって、心への直接的な認識（知識）が得られると確認している[26]。ここで考えられる場所は明らかに、粗雑な組織ではなく、中心経路や中核とも言われている心臓に位置する蓮華を指している。

## 3.35 他の目的を果たすための経験は、本来はまったく異なる知性と意識を誤って1つにしてしまうことと定義されている。それ自体のために存在しているものに対してサンヤマを行うことで、プルシャに関わる知識が得られる。

このスートラは難しいが、正確に理解できれば大変有益なスートラである。ここ

---

26 *Yogavarttika of Vijnanabhikshu*, vol. 3, trans. T. S. Rukmani, p.130.

で知性を表すのに使われているサンスクリット語が、サットヴァである。実践、研究、離欲を通して一般的な知性はすべての無感覚（タマス）と熱狂（ラジャス）から解き放たれるはずだ。サットヴァ性になった知性のみが、解脱に適した道具なのである。サーンキヤ哲学では、純粋なサットヴァの状態を示す知性は、根本原質（プラクリティ）から進化した最初の形を示すものである。このため、知性の本来の形はサットヴァなのである。しかし、ヨーガでは汚れないままの本来の自然な状態からの退行と見なされている進化によって、知性は汚され染みをつけられてきた。知性が本来の姿に戻れば、知性と意識の違いに対して瞑想を行うことができる。この瞑想がやがて、解脱へとつながるのである。

　次に、「経験」という言葉の定義が必要である。これにはサンスクリット語のボーガが使われていて、これは「喜び」や「消費」とも訳される言葉である。『ムンダカ・ウパニシャッド』には、同じ生命の木にとまる2羽の鳥の話がある。1羽は木の実、つまり快楽と苦痛の実を楽しみ、「食べて」いる。この鳥は概念的で認識可能な自己中心的な自我であり、インド思想では時にジーヴァと呼ばれるものである。もう1羽は、静かに眺め傍観している。これは本来の姿、意識であり、通常アートマン、あるいはプルシャと呼ばれるものである。最初の鳥は快楽と苦痛の実を食べ、落胆と無知に陥る。しかし、振り返ってもう1羽の至福、真の自己に気づき、自由になるのである。

　概念的で認識可能な自己は、自らがボーガあるいは経験と呼ばれる現象や過程を所有し、蓄積し、消費することができると思っている。真の自己、意識は沈黙の気づきであり、ただ観照しているだけである。この状態が真のヨーガであり、自由である。ボーガとヨーガは、相対するものなのである。一方は損得のゲーム、つまり経験と呼ばれる現象を蓄積したり失ったりするという幻想を信じ、他方は永遠に自由なのである。今や人間の感情の広がりすべてを経験したヨーガ実践者は、渇望してヨーガと意識の経験（ボーガ）を求める。しかし、意識とは経験を超えたものである。なぜなら経験とは、一時的で可変的なものと定義されるからである。しかし意識は永遠で不変であり、経験を超えて実現されるべきものである。それを実現することで、経験への渇望からの自由がもたらされる。どんな経験にもこの渇きを癒すことはできない。それどころか経験は、常に新しい経験を求める新しい渇きを作り出すのである。

　パタンジャリは、このスートラでは経験は見る者のために存在していると説明している。このため見る者は、「深遠な現実」、それより深い層のない現実と呼ばれている。それ自体のために存在しているものとは、『サーンキヤ・カーリカー』ではプルシャ（意識）を指す。意識がそれ自体のために存在するのでなく、何か他のものの

ために存在するのであれば、意識の下に横たわるものより深い現実を提示しなくてはいけなくなる。意識はすでに形のない絶対的なものであり、これは不可能なのである。

それでは、自己という概念を得るために何に対してサンヤマを行わなくてはいけないのか。すでに説明したように、サンヤマとは対象のあるサマーディを含むものであり、パタンジャリの定義によれば対象のあるサマーディはプルシャに向けることはできない。これについてはH.アーランヤも、「プルシャ自体は、サンヤマの対象にはなりえない」と言って確認している[27]。ここでのサンヤマは、知性の創り出したプルシャのイメージ、あるいは概念に対して行われている。「プルシャについての知識という形に対してサンヤマを行うことで、真のプルシャに関する知識が得られる」のである[28]。これで、なぜサットヴァ性の知性のみがこのような探究にふさわしいのかがわかるはずだ。タマスやラジャスによってゆがめられた知性は、決して正しい知識には至らない。ヴィヤーサは注釈書で、意識の考えや概念に対してサンヤマを行うことで洞察力(プラジュニャー)が導かれ、プラジュニャーの対象がプルシャなのであると述べている。

なぜ、これが大切なのだろうか。洞察力(プラジュニャー)も単に、知性の所有物ではないのだろうか。

スートラ2.27からわかるように、洞察力というのは7段階にわたるものであり、識別知(ヴィヴェーカ・キャーティ)の前段階であり、不可欠なものである。識別知というのは、無知(アヴィディヤー)によって引き起こされた病気の状態にある存在を癒す薬であり、健康な状態すなわち独存(カイヴァリャ)へと戻してくれるものである。

識別知は、確かに知性の中に生じるものである。なぜこのようなことが、可能なのだろうか。解脱とは、意識の中にとどまることを意味しているのではないのか。人は識別知を持っている場合もあれば持っていない場合もあり、その時に応じて異なる。それまで知らないことが気づきの前に現れると、それは知性の中に生じる。しかし意識は永遠に気づいていて、不変的なものなのである。

識別知とは、知性を覚醒させる最終段階でしかない。識別知を手に入れれば、知性と意識は一緒に機能する単体を形成するものだという幻想は打ち砕かれる。意識との概念的な結びつきはなくなり、意識だけが光り輝くようになる。これは、意識がまったく変化することなく起こるものである。染みのついた知性と切り離すことによって、意識とは独立した1つのものであることがわかるのだ。このスートラの

---

27 H.Aranya, *Yoga Philosophy of Patanjali with Bhasvati*, p.312.
28 Ibid., p.311.

説明にある、サンヤマを通して得られる洞察力（プラジュニャー）は、この前段階なのである。

## 3.36 そこから、照明智や超自然的な聴覚、触覚、視覚、嗅覚、そして味覚が生じる。

「そこから」というのは、先に説明したサンヤマから、という意味である。これもまた、前のスートラが自己知識について話をしているのではないということを明確に示したものである。こういう力は、自己知識から生じるものではない。自我（私であること）は力に付着し、力を自分の所有するものとして主張する。そのため実際には、こうした力は自己知識の障害となるものなのだ。いかなるものでも自己と同一視すれば、無限の意識という海と1つとなることの妨げとなるのである。

これらの力（シッディ）は、どのようにして生じるのだろうか。最初にある照明智（プラティバー）に関しては、すでにスートラ3.33で説明した。これは、識別知（ヴィヴェーカ・キャーティ）に先立って生じる知性の質のことである。それ以外の5つは、五感が超自然的に発達した形である。サーンキヤでは、感覚と5つの粗雑な要素は、5つの微細な要素（タンマートラ）から投影されるものであると考えられている。タンマートラは、五感と粗雑な要素の微細な本質として捉えることができる。同様にして、アハンカーラつまり自我は、私たちの知る世界の微細な本質として捉ることができ、宇宙の知性は自我の微細な本質として理解することができるのである。

ヨーギがサットヴァ性の知性という段階に到達し、前スートラで説明したサンヤマを実践すれば、人は微細な本質を直接認識することになる。たとえば、ものを見るのではなく、神聖な光（見ることそのもの）を見て、その光とともに見えるものすべてを目にするのである。聞くのではなく、神聖な音と、それとともに聞こえるものすべてを耳にするのである。

ヴィヤーサは、微細なもの、隠れているもの、遠く離れたもの、過去のもの、未来のものなど、すべてが認識されると説明している。また、神話にはこういう力を得た人々に関する話がたくさんある。盲目の王、ドリタラーシュトラがクルクシェートラの戦場を見渡すと、そこには王の息子や親族一同が集まり、殺し合いをしていた。王の御者、サンジャヤは、盲目の王に事の次第を一部始終報告するため、特別素晴らしい耳を授けられた。この新しく授かった能力でサンジャヤには戦場での一部始終を聞くことができ、それを王に伝えることができたのであった。

また、アルジュナがクリシュナに無限の姿（ヴィシュヴァルーパ）を示してくれる

ようにと頼んだ際、アルジュナは特別な目を得たという話もある。次のスートラではさらに説明がある。

## 3.37 これらすべては心のはたらきのための力であるが、サマーディには障害となる。

　超自然力とは最も高次の真実（自己そのもの）を認識する妨げとなるものである、とヴィヤーサは説明している。すべての力は依然として心のはたらきにすぎず、自己の輝きを認識する妨げとなるものなのだ。

　過去と未来をのぞき見ることができれば、他に比べて絶大に有利となる機会を得て、揺らぐ心にとっては大変強力なことのように思われる。しかし、意識の側から見れば、こうした能力はまったく無意味なのである。時間はチッタ（chitta：心）の中に生じる現象であり、アチット（a-chit：無意識）なのである。チット（意識）は時間の形態すべてを同時に傍観し、差し出されたものすべてを知るのだ。

　過去、現在、未来にかかわらず、現象の目的はすべて一致している。私たちが自分自身を無限で純粋な意識として認識するという唯一の目的のため、現象は供給されるものなのである。しかし、力というのは揺れる心にとって超常的なものであるため、私たちはそれに執着してしまい、そのため種子のないサマーディに入るのを妨げてしまう。

　ヴァーチャスパティミシュラは、「時にこういう力に完全に熟達し、その力を持つがために自分の目的は達成されたと思ってしまい、サンヤマをやめる人もいる」と言っている[29]。実際に、ヨーガ実践者がこのような力を習得し、意識を認識するのではなく、こうした力を追求しようとしたため神の恩寵を失ってしまった話はたくさんある。たとえば、起きている状態では物乞いであっても夢の中では億万長者だった人がこのような超自然力を獲得すれば、起きている状態でも億万長者になろうとするかもしれない。しかし、物乞いの状態も億万長者の状態も、起きている状態も夢を見ている状態も、すべては単に不変の意識に気づくために生じた一時的な外観でしかない。もし私たちが何であろうと「所有」してしまえば、種子のないサマーディが生じることはない。このため、こういう状態はすべて、サマーディの障害となるのである。

---

29　J.H.Woods, trans., *The Yoga System of Patanjali*, p.266.

## 3.38 束縛の原因を緩和し、心がどのように動いているのかを知ることで、心は他人の肉体へ入ることができる。

　束縛の原因は無知である。無知から煩悩（クレーシャ）が生じ、煩悩を基盤とする行為が生まれ、新たなカルマ、そしてより否定的な潜在印象（サンスカーラ）が生まれる。これらはすべて、一層の無知（アヴィディヤー）を生み出すものである。アヴィディヤーやそれに関わるすべての不純物は、まずクリヤー・ヨーガ（行為のヨーガ）によって、次にアシュタンガ・ヨーガ（八支則のヨーガ）によって、徐々に取り除かれる。この過程のことを、束縛の原因を緩和すると言っているのである。

　心臓に対してサンヤマを行えば、心がどのように動くかを知ることができる。ヴィヤーサは、ヨーガの力が増大すれば、それまでの行為によって生じた束縛は弱まると説明している。体と心は、潜在印象によって縛られている。対象のあるサマーディによって潜在印象が取り除かれれば、ヨーギは自分の心を体から引き離して別のものに投影することが可能となる。

　偉大なシャンカラが、具体的にどのようにしてこのスートラの内容を実行したかについての話がある。西洋の学者やヴェーダーンタ主義者は、シャンカラを哲学者か、あるいはヴェーダーンタ学者かのどちらかとして考えようとかなりの努力をしてきた。しかし、シャンカラの書物や経歴から考えると、彼は偉大なヨーガの師でもあったと考えられる。シャンカラはウパニシャッドについての正しい理解を復興させるため、2度インドの隅から隅までくまなく歩いて旅し、旅の途中、学問的な議論で何度も敵対する学派を打ち倒している。

　シャンカラの犠牲者となった有名な者の中に儀礼主義者のマンダナ・ミシュラがいる。シャンカラとミシュラは丸1か月におよぶ口論の末、ミシュラは負けを認めてシャンカラの弟子とならなくてはならなくなった。この時、自身も偉大な学者であったマンダナ・ミシュラの妻、バーラティーが中に入って、ミシュラだけでなくバーラティーにも口論で勝たなくては勝ったことにはならないと、シャンカラを説き伏せた。しかし、この挑戦を受けたシャンカラが驚いたことには、新たな議論の題目は性的快楽についての書である『カーマ・シャーストラ』だったのである。少年期からずっと僧であったシャンカラは、この挑戦を受けて立つには準備不足であることを認識し、議論を1か月延期することを要求した。

　シャンカラは、付近の王国では王が亡くなったところであり、その日火葬されるところであると聞いていた。シャンカラは弟子に、自分のいない間、意識を失った自分の肉体を見ているようにと指示し、『ヨーガ・スートラ』に記された方法で自分

の肉体から心を引き離し、それを死んだ王の肉体へと投影したのである。王の肉体はシャンカラのプラーナ・シャクティで生気を与えられ、それとともにシャンカラの肉体は死んだものとなった。1か月の間シャンカラは王の肉体で、僧であれば普通学ぶことのないようなことを王の妻とともに「学習」した。想像に難くないように、この背後にある理論は、自分自身の肉体を使っているわけではないので、シャンカラは何ら「汚される」ことはないというものである。自分の使命を果たしたシャンカラは自らの肉体へと戻り、新たに得た知識を使ってマンダナの妻を論破したのであった。

この話は、シャンカラの生涯を説明するものから省かれていることもある。正統派の筋金入りのヴェーダーンタ主義者の中には、この話が信奉者の心に混乱を招くのではと恐れる向きがあるからだ。この話が興味深いのは、偉大なるシャンカラがパタンジャリの技法の実践に成功しているという歴史的証拠となる点にある。

## 3.39 ウダーナの流れを支配すれば、水、泥、とげに煩わされなくなり、死の際には上方に昇る。

生命維持のために必要な主要な気は5つある。ヴィヤーサはそれを次のように説明している。プラーナは、鼻から心臓へと伸びている。サマーナは食物を分配して、へそまで進む。アパーナは、へそから足まで下がっていく流れである。ヴィヤーナは、体中を広く行きわたる。そしてウダーナは、足から頭まで伸びる上向きの流れである。これらすべてが、プラーナなのである。

上向きの流れであるウダーナを支配することで、軽さが得られる。この軽さは2つの方法で表される。1つには、ヨーギが泥、水、とげの上を移動するにあたり、普通であれば中に浸って絡み合うはずが、まったく接触を持たなくなるのである。つまり、ヨーギは上を浮遊するのである。現れる2つ目の形は、ウダーナの流れの終結点、つまりスシュムナーの上端のブラフマランドラに関連するものである[30]。ウダーナを支配することによって、人は死の折にブラフマランドラから肉体を抜け出させるのである。抜け出る地点は、次の世において出会う具現の種類に関連する。ヴィヤーサは、この技法によって人は意のままに死ぬことができると述べている[31]。この主張は、自分の仕事を成し遂げれば意識的に肉体を離れるという師の説明と一致するものである。

このように死の際に上昇することは、『ナーローパの6つのヨーガ』の1つである

---

30 *Yogavarttika of Vijnanabhikshu*, vol. 3, trans. T. S, Rukmani, p.151.
31 H. Aranya, *Yoga Philosophy of Patanjali with Bhasvati*, p.315.

ポワの瞑想を通して施行することもできる。チベット仏教カルマ・カギュ派は、カイラース山の周りで展開してナーローパのヨーガを実践していた。カイラース山に住んでいたラーマモーハン・ブラフマチャーリは、トゥンモ（内在する火のヨーガ）など、ナーローパのヨーガの技法のうちいくつかをT.クリシュナマチャリヤに指導したのである。

## 3.40 サマーナの流れを支配すれば、光彩が得られる。

ヴィヤーサが前スートラについて説明しているとおり、サマーナの流れというのは食物の分配に関与するものであり、へそに位置する。つまりサマーナは、消化の火であるアグニを燃え立たせ擁護するものなのである。アグニを直接操作することはできないが、サマーナを通して指示することは可能である。

このスートラでは、これを極端に行えばヨーギの体は光り輝くと言っている。暗い森で、自分の体をたいまつのように利用したというヨーギの報告もある。これも『ナーローパの6つのヨーガ』に関連するものであり、この場合はトゥンモ、つまり内在する火のヨーガに関わるものである。火が光を作るために使われる場合もあれば、熱を作り出すために使われる場合もある。チベットで指導されるトゥンモでは、ヨーギは体の周りの直径数メートル以内にある氷を溶かす練習をする。

## 3.41 空間と聴覚の関係に対してサンヤマを行えば、神聖な聴覚が得られる。

神聖で特別な聴覚に関しては、スートラ3.36に説明があった。そこでは神聖な聴覚は、サットヴァ性の知性の中に生じる意識（プルシャ）のイメージにサンヤマを行うことによって生じるとあった。ここでは、同じ目的を達するために、よく似てはいるが若干異なる技法を用いる。

ヨーガでは、空間は音の波が伝わる媒介である。サーンキヤでは、空（アーカーシャ）は粗雑な要素（マハーブータ）であり、聴覚とともに音という微細な要素（タンマートラ）から発達する。つまり空間と聴覚は、源である音という微細な要素に依拠しているのである。空間と聴覚などのように、2つの対象の関係に対してサンヤマを行えば、2つに共通する源についての認識が生ずることになる。この場合、空間と聴覚に対してサンヤマを行うことで音という微細な要素が現れ出るのである。微細な要素が認識されれば、神聖な聴覚を発達させることが可能なのである。

## 3.42 空間と体の関係に対するサンヤマを行うか、あるいは綿の繊維のように軽さという質を持つ対象に対してサマーパッティを行えば、空間を移動することが可能になる。

　空間と体の関係とは何であろうか。体は4つの要素から成り立っているが、これら4つの要素が具現化するには空間が必要である。空間がなければ、出現はありえない。ヴィヤーサは、この2つの関係について、空間とは体に行きわたるものであると書いている。この関係についてサンヤマを行うことで、意のままに体を空間の中に配置する能力が得られるのである。

　すべての対象は、振動パターンで成り立っている。ヨーガでは、たとえ人間の耳に聞こえない振動であっても、これらのパターンを「音」と呼ぶ。H.アーランヤは、体に行きわたる耳に達しない音（アナーハタ・ナーダ）に対してサンヤマを行うと言っている[32]。耳に達しない音とは、もちろん聞こえない音のことである。アーカーシャ（空）は音の伝わる媒介であり、体に行きわたる音、あるいは振動パターンを解くことで、肉体を望む空間に置くことができるようになる。

　軽さという特性を持つ対象に瞑想することでも、同様の結果が得られる。これは今日、NLP（神経言語プログラミング）でも利用されている。たとえば、特定の運動選手のような能力を発揮したいと思えば、完全にその運動選手に集中し、それによって運動選手の体験すべてを複製するのである。何らかの行為を遂行できるのは主として、この能力を私という感覚（アハンカーラ）と結びつけるからなのである。自分の取り組んでいることが成功すると信じていれば、そのとおりの結果を残す傾向にあるというのは、よく知られた話である。この傾向は、自分自身について無意識に持っている信念を催眠状態で変えることによって、大いに高められる。サンヤマは、これよりもさらに効果的である。というのもサンヤマでは自覚的に、好ましくない潜在印象（サンスカーラ）を望むものに変えるからである。

## 3.43 「大脱身」とは粗雑な肉体を離れ、想像を超えたところで機能する技法である。大脱身を遂行することで、輝きを覆っていたものは壊される。

　これはより高度な瞑想技法である。西洋人が持つ瞑想についての概念とは、仏教

---

32　H.Aranya, *Yoga Philosophy of Patanjali with Bhasvati*, p.318.

のヴィパッサナー瞑想と日本の座禅に強く影響を受けたものである。これらの瞑想形態での主要な技法は、呼吸であろうと精神的活動であろうと肉体的感覚であろうと、起こっていることに敏感になり単にそれを見つめるというものである。『ヨーガ・スートラ』でいう瞑想を理解するためには、これらの概念を横に置かなくてはならない。

　チベット仏教やタントラと同様、アシュタンガ・ヨーガでも瞑想についてのもっと精巧なシステムを提案しており、その技法においては、どこから始めるかによっては、ずっと迅速に結果が現れると主張される。112種類の瞑想技法を集めた『ヴィジュニャーナ・バイラヴァ』では、夢であると思って毎日の生活を眺め、起きている状態だと思って夢の中で行動することを提案している。この技法の目的は、夢も起きている状態もそれ自体は現実ではないが、深遠な現実、つまり意識という第3の状態に持ってくることができることを認識することである。

　また『ナーローパの6つのヨーガ』では、幻身のヨーガと呼ばれる技法が紹介されている。その中では「粗雑でカルマのある人間の肉体の中には、人間の執着と混乱に隠されたブッダの体にある純粋なる本質がある。幻身のヨーガのサマーディを実践することで、これらの執着と混乱が徐々に取り払われる。その結果、輪廻にかかわるプラーナ、ナーディー、ビンドゥが浄化される」と指導されている[33]。本スートラは、これと同様の観点から理解すべきものである。タントラ、アシュタンガ・ヨーガ、チベット仏教の3体系はすべて、オカルト的で神秘的、錬金術的で呪術的、そして変容力を持つ技法を用いるものである。この点では3体系には相通ずるものがあり、より合理的で知的な体系であるヴェーダーンタ、サーンキヤ、上座部仏教、禅仏教とは異なる。次に述べることは、チベット仏教徒やインドのタントラ行者には通ずるものがあっても、ヴェーダーンタのスワミやスリランカの仏教徒にはごみのような呪文にしか聞こえないということが、これでわかるはずである。

　このスートラは、マハーヴィデハ（つまり「大脱身」）と呼ばれる技法を説明するものである。この技法によって心を肉体から離して投影し、自分自身がどこか別の場所にいると想像するのである。これを達成し、なおかつ自分の粗雑な肉体を認識していれば、これが想定（カルピタ）と呼ばれるものである。投影された肉体が完全に確立され、粗雑な肉体から独立すれば、これは非想定（アカルピタ）あるいは現実と呼ばれる。まずカルピタを練習し、次にアカルピタへ移る。これが完成されれば大脱身となる。

　幻身のヨーガで、自分の想像によって作り出された肉体を投影するのである。そ

---

33　G.C.C.Chang, trans., *Teachings and Practice of Tibetan Tantra*,. 87.

して『ヴィジュニャーナ・バイラヴァ』に従って、現実ではない（夢である）とわかっているものを現実として仮想上受け入れるのである。これによって、粗雑な肉体や目覚めの状態に執着したり、これらと自分を同一視することがなくなる。執着は、自我（アハンカーラ）によるものである。「私は体である」と信じているために、自分自身が意識であることを認識できずにいるのである。

　ヴィヤーサは、この実践によって煩悩、カルマ、そして3段階あるカルマの成果を減少することができると説明している。また、心の中でサットヴァ（知性）を覆っているタマス（無感覚）やラジャス（熱狂）を排除するとも述べている。このようにして、仏教書でも言われているように「執着と混乱」が減少して「プラーナ、ナーディー、ビンドゥが浄化される」のである。

## 3.44　要素は、粗雑、本質、微細さ、内在、目的という5つの特性から説明することができる。5つの特性に関して連続してサンヤマを行えば、要素を支配することができる。

　このスートラに関する復注書の著述は、かなり広範にわたるものである。インドの古代の賢者たちが、これほど正確で綿密に本質と経験について分析しているのは驚きである。現代人は自分たちが科学や思想を発明し、私たちの祖先のことを野蛮人だと思っていることを考えると、特に興味深い。

　要素を描写する5つの特性とは、以下のとおりである。

・粗雑さとは、感覚で認識できるもの、たとえば対象の形、あるいは対象が音、光、水のどれであるかということである。
・対象の本質とは、たとえば水が液状であること、地が障害物となること、空気がガス状であることなどである。
・要素の微細さとは、その微細な本質（タンマートラ）のことである。特定の要素のタンマートラとは、その要素が認識できる中で最も微細な形態を言う。それはサマーディの中で認識することができ、自我（アハンカーラ）と知性（ブッディ）の状態にまで至ることが可能である。しかしその形態ではもはや、特定の要素に関連づけられることはない。そのため、タンマートラは要素の本質であると言われているのである。
・内在（inherence）とは、要素の中に現れるサットヴァ、ラジャス、タマスという特質（グナ）の組み合わせのことである。すべての要素はグナの組み合わせでできており、深い瞑想ではそれがわかる。

・要素の目的とは、第1には経験の機会を提供するためであり、第2には快楽と苦痛を十分に経験した後に解脱を提供するためである。

ここで説明されている瞑想技法は、要素の核心に達するまで続けてより深い層に押し入っていくものである。たとえば水を例に考えてみると、まず外的形態、すなわち水に対するサンヤマを行う。次に水の本質、すなわち液状であることについてサンヤマを行う。次のサンヤマは、サマーディを通してのみ認識可能である水の微細な本質（アプ・タンマートラ）について行う。4番目のサンヤマは、水を構成するグナの組み合わせについて行う。この場合の水は、大変流動的であり、他の対象を包み込むことができるため、ラジャスの割合がタマスより高くなっている。最後のサンヤマは、最も重要である。対象はそれ自体で存在するものではなく、対象の目的は意識をもたらし、質の高い気づき（つまり経験）と、それ自体について知る能力（つまり解脱）をもたらすことであると認識するのである。

このスートラでは最後に、このようにサンヤマを行えば、要素を支配することができると記されている。要素の支配というのは目的を達成すること、つまり何のためにここに存在するのかを認識することである。

## 3.45 こうしてサンヤマを行うことで、8つのシッディが得られる。これらは、要素の特質によって妨げられるものではない。

ここで言及されている8つのシッディとは、
・微小になること
・軽くなること
・大きくなること
・はるか遠くまで到ること
・物質を貫通できること
・選んだものの姿を現すこと
・外見を操作できること
・望みをすべて果たすことができること（全能）
である。

これら8つのシッディが、要素によって妨げられることはないと言っているのである。実は最後の3つのシッディは、要素を自由に操ることも含んでいる。しかし、ヨーギはこの力を使ってこの世界を変えることはないし、それは不可能だとヴィ

ヤーサは言っている。なぜなら、最初からこの世の要素の秩序は決まっているからだ。それを最初に決めた完全な存在というのは、もちろん至高の存在である。つまり、要素を通してこのような力が妨げられることがないとしても、至高の存在によって確立された秩序による妨げは受けるのである。

## 3.46 肉体の完成とは、美しさ、力強さ、優雅さ、そしてダイヤモンドの堅固さである。

　ヴィヤーサは注をつけるのではなく、肉体の完成とは美しさ、輝き、最高の力強さ、そしてダイヤモンドのような堅固さであると言ってスートラを繰り返している。シャンカラとH.アーランヤは、ともにヴィヤーサのコメントに注をつけてはおらず、ヴァーチャスパティミシュラとヴィジュニャーナビクシュは単にヴィヤーサの言葉を繰り返している。つまりそれは、事実上パタンジャリの言葉を繰り返しているということである。195あるスートラのうち、権威ある注釈者たちがまったく注をつけようとしなかった唯一のスートラが、このスートラである。
　誰も解説をしなかったのは、肉体は具現化された自我であると見なされているからである。肉体を完成させれば、それはただ自我を完成させたことにすぎない。解脱の原因となるものは、自我や体との同一化を解き放つことである。注釈者たちが黙っているのは、体の完成を追い求めるという誤った道へ生徒を導きたくないからなのである。

## 3.47 知る過程、本質的な性質、自我、内在、目的に対してサンヤマを行うことで、感覚の支配を得る。

　このスートラは、スートラ3.44に関連するものであるが、ここでは知る過程、つまり認識の過程が対象となっている。
・最初のサンヤマは、知る過程に関して行う。これはたとえば、視覚について考えることである。光線は対象によって反射され、その光線を目が集めて心に伝え、似たような対象について集められたそれまでのデータと比較をする。知る過程には、対象が提示されること、目や耳などの感覚器官、そして対象を認識する心が関わる。
・本質的な性質というのは、知性／知能のことである。ヴィヤーサによると、提示されたものは何でも照らし出すのが知性の性質なのである。不思議なことに、対

象に光を投げかけるという性質がなければ、何も知ることはできない。そのため、本質的な性質と呼ばれているのである。知性は明かり、暗がりの中でのたいまつのようなものである。スイッチを消せば、対象、目、心が依然としてそこにあっても、見ることは不可能なのである。
・自我は、認識を所有する主体である。知性が純粋に知ることであるのに対し、自我は、知るのは私である、私がこの対象を認識していると主張する。この所有者がいなければ、そこで認識が行われても、認識する人が存在しないことになる。
・内在とは、ここまでで説明した局面すべてに存在するものである。知る過程、知性、自我はすべて、ラジャス、タマス、サットヴァというプラクリティの3つのグナで形成されている。つまり内在とはグナのことである。
・スートラ3.44にあったように、最後のサンヤマは目的に関して行う。ここに認識の目的があるのだが、とはいえこれは3.44にある目的と同一のものである。世界の目的は見られることにある。認識の目的は見ることにある。これらはともに、知性が主体の存在つまり意識を推定するためのものである。そこからやがて見る者は、本来の自分の姿つまり意識にとどまり、そこに身を任せる。この状態が独存（カイヴァリャ）である。

感覚の支配とは、自分自身を外に投影する過程の逆である。一般的プロセスは、自分自身を知性、自我、そして知る過程を通して外に投影し、次第に自分自身を家、車、社会的地位、あるいはヨーガのポーズを克服する能力などの対象と同一視していくものである。この過程は進化とも呼ばれる。

この逆が退行であり、常態から本来の状態へと導くものである。本来の状態では、知る過程を通して自身を外に向けて投影するのではなく、自分自身を意識として知る。ここで言う感覚の支配とは、永遠の自由と無上の喜びは内側にしか見つけられないということを認めることであり、感覚を欲望の対象に向かわせてそれをつかみとることではない。

## 3.48 そこ（感覚の支配）から、心が動くように速く体を動かす能力、肉体からの独立、そして出現の原因の支配が生じる。

心が動くように速く体を動かすというのは、自分をどこに投影しようと、そこに自分がいることを意味する。ヴィヤーサのような古代の師たちは、この技法を証明してきた。

肉体からの独立とは、普通であれば肉体を必要とする行為を、肉体を用いることなく行う能力を指す。つまり心を投影し、そこから体を出現させるのである。これについては、スートラ4.4でより詳しく述べる。

　出現の原因とは、根本原質(プラクリティ)である。しかし、その出現と同一化するのは、自己知識なしに、また自己想起なしに私たちが出現を観察するからなのである。自分は世界なのだという誤った考えを(サンヤマを通して)捨て去れば、プラクリティが出現することはなくなる(他に対しては出現するかもしれないが、少なくとも自分に関しては出現することはなくなる)。これが出現の原因の支配である。支配とは、気まぐれに創造を操作することではない。それでは、この世界ですべきことがあると示しているようなものだからである。この世界を操作する必要があるというのは、自己知識の欠乏により誤って現象を所有しようとすることにほかならないのである。

## 3.49 知性と意識の違いを知ることで、すべての存在の状態を統治し、全知を得る。

　これは、第3章の中で鍵となるスートラの1つである。これまで見てきたことはすべて、知性を浄化し強力にすることを目的としてきた。ついに知性は純粋にサットヴァの状態(サットヴァ・グナの純粋な出現)となり、つまりは叡智であり知性になったのである。このような知性の中で、やがて質の高い気づき、すなわち観照者は知性の中に存在するものではなく、別のもっと深い層(あるいは実体)なのだということが理解できるようになる。この2つの主な違いは、知性は揺れ動くものであるという点にある。知性は対象に気づくこともあれば、そうでないこともある。しかし、意識は永遠に変わることなく、純粋な特質のない気づきなのである。

　知性と意識の違いを知ることで、無上の全知が得られる。

　全知とは、知るべきことすべてを知っていることである。知性との同一視をやめれば、意識という本来の姿に身を任せることができる。意識の中に休まれば、世界を知ることが可能となる。これは、世界は意識による観照を通してのみ生じるものであり、意識が自らを認識するという目的のために生じるものだからである。つまり、すべての現象に内在する本質とは、ただ意識に関する知識を提供することなのである。この知識が得られれば、すべての現象に内在する本質を理解することができるのだ。

　すべての存在の状態を統治できるのも、同様の理由からである。すべての存在の状態は、最も大きな苦痛を味わうことから世界最強の支配者になることまですべて、

経験をする人は経験の内容（現象）と同一化するという点で同じものである。すべての現象は揺れ動くものであり、このため経験をする人は不変ではない。このようなすべての存在は、1つの死から別の死へと移っていくものであるとも言える。この死において自己知識を得ず、依然として肉体と同一化しているため、真実を見るまでは次の死（そして生）が与えられねばならないのである。

　これらの存在の状態すべてに勝っているのが、自己を永遠で不滅の意識として認識している状態である。この状態では、人は死の折に肉体から離れる。ちょうど、熟した果物がつるから落ちるようなものである。意識とは永遠のものであり、このような人は不死であると言われる。ヨーガでいう不死とは、肉体のない状態を指す。生まれしものはすべて、死ななくてはならない。なぜなら誕生は、死という種子も持ち運ぶものだからである。つまり、不死とは二度と生まれ出ないことを意味するのだ。

## 3.50 統治と全知に対してさえも最高の離欲を行うことによって、未来のカルマの種子は破壊され、その結果独存が得られる。

　先のスートラで説明した統治の状態は、自由になるためには明け渡されねばならない。力に固執していれば、自我が生じて力を持っているのは自分であると主張する。このように一時的なものと結合すれば、条件づけられた状態へと再び陥る。知性自体が永遠のものではないため、すべての力も知識も一時的なものなのである。

　ヴィヤーサは、この最高の離欲（ヴァイラーギャ）がどのようにしてもたらされるのかを説明している。ヨーギは、識別知は確かに知性の中に生じ、知性の所有物であることを理解している。つまり知性は、揺れ動き変形するものであって、単なるグナの出現にすぎない。パタンジャリは、知性をサットヴァであると呼ぶことでこれを表している。サットヴァとは、3つのグナのうちの1つの名前であるにすぎない。グナは、無知のためにこの世を出現させたのだということを、ヨーギはわかっているのである。こうして、識別知は無知（アヴィディヤー）から始まった長い鎖の最後の輪であると見なすことができるのだ。

　これが理解できれば、意識は永遠で不変で永久に自由であり、識別知や知性があろうとなかろうとまったく影響を受けることはないことが、ヨーギにはわかるのである。これを認識することで、知性からの完全な離欲が生じ、意識と条件づけられた存在の間にあった幻覚の鎖が断ち切られるのである。

　知性からの離欲とともに、いかなる意味においても主体、つまり自分が行為を行

う人なのであるという幻覚がすべて崩壊する。これに続いて、将来のカルマと輪廻の種子が崩壊する。こうしてすべての足かせと束縛が崩壊することで、宇宙の意識という状態、つまりカイヴァリャが起こるのである。

## 3.51 天人からの招待を受けても、高慢さや執着を生み出してはならない。再び望ましくない結果をもたらすことになってしまうからである。

　ヴィヤーサによれば、ヨーギには4つのタイプがある。まず、実践をはじめたタイプであり、こういうタイプのヨーギにとって光はまだ現れ始めたにすぎない（スートラ1.36）。第2のタイプは超考察（ニルヴィチャーラ）のサマーパッティを達成し、それによって真実を含んだ知識を受け取っている（スートラ1.48）。第3のタイプは要素と感覚を支配しているが依然として実践を続けており（スートラ3.44、3.47）、第4のタイプは実践を超越して解脱へと近づいている。

　これら4種類のうち最初のタイプは天人にとって何の興味もないものであり、逆に3番目と4番目は手の届くところにはない。しかし、第2のタイプは天人からの注意を引くものである、とヴィヤーサは述べている。天人は、肉体的不死、従順な乙女たちによる奉仕、半人半獣の森の精、宇宙船、望みの叶う木、そして透視力や透聴力を差し出してヨーギを誘惑しようとする。さらに偉大な師と出会うことを約束し、強固な体を与えたりもする。天人は、これらすべては実践によって正当に得たものだと言うことだろう。問題は、このような申し出を受けることによって、新たに獲得したものへの高慢さと執着とが生まれることである。これらはあっという間に実践で得た功徳を消耗し、人を無知と暗黒へと再び陥れるものなのだ。

　これら天人は、自分たち自身が快楽に執着しているために死への毒牙にあることを認識しておく必要がある。ヨーギは、自由を得るためにはこれらの招待から距離を置く必要があるのだ。

## 3.52 瞬間とその連続に対してサンヤマを行うことで、識別から生まれる知識が生じる。

　原子が物質の究極の微粒子であるように、瞬間（クシャナ）は時間の究極の微粒子であるとヴィヤーサは説明している。彼はまた、瞬間とは空間のある1点から隣接した点まで原子が移動するのに要した時間であるという、第2の定義もしている。
　このような瞬間の連続的な流れを観察すれば、これがクラマつまり瞬間の連続で

ある。しかし、こういう連続は瞬間の蓄積ではない。実際、ある瞬間が次の瞬間に変わり、また次の瞬間へと変わるのである。私たちはいつまでも、ただ1つの瞬間を観察しているのである。1時間であるとか1日であるとかの概念は時間の観念を与えてくれるが、実際には時間などない。時間とは、時々刻々というものを理解できない心が構成した概念にすぎない。誰も未来や過去を見たことはなく、ただそこには現在がずっとあるだけである。心は、なぜある対象については認識できないのかを理解しようとするため、未来や過去という概念を発展させているのである。

　そういう対象は、思い出せない過去に消えてしまったか、あるいはより一層捉えどころのない未来から現れると主張されているのだ。何事もすべてが、あらゆる方向に同時に存在している。現象が出現し、そしてこの瞬間に潜在的な状態へと戻っている。何事も、過去や未来に起こったことはない。私たちの精神的活動では、すべてが現在に起こっていることなのだと理解することができないため、時間という概念を持ち始めるのである。しかし、時間とは心の中だけで存在するものである。世界を理解することができないため、次々起こる現象を整理するために使う技術なのである。

　臨死体験をしたことがある人は、一瞬にして自分の人生が過去を映し出すのを見たと報告している。死にあたって心が静止するため、こういうことが起こるのだ。そして再び転変するまで意識の中に休まるのである。意識という点から考えると、人生はそのまま全部一瞬の中で同時に起こっていると言えるだろう。

　瞬間を切り取り、後ろを振り返れば、いつもそこにあって決して変わることのなかったものが自分の中にあることに気づく。私たちが若かりし頃には大昔のもののように見え、若さによって変えられることのないものに思われる。年老いたときには、この自身の同じ側面が突如として若々しく感じられ、時間を超越しており、時間の経過と呼ばれるものに何ら影響を受けていないように思われるのである。私たちがもつこの側面が、本来の姿つまり意識である。意識には過去も未来もない。誕生と同時にそこにあり、若かりし頃も、熟年期にも、死の際にもそこにあるのだ。同様に、川の流れは源にも、山にも、平原にも、そして河口にもある。川が源から河口へと流れるのに、時間を費やしているわけではない。川はすべての場所に同時に存在しているのである。同様に、誕生から死に至るまでに意識は時間を費やしているのではない。すべては一瞬に起こるのである。

　1つの瞬間から次の瞬間に移る時を連続と呼ぶ。瞬間の連続は、ヴィヤーサによれば時間になるものではなく、ただ現在の瞬間が永遠にあるだけだ。しかし、それぞれの瞬間はお互い異なる。なぜならプラクリティの集合体すべては、不断の流れの中にあるからである。

瞬間と瞬間の連続に対してサンヤマを行えば、識別から生まれる知識が生じる。これは、このサンヤマが揺れ動くものすべてに光を当てるからである。揺れ動くものはすべてプラクリティの産物であって、私たち自身ではない。つまり、プルシャ（意識）という私たち本来の姿ではないのである。このサンヤマでは、永遠であるものはすべて、一時的であるものから浮き上がる。こうして識別が起こるのである。

## 3.53 これにより、種類、特質、空間での位置が同一である2つの対象を識別できるようになる。

経験した瞬間の連続の中で、すべての対象は、たとえ他の対象が同じ機能を持ち同じ場所に存在しているとしても、その対象とは異なる変遷の歴史をたどっている。瞬間の連続に対してサンヤマを行うことで、このような違いが認識される。

このスートラでは、まったく同一である2つの対象ですら、ヨーギには識別することができると言っている。2つのまったく同じ対象、たとえば同じ種類のコイン2枚を目隠ししたヨーギの前に置き、その後対象物の位置を変えたとしても、ヨーギにはどちらの対象がどちらの場所に置いてあったかを識別することができるのだ。

これが可能なのは、2つの対象は表面的には同じに見えても、異なる変化の歴史をたどってきているからである。たとえばAという対象は最初1という位置にあり次に2という位置に置かれたが、Bという対象はまず2の位置にあり、その後1の位置に変わったのである。

## 3.54 識別知があれば、人を超越させることができる。識別知とはすべてに対する理解力があり、時間を超えたものである。

ヨーガ実践者は皆、条件づけされた存在という海を越えられるようにならねばならない。これは、指導者による指導の中から集められるものではない。このため、熟慮に関しては常に3段階が言及されている。

・シュラヴァナ―経典に従って真理を解説する指導者の言うことを聞くこと。指導者が自分自身の真実を作り上げるのではなく、文字どおり何百世代にもわたる師たちの教えと一致していることが大切である。

・マナナ―真理に関して熟考し沈思すること。疑念も奨励される。確信が持てない場合は、指導者に尋ねることである。信じることで満足してはならない。完全に確信が持てて初めて、次の段階が起こる。

・ニディディヤーサナ―真理を認識し、永遠にその中にとどまること。

　この最後の段階に至って初めて、真理が自分のものとなる。単に聞き、読むだけでは十分ではない。
　「すべてに対する理解力がある」とは、この知識に隠されているものが何もないということだ。「識別知」とは、異なるもの、つまり意識に気づくことを意味する。この気づきがあれば、意識に起こることすべてを知ることになる。意識以外に現象の生じる実体はないので、生じることすべてを知るのである。つまり、すべてに対する理解力が生じるのだ。
　「時間を超えたものである」というのは、この知識が時間の中には生じないことを意味する。これは、現象と現象の起こる入れ物とを区別する知識である。時間とは、この入れ物の中で起こる現象にすぎない。すべての現象は、この気づきとともに同時に起こる。識別知はマナス（マインド）を超えたものであり、ブッディ（知性）によってのみ得ることが可能なのである。

## 3.55 知性が意識と同様に清浄になれば、解脱へと導かれる。

　このスートラは、知性の重要性を指摘している。意識は永遠に自由で活動をするものではなく、解脱においても何の役割を果たすこともない。これは、『サーンキヤ・カーリカー』でも述べられていることである。意識（プルシャ）は決して縛られることはなく、永遠に自由であり、そのため解脱することもありえない。同様に、同書においては、意識は傍観者のようにすわってただ見ているだけである、と書かれている。無自己状態において解脱（と束縛）を提供するのは、プラクリティなのである。プラクリティの持つこの無自己の役割が、後のタントラ哲学における母なる女神、シャクティの概念をもたらした。またタントラ哲学では、意識はシヴァと考えられている。
　意識の清浄さは、それに投影される現象を通しても染みをつけられないことにある。心は、煩悩（クレーシャ）、無知（アヴィディヤー）、業（カルマ）などの現象に汚されるため純粋ではない。これらの現象は印象（サンスカーラ）を残し、印象は以前に得た条件づけに従って行動するよう私たちに強要する。このため心は自由ではないが、意識は自由なのである。
　ここでもパタンジャリはサットヴァという言葉を、知性を表すのに使用している。これは、ヨーガの実践を通してタマス（無感覚）とラジャス（興奮）の痕跡がすべて取

り除かれ、純粋な知性の状態へ到達したことを意味している。この状態では、すべての思い違いは正しい知識、つまり理法（リタ）に置き換えられる。

　こうして物事をありのままに認識できるようになると、これ以上煩悩が起こることもなければ未来のカルマが蓄積されることもない。知性が意識の本質を理解できるのはこの状態の時だけであり、プラクリティの諸側面への執着も同一化も捨て去られる。こうして自己は、それ本来の状態の中に安住するのである。

# 第4章　独　　　　存

仏教の唯識論や空性論における心や対象の捉え方を批判しつつ、ヨーガ哲学におけるプルシャ（見る者）とプラクリティ（見られるもの）の二元論の立場とその特徴を明確にする。そして見る者と見られるものとの結合を離れた「独存」と呼ばれる境地について述べ、『ヨーガ・スートラ』を締めくくる。

## 4.1 超自然力は前世の行い、薬草、マントラ、苦行、サマーディから生じうるものである。

こういう力がどのようにしてサマーディから生じるかについては、第3章で述べた。同じ力を他の方法でも取得することができるが、その場合はヨーガではない。サマーディ以外にこのような力を蓄積する4つの方法を、パタンジャリは低い形態から順に列挙している。

最初の方法は、誕生を通して力を得る方法である。誕生時に、特別な才能を示す子どもがいる。これに関しては、前世でその力を得ていたと理解するほかない。4歳にして素晴らしい音楽的才能を示したモーツァルトも、この分類に入る。

力を得るもう1つの方法が、薬草、薬品、薬物を用いる方法である。ヴィヤーサは取りあえず、これは悪魔の住みかで使われる方法であると言っている。H.アーランヤは、肉体を離れることのできる魔女の薬について言及している[1]。シャンカラは、『ヴェーダ』で言及されている薬で、デーヴァ（神々）が不死を得たというソーマ酒について書いている[2]。R.G.ワッソンは興味深い研究について出版しており、ヴェーダに記されたソーマ酒がシベリア・シャーマンが使っていたキノコ、アマニタ・ムスカリアと同一である可能性について指摘している[3]。

他にも、インドの伝統的な話では、チベット・ラサのシッダたちがヨーロッパの錬金術師と同様に、薬草や薬物を使用して超自然力や長寿を得たという。ジェームズ・ゴードン・ホワイトは、精製した水銀とプラーヤーナーマをともに用いること

---

1　H. Aranya, *Yoga Philosophy of Patanjali with Bhasvati*, p.347.
2　T. Leggett, trans., *Shankara on the Yoga Sutras*, p.366.
3　R.G. Wasson, *Soma: Divine Mushroom of Immortality*, Harcourt Brace Jovanovich, 1970.
　（徳永宗雄・藤井正人訳『聖なるキノコ ― ソーマ』せりか書房、1988年）

で、275年以上も寿命を延ばしたインドのヨーギに関する歴史的証言について語っている[4]。ヴィジュニャーナビクシュは、薬草によってより粗悪な原料から金に変容させることを言及している。ラサのシッダも錬金術師も、これを達成しようと探求していたのである。

　次にパタンジャリが挙げている方法がマントラである。この技法はヨーガの中で、主にプラティヤーハーラやダーラナーの際に使われている。たとえば、プラナヴァ（オームのマントラ）は至高の存在（イーシュヴァラ）によって発せられるものと言われている。『ウパニシャッド』では多くの節で、このマントラを繰り返せばやがてこれが聞こえ、至高の存在を知ることができると主張されている。パタンジャリの指導にあるクリヤー・ヨーガの第2支則のスヴァーディヤーヤ（自己の探究）には、マントラを繰り返すことが含まれている。

　しかし、このスートラに説明のあるマントラの繰り返しは、ヨーガのアプローチとは異なる。ここでは、マントラは何らかの利益を得るためにかける呪文として使われているのだ。『アタルヴァ・ヴェーダ』には、さまざまな効果の得られる呪文が多く紹介されているが、自己の本来の姿についての知識に関するものはない。ここで願望の対象となる唯一のものは、力を得ることなのである。

　このスートラで言及されている、サマーディを使わずに力を得る最後の方法が苦行（タパス）である。これは、インドの歴史上で最もよく知られる方法である。アルジュナは、武術の能力を高めるために、苦行を行うためヒマラヤへ赴いた。悪魔の王、ラーヴァナの大いなる力は、苦行を通して生み出された。悪魔の王、バリも同様の方法で力を蓄えた。こうした苦行の使用もまた、ヨーガとは異なる。ヨーギの求めるものは自由であって力ではない。パタンジャリのヨーガの中での苦行とは、クリヤー・ヨーガの第1支則であり、その目的はただ外的刺激に左右されないことである。力を蓄えるために自分を苦しめることは、クリシュナ神が否定している。クリシュナ神は『バガヴァッド・ギーター』の中で、「体をいじめている者には怒りを覚える。私はそういう者の（体の）中に住んでいるのである」と言っている。

　つまりヨーギにとって、力を得るこれら4つの方法は劣ったものと見なされているのだ。なぜなら力の蓄積は、常に新たなカルマを蓄積することになるからである。

## 4.2　根本原質を通して、新たな生へと転変する。

　私たちの行為、言葉、思考はすべて、高潔なものであるか、あるいは邪悪なもの

---

4　J.G. White, *The Alchemical Body*, The University of Chicago Press, Chicago, 1966.

であるかに従って、潜在印象(サンスカーラ)を生み出す。これら潜在印象が、枠組みや骨組みを準備する。新たな肉体が必要になれば、まるで水が容器を満たすように、根本原質(プラクリティ)の諸要素が急激にこの枠組みに入り中を膨らませる。これらのサンスカーラに従って、根本原質は新たな肉体を生み出すのである。一体どのようにして新たな肉体が出現するのだろうか。

　それは、プラクリティに備わるメカニズムによってなのである。つまり、プラクリティはこの行為を遂行するために作られているのである。ヨーガとサーンキヤにおいて外的器官とも呼ばれる体は、10の器官による体系から成ると考えられている。その器官の体系とは、5つの感覚器官(視覚、聴覚、触覚、味覚、嗅覚)と5つの行為器官(話す、歩く、つかむ、排泄する、生殖する)である。

　これら10の器官体系は、5つの粗雑な要素(空、風、火、水、地)によって出現する。そして次に5つの粗雑な要素は、音、接触、味、形、匂いという5つの基本的素質(タンマートラ)を通して出現する。

　基本的素質、つまり超微細な素質は、ラジャス、タマス、サットヴァという3つのグナがさまざまに組み合わさったものである。これら3つのグナは、プラクリティの具現化したものである。

　プラクリティは、すべての出現、特に体の出現の動力因となるものである。体はプラクリティによって生み出されるのであって私たちが生み出すものではないが、過去の行為を通してプラクリティが作り出す状態を具現化するのは、私たちなのである。

## 4.3　私たちの行為は、新たな肉体の動力因ではない。ただ、農夫のように障害を取り除くものである。

　私たちは、自分の体の動力因(creative cause)ではない。体は根本原質(プラクリティ)によって作られているのである。しかし、私たちは行為を通して潜在印象(サンスカーラ)を作り、それが青写真を形成して、それに従って根本原質は瞬く間に体を出現させるのである。根本原質が体の動力因、あるいは質量因であるのに対し、私たちの行為は質的な根本原因の役割を果たしている。体の種類、寿命、そこでの経験は私たちの行為に左右されるのであって、プラクリティに左右されるものではない。

　このスートラでは、田に水を引く農夫が比喩として使われている。水門を開けて農夫が障害を取り除けば、水は田にあふれる。ここでの動力因は、田に水を注ぐために必要な水と重力を出現させた自然である。農夫は身体的な力を用いて水を送り

込んだわけではなく、ただ自然の力の方向づけをしただけである。同様に、私たちは行為によって単に水門を開けるだけであり、そうすれば瞬く間にプラクリティが私たちの決めた条件づけに従って体を出現させるのである。

どのような形で体が出現するかは、サンスカーラを残す行為、思考、会話によって決定される。しかし出現という行為は、プラクリティが起こすものなのである。

## 4.4 生成された心は、1つの私であることからのみ生じる。

このスートラを理解するにはまず、パタンジャリの示す「生成された心」（ニルマーナ・チッタ）が何を意味しているのかを理解しなくてはならない。また、『ヨーガ・スートラ』第4章が独存（カイヴァリャ）とそれに関連するテーマについて扱っていることも、頭に入れておかなくてはならない。ヨーガ初心者にとっては、こういうテーマははるか彼方のものに思われるかもしれないが、古代の師たちにとっては理にかなった考察だったのである。

このスートラでは、心が習慣的に止滅（ニローダ）の状態にとどまることさえも超えた師の状況について説明している。心が止滅の状態にあるというのは、心を筋肉のように使えるということである。心を筋肉のように使うというのは、心を使う必要のあるときのみ使用するということだ。その他の時には、心は止滅していて、人は魂の中にとどまるのである。

この状態を超えるというのは、スートラ2.27で説明した7段階の洞察力のうちの最終段階に入ることであり、これは心からの自由と呼ばれるものである。ヨーガでは心自体、永遠なものとして見なされているが、解脱に近づいたヨギに対しては心も手綱をゆるめる。そして心の構成要素（グナ）が、本源（プラクリティ）へと戻ることになる。この段階は、ヨギが心にはこれ以上成すべきことがまったくないことを理解する時、つまり成就したことを理解する時に到達されるのである。しかし、ヨギの成すべきことがすべて完成されたとしても、他のために、あるいはもっと素晴らしいことのためにすべきことがあるかもしれない。

この場合、ヨギはシッダとなる。このための訓練をすることはできない。シッダになるかどうかの決断は個人がするものではなく、自分の傾倒する哲学的観点に基づくことによって、プラクリティによってか、（プラクリティのもたらした）宇宙の知性によってか、（ヴェーダーンタによればプラクリティの原因である）至高の存在によって、あるいは（プラクリティを擬人化した）母なる女神、シャクティによって決まるものである。

シッダとは、教えという目的のために肉体と外観を意のままに出現させることができる、解脱した師のことである。インドの大衆的な信仰では、パタンジャリ、ヴィヤーサ、シャンカラなどの師が、このようなシッダだったと広く信じられている。たとえばシャンカラについては、彼は死んだのではなく体を虹に変容させたのだと言われている。ヴィヤーサとパタンジャリは人々に奉仕するために不死であるか、あるいは何度も具現化し出現していたと言われている。

ヴィヤーサによればこのスートラは、1人のシッダから異なる肉体に具現化される場合、それぞれ異なる人の心によって導かれるものなのか、あるいは1つの共通の心を持つものなのかという疑問に答えたものなのである。もしシッダが1つの心から肉体を出現させているとするなら、それはシッダの定義そのものと矛盾することになってしまう。シッダとは、心からの自由を達成した人間であり、言いかえればそれぞれ異なる具現化されたものの中には、心は存在しないのである。

パタンジャリはここで、多くの心が同じ私であること（アスミター）によって生成されると述べている。つまり、さまざまな出現の間、プラクリティがシッダに関して保持している唯一の局面が、私であること（アスミター）なのである。この答えが、唯一哲学的に正しいものである。もし心が保持されているのなら、シッダはシッダでなくなってしまう。シッダが純粋な知性（ブッディ）になったのなら、連続して起こる具現化を通して同一のシッダを見ていると主張することはできないのである。

私であること（アスミター）は、自己感覚（アハンカーラ）の機能である。パタンジャリは、煩悩について話す時には自我意識を意味するものとしてアスミターを使用しているが、より一般的な意味合いでは、アハンカーラと同様の意味で使っており、その場合は宇宙レベルでの自己感覚を意味している。

サーンキヤ哲学では、プラクリティから宇宙の知性が生まれるのだが、宇宙の知性には自分という感覚はない。宇宙の知性から宇宙の自己感覚（アハンカーラ）が生まれ、「私である」とか「これはすべて私が知覚している」と主張するのである。知性は純粋な知能であり、このような考えを持たない。

アハンカーラから、（5つの感覚器官と5つの行為器官から成る）体と心が生じる。この筋書きから考えて、自己感覚（アハンカーラ）は出現の過程で必要なものであることを理解しておかなくてはならない。自己感覚がなければ意識からの分離はなく、それがなくては出現も、束縛や経験や解脱もないのである。つまり、自己感覚は出現と創造を構成する要素の1つなのである。

自己感覚（私であること）は、瞑想に適した対象でもある。正確に言えば、瞑想の対象として最も高次のものの1つであり、これより高次のものは唯一知性（ブッディ）だけである。意識は主体であり、瞑想の対象としては見なされない。

ヨーガで自己感覚、すなわちアハンカーラに瞑想をするのは、「私はこんなに大きく素晴らしい自我を持っている」とか、この考えとは反対に「私は自我が嫌いであるし、破壊したい」というようなことを考えることを意味しているのではない。自己感覚(アハンカーラ)に瞑想をするのは、思考が生じればいつでも「その思考を考えているのは私である」と言う機能に気づくことなのである。もし私たちがその機能との同一性を主張すれば、それらが進化、出現、束縛、そしてやがては苦しみ、「死から死へと至るもの」と呼ばれるものなのである。自己感覚は、サーンキヤとヨーガによれば自己ではなく、心や知性のようにプラクリティに所有されるものである。この自己感覚から分離したままであれば、退行、分解、解脱そして最後には無上の喜びと自由へと続く道をたどる。

この自己感覚(所有者)が、今までの説明で明らかなように心が生じるための必要条件となる。心とは、存在(意識)の基本的原因とは別のアイデンティティ(自己感覚)を維持する(生存の)ために現実を真似る装置である。認識をする所有者(自己感覚)がいなければ、所有されることを目的に認識を整理する機能(心)も、何の役にも立たない。

パタンジャリはここで、1つの所有者(アスミター)からいくつもの心が生まれ、外に投影されると言っている。これが、1つの存在から出現したいくつもの肉体は、それぞれ異なる心を持つのかそれとも1つの心を持つのかの答えである。それぞれが、1つの「私であること」から生成された別々の心を持っているのである。

## 4.5 1つの心が、生成された心による異なる活動を導く。

このスートラは、「シッダが出現していないときに、もしシッダの元々の心が分解されるのならば、次の具現においてシッダはどのようにして同時に複数の場所に出現することができるのか」という疑問への答えである。

パタンジャリは、シッダは1つの中心となる心を作り、そこから個々の投影された心の活動は作られると述べて、疑問に答えている。多くの心は1つの心から作られるのではなく、純粋な「私であること」から作られるのであった。しかし、それにもかかわらず、シッダの中心的な心はそれぞれの心を導くのである。

H.アーランヤは、純粋な「私であること」と彼が変化しがちな自我と呼ぶものとを区別して説明している[5]。純粋な「私であること」からはさまざまな心が投影さ

---

5　H. Aranya, *Yoga Philosophy of Patanjali with Bhasvati*, p.352.

れ、一般的に自我意識と呼ばれているものは存在しない。自我意識は、後で起こる変化なのである。

## 4.6 シッディを蓄積する5つの方法のうち、瞑想から生じるものにはカルマの残余がない。

第4章の最初のスートラで、パタンジャリは超自然力（シッディ）を蓄積する5つの方法について言及している。これらのうち、誕生、薬草、マントラ、苦行を通して蓄積するものには、カルマの蓄積、残余、潜在印象（サンスカーラ）が伴う。つまり、これらは実践者を自由にするものではない。

これら4つの場合においては、シッディは識別知を得る前に生じるのである。つまり、ヨーギは力を所有していると主張し、そのため間違って意識と力を混合してしまう。しかし、スートラ2.24で述べたように、こうして混合してしまうことがまさしく無知を作り上げるのだ。

識別知を得た後で力が生じれば、ヨーギはこの力が非本質的で不純で一時的なものであり、自己には関係のないものとして拒絶することだろう。この力は根本原質（プラクリティ）から生じたものと見なされ、私たち本来の姿に属するものではないと捉えられるのである。最初の4つの蓄積の方法では、力が使われれば新たな潜在印象を残し、それが一層のカルマと無知に基づく行為へとつながっていく。サマーディで力を得、その力を使うのであれば、通常はもっと偉大なことのために使われるのだ。たとえば、パタンジャリの場合、彼は生徒が理解できるようにとすべての生徒にそれぞれの母国語で話しかけた。しかし、力が対象のあるサマーディに付随するものであれば、依然として自己感覚が生まれる。こういう力は、損得や悪徳・美徳を超えた解脱した人にのみ使われるべきものである。損と得、悪徳と美徳という相反するものについては、次のスートラで説明がある。

## 4.7 ヨーギのカルマは白くも黒くもなく、その他の人のカルマには3種類ある。

ここでは全部で4種類のカルマが言及されている。

悪人は他人を傷つける意図で行動するため、悪人のカルマは黒い。この種のカルマは、将来的に苦悩と無知をもたらすことになる。

一般的な人々のカルマは混合されていて、白と黒の両方である。H.アーランヤは、単に自分の富を維持しようとするだけであっても、それには他人が富を得るのを妨

げようと努力することが含まれるのだと説明している。つまりこれは、他人に苦悩を負わすことになるのである。私たちの社会全体は、限られた資源を他人と争うという考えの元に成り立っている。高度に産業化した社会の場合のように、社会が競争的になればなるほど、競争的でない社会に属する資源を使い果たすことによって成功するのである。このような社会の一員となり、その基本的考えを厳守することによって、私たちは絶滅寸前の種族を絶滅させ、先住民文化を破壊し、この地球に住む大部分の人々を貧困状態にする共同責任者となっているのだ。

良い行いをする機会がたくさんあるというのに、『マハーバーラタ』にもあるように、私たちは必ずしも正しい決断ができるわけではない。人間の生活はあまりに複雑であり、私たちが誤った選択をするのは必至である。つまり、多くの人間は白と黒、美徳と悪徳の混じり合ったカルマを持っているのである。

白いカルマのみを蓄積するためには、どんな個人的目的を追求することもなく、他人のために無私無欲の奉仕をする道を歩む必要がある。しかしこのような人間の目的は、まったく白いカルマのみを蓄積することであるかもしれない。インドの考えでは、カルマの良い点は天界での生活につながる。そこでの生活は、地球での生活よりもはるかに楽しいが、そのため解脱への一歩が踏み出されることはない。カルマの良い点が使い果たされれば、人は地球へと戻るのである。

これら3種のカルマはその他の人々のもの、つまりヨーギではない人たちのものである。ヨーギのカルマは白くも黒くもなく、混ざったものでもなく、4番目のタイプである。ヨーガの道はこのように、良い行いをする人のものとはまったく異なるのだ。ヨーガの経典や『ウパニシャッド』には、美徳と悪徳を超えた人、損得を超えた人の話が繰り返し出てくる。

聖人の道は、美徳を行うことによって無上の美点を蓄積することに取り組むものである。このような行為を通して到達できる天界は存在するということは、ヨーガでも同意されるところである。しかし、ヨーガではこの天界がヨーギの目指すものなのではないと考えられている。天界は創造されたものであり、そのため永遠ではないからである。最初天界は存在せず、その後存在したものなのだから、天界は永遠のものとは言えない。天界は創造されたものであるため、ある種の行為をすることによって、自分自身の中にこの状態を作ることができるのだ。

ヨーガ哲学で言う自由な状態は、永遠であり創造されたものではなく、どんな行為によっても生み出されることも創造されることもない。この点では、アドヴァイタ・ヴェーダーンタと一致している。またシャンカラは『ブラフマ・スートラ』の注釈書の中で、ブラフマンは行為によって到達できるものではないと記している。創造されたものにはすべて始まりがあり、終わりがある。創造され、到達すること

ができ、変化しうるものはすべて、ヨーガでは定義上プラクリティの一部と考えるのである。つまり、それは自己ではないのだ。

　創造され、生み出され、達成されるものはすべて、分解され、崩壊して、消えてなくなる。しかし、すべてが起こる前からここにあり、創造されている間もずっとここにあり、創造されたものすべてが消えてなくなってからも変わらずここにある状態が、プルシャ、つまり永遠の意識である。この状態は、徳の高い行為によって到達できるものではなく、人は美徳と悪徳、損得を超える必要がある。徳の高い行為の中にも、たとえ熱望の対象が天界であったとしても、何かを得たいという自我はある。美徳と悪徳を超えるものは、すべての状態を通して変わることのない気づきである。この気づきは、美徳と悪徳という心理的概念より前に存在する状態であり、美徳と悪徳が生じる状態なのである。

## 4.8　3種類のカルマの結果、条件づけが生じ、それがまた付随した行為を生み出す。

　スートラ2.13で説明があったように、すべての行為の結果がそれに適合した条件づけ（ヴァーサナー）であり、それによって付随する行為が引き起こされる。つまり快楽、苦悩、嫌悪、恐れ、愛など何であれ経験することには、類似の経験を生み出す傾向が備わっているのだ。したがって、徳の高い行いをすることは単に条件づけの結果であるかもしれず、これが解脱へとつながるわけではないのである。

　善行も悪行も条件づけ（ヴァーサナー）をもたらすが、それは潜在意識においての機械的なプログラムによるものである。この条件づけが心の揺らぎをもたらし、それに従って現実を色づけすることになる。悪漢の現実というトンネルを生きていても、あるいは聖人のトンネルを生きていても、人工的に生み出された現実でしかなく、真実（現実そのもの）、深遠な現実ではない。徳の高い行為を行わなくてはならないが、どんな結果にも執着してはならない。ヨーギは評判を得るため、あるいは何か利点を得るために良い行いをしているのではない。なぜなら利点は執着へとつながり、新たに自我意識が生まれるからである。自我意識の観点では、良い行いを通して到達しようが、悪い行いを通して到達しようが構わないのである。自身を執着させる行いであれば何であれ、それは私たちを無限の意識という海から引き離すものなのである。ヨーギのカルマである4番目のカルマは、白くも黒くも、混ざってもいない。ヨーギのカルマは、他の印象を妨げるサンスカーラを生み出す（スートラ1.50）。これは、心の静けさという印象である。それがやがて、心の静止へとつながっていくのである。

## 4.9 記憶と潜在印象は、たとえ誕生、時間、空間に よって引き離されていようともつながっている。

　条件づけはカルマの蓄積（カルマーシャヤ）から起こり、潜在印象（サンスカーラ）から構成される。この２つが、お互いを増強し合うのである。H.アーランヤによれば、記憶とは潜在印象の「認識の変容」、あるいは「再認識」である[6]。記憶は、サンスカーラのおかげで存在するものなのである。潜在印象が関連する記憶を生み出すことを促し、その記憶が同じ方向へと導くより一層の印象をもたらす。暴力的に育てられれば、暴力を普通のこととして受け入れる潜在意識の傾向が作り上げられ、暴力の記憶を作り出す。それらの記憶と潜在印象がともに、自分の子供をたたくなど後の暴力的行為を促す。そしてこの行為がまた、より一層の潜在印象と記憶を生み出すのだ。

　もし条件づけ（ヴァーサナー）が蓄えられていても、私たちの現世で活動しない場合、それはカルマの蓄積（カルマーシャヤ）と呼ばれる。これは、成果となることを待っている状態である。いくつかの人生を通して、暴力的な人となるのに関わる印象を集積するのである。それぞれの生では平穏を愛す公正な人間であったとしても、隠された暴力的存在の残余が常に存在している。この残余がゆっくりと蓄積され、カルマの貯蔵庫に力を集積する。やがてそれが成果を結び、この具現に関するすべての蓄積物が、いくつもの過去世を通して集められたものも、さまざまな場所において集められたものも、中には歴史上の異なる時代において集められたものですら、すべて突如として表面に出てきて姿を現すのである。

　現在良い立場にあるからといって、次の生でも同じ境遇になるとは限らない。おそらくこの生のためにすべての美点を使い果たしてしまい、もっと低次の具現化がすぐそこで待っているかもしれないのだ。同様に、もし私たちにとっては不幸に思われる人に出会ったとしても、その人は持っていた最後の悪い点を使ったところであって、次には素晴しい聖人としての出現が待っているかもしれない。インドでよく知られた民話に、この仕組みについての話がある。ある聖人が、一人の売春婦の向かいに住んでいた。その聖人は多くの男が売春婦を訪れるのを毎日眺め、そのため売春婦を心底嫌っていた。この聖人はあまりに嫌悪感で一杯になり、そのため瞑想するのがしばしば困難となるほどであった。一方売春婦は聖人を観察し、聖人の中に大きな喜びを見出した。彼女は可能な限り聖人を眺め、彼の存在は、それがなければ憂うつな売春婦の人生にとって、光り輝く灯台となった。

---

6　H. Aranya, *Yoga Philosophy of Patanjali with Bhasvati*, p.359.

聖人が亡くなった折、地域の人々は皆集まって盛大な葬儀をした。皆、聖人のことを大変尊敬していたからである。売春婦が亡くなった時には、誰一人訪れる者はいなかった。皆、売春婦と関わるのを嫌がったからである。聖人が生まれ変わることになった時、恐ろしいことに聖人は売春婦として生まれ変わることになったのだ。聖人としての人生でそれまでに得たすべての美点を使い果たしてしまったばかりか、絶え間なく売春婦に対しての軽蔑の気持ちを持っていたため、心の中に次の生では売春婦となるという潜在印象（サンスカーラ）を作り上げてしまったのである。

一方、売春婦は、聖人として生まれ変わることになった。聖人であることに常に瞑想をしていたため、次の生で聖人となるという条件づけ（ヴァーサナー）を作り上げていたのである。この話は、今良い立場にいるからといって、将来もそれが続くことにはならないことを示すものである。自分の栄誉に依存する理由はどこにもない。同様に、今はさして良い立場にいないと思われる人に対し、批判する必要もない。これは、あっという間に変わりうることなのである。

スートラは、良いカルマの蓄積が私たちを自由にすることは決してないという主張に続く。良いカルマの蓄積は楽しい瞬間を生み出すだけであり、これはいつ何時でも不愉快なものに変わるものなのである。マーティン・ルーサー・キングとマハトマ・ガンジーはおそらく、20世紀最高の神秘家で博愛主義者である。それにもかかわらず、2人は暴力的な死を被った。条件づけされた存在という大海の中では、ある波に持ち上げられたかと思えば、次の瞬間には別の波に再び引き下げられるのである。私たちの過去のカルマは隠されているため、次に何が待っているのかはわからない。行為に対する執着すべてを投げ出す必要があるのは、このためである。『バガヴァッド・ギーター』にあるように、どんな場合でもすべて、行為はプラクリティが成すものなのだ。自分自身を意識として認識すれば、白いカルマでも黒いカルマでも混合のカルマであろうとも、未来のカルマすべてから自由になるのである。

## 4.10 これらの潜在印象と記憶には、始まりがない。欲望とは、始まりのないものだからである。

生きているものには、自分の存在を永続させたいという願望がある。この願望はすべての人間にあるものなので、永遠で創造されたものではない潜在意識の傾向（ヴァーサナー）によるものにちがいない。これは、集合的潜在意識と呼ばれる。これらの創造されないヴァーサナーから、心（チッタ）自体は創造されたものではなく、すべてに浸透しているものであるという結論に達する。この理解は、サンスカーラと心は、単に間違った幻想を現実（意識）に映し出すものを表しているだけであると

いうヴェーダーンタの考えに反するものである。ヴェーダーンタにおいては、ヘビは実はロープであったということに気づけば、ヘビという間違った考えは消える。こうして潜在意識にある心や世界は、真の本質、すなわち意識（ブラフマン）が認識されればすぐに消えるものだと言われている。

このため、ヴェーダーンタ信奉者がヨーガを正確に解釈するのは難しい。幅広く書物を出版したヴェーダーンタ信奉者たちは、間違ってヨーガを解釈し、ヨーガ実践者は「思考を抑制し」、「感覚を遮断し」、「感覚を絶ち」、「心を絶ち」、「自我を消し去り」、「下劣な自我を絶つ」のだと言って、大きくヨーガにダメージを与えてきた。これらの考えはヴェーダーンタの文脈ではうまく当てはまるかもしれないが、ヨーガに当てはめて考えると秘教的（エゾテリック）な自己滅却のカルト宗教であるという印象を作り出すことになる。実際、ヨーガとはそんなものだと信じている人もいる。ヨーガでは、世界を現実のものとして、そして心と自我を永遠のものとして見る。この3つに何ら悪いところはないのだが、自由になりたければこれらと同一化するのをやめなくてはならない。そうして初めて自分自身を永遠に自由であったもの、つまり意識として認識できるのである。遮断する必要も、絶つ必要も、消し去る必要もない。実際、こうした試みは自我意識を増大させる気晴らしにすぎないのである。

心、自我、世界を現実のもの、始まりのない創造されていないものとして見なすのだから、私たちが消し去るのは心そのものではなく、心の構成要素であるはたらき（ヴリッティ）なのである。ヨーガで考える非現実的なこととは、意識とプラクリティから進化したもの（世界、心など）とを間違って1つにしてしまうことである。この誤った混合、間違った結合（サンヨーガ）は、ヴリッティが収まり、心が静かになれば終わる。そうすれば、意識はそれ自体の中に安住するのである。

## 4.11 潜在印象は原因、結果、基盤、裏づけとなる対象によって保たれている。これらがやめば、潜在印象もなくなる。

このスートラでは、潜在印象の構成について説明されている。潜在印象は、原因、結果、基盤、裏づけとなる対象という4つの事柄に依拠している。

・潜在印象の原因は、無知（アヴィディヤー）である。私たちは無知を通して自分自身を現象の世界へと投影し、自分自身を現象であると思っている。自分の本来の姿である意識を無視することによって、自我意識（アスミター）が発達する。自我意識とは、見る者と見られるものを1つの統一体として見なすことである。自我意識から欲望と嫌悪が生み出される。世界は私たちとはまったく別のものだとい

うことを受け入れていれば、これが生じることはないのだ。
- 潜在印象から起こる結果は、邪悪な行為あるいは徳の高い行為である。潜在意識の中に不安と嫌悪の印象がなければ、破壊的な行動を取ることはありえない。どんな行いを取ろうとも新たな印象につながり、それが現存する条件づけを強めることになるのである。
- 潜在印象には適切な基盤が必要である。たとえば、無知や欲望の印象が止滅の心（ニローダ・チッタ）の中に位置することはありえず、1点集中の心（エーカーグラ・チッタ）の中に入るのも難しい。しかし、散漫な心あるいは揺れた心（ヴィクシプタ・チッタ）は、すべてのタイプのサンスカーラにとって適切な繁殖地であり基盤なのである。この散漫な心は変わりやすく、不安定でどんな方向にも傾く。このため、印象にとって格好の基盤となる。
- 裏づけとなる対象とは、提示されれば行為を引き起こす潜在印象の原因となる対象のことである。たとえば、自分自身を穏やかな人間だと思っているとしても、戦争状態の時には突如として嫌悪感と恐怖心が表に現れ、殺人も犯しうるようになる。裏づけとなる対象（この場合は戦争）がなければ、潜在印象（嫌悪感）は結果を生み出すことができない。つまり、殺人を犯すことはないのである。これは、潜在印象が存在していないことを意味しているのではない。意識下にあるのであって、適切な状況になればすぐさま表面に出てくるのである。

　原因、結果、基盤、裏づけとなる対象という一続きによって、いわゆるサンサーラ（条件づけられた存在）の輪、つまり終わりのない輪廻を形成している。スートラ2.12で説明されたように、潜在印象によって起こされた行為は、無知と自我意識に基づくよう一層のカルマ、煩悩の形態、潜在印象を生み出す。こうして、条件づけされた存在の車輪は回り続ける。絶え間なく潜在印象を設置するというメカニズムによって、動き続けるのである。もし私たちの行為が潜在印象へとつながることなく、起こるとともにすべてを完全に忘れるのであれば、行為によって私たちが色づけされることはないのだ。
　パタンジャリは、原因、結果、基盤、裏づけとなる対象という4面がなくなれば、潜在印象はやむと言っている。パタンジャリは、スートラ1.50で説明をした「条件づけをする」印象は、心の静けさという「解放する」印象を映し出すことによって消すことができると述べている。このスートラでは、輪を構成する要素、つまり条件づけられた存在の車輪を取り去ることによって、条件づけを避けることができると言っているのである。次に、これらの構成要素を取り除く方法について見ていこう。

- 最初に取り除くべき、わかりやすい要素が裏づけとなる対象である。自分の中に強い否定的反応を引き起こすような状況を、可能であれば避けるのである。これには、自分に否定的な影響を与えるような人々、あるいは自分の否定的な性格を助長するような人々を避けることも含まれる。
- サンスカーラの基盤を取り除くというのは、サンスカーラが繁栄するようなタイプの心をそれ以上供給しないことを意味する。5種類の心のうち、暴力に陥りやすい落ち着きない心（クシプタ）、物質主義の麻痺状態に陥りやすい惑わされた心（ムーダ）を持つ人は、ヨーガの探究をしようとはまず思わない。ヨーガの探究をする人はたいてい、散漫な揺れた心（ヴィクシプタ）の持ち主である。残りの2つの心は1点集中の心（エーカーグラ）と止滅の心（ニローダ）である。エーカーグラというのは、ヨーガを確立した状態を意味する。ニローダは解脱した人、あるいはそれに近い状態を指す。サンスカーラの基盤を取り除くというのは、心を散漫な状態から1点集中の状態へと変えることである。これはもちろん、ヨーガの八支則を行うこと、その中でも特に経典を研究すること、経典の章句を暗唱すること、そこにある真実について熟考すること、そして最後にそれらを確立することによって可能となる。哲学を絶え間なく分析し、厳密に理論づけることのできる心が、エーカーグラの状態になるのである。
- サンスカーラの結果を取り除くというのは、ヤマとニヤマを完全に厳守することを指す。もし私たちが、最初は倫理規則に従っても主に他人の利点となるだけだと考え、しぶしぶ服従するだけであったとしても、その後、倫理規則が自分自身から自分を守ることになり、自身が利を得るのだということが理解されるのである。
- サンスカーラの原因を取り除くというのは、無知と自我意識を克服することを指す。散漫な心（ヴィクシプタ・チッタ）の場合は、八支則すべてを行うことで克服が可能となる。1点集中の心（エーカーグラ・チッタ）の場合は、最後の3つの支則を行うことが推奨される。

## 4.12 過去と未来という概念は、単に特性の進路の違いのために存在するものである。

ヨーガは、サトカーリヤヴァーダと呼ばれる教義に同調するものである。サトカーリヤヴァーダによると、現実のものはすべて、永遠で創造されていないものである。たとえば、ウサギの角や空中の花のような、存在しないものは出現することはできない。確かに存在するものが、消えてしまうことはありえない。彫刻のイメージは

岩の中、あるいは彫刻師の頭の中に種子の状態として存在すると言われている。装飾品は、金の中に種子の状態で存在する。多様な宇宙は、根本原質（プラクリティ）の中に潜在的な形で存在している。そして潜在印象は、心（チッタ）の中に潜在的な形で存在し、心は根本原質の中に潜在的な形で存在しているのである。

このスートラは、前のスートラで述べていることを説明するもの、あるいはむしろ相対化するものである。4.10にあったように、潜在印象と心には始まりがない。4.11でパタンジャリは、どのようにして潜在印象を消し去るかについて述べていた。この2つの発言の間の矛盾をこのスートラにおいて、潜在印象、その他何であろうと、消すというのは相対的な発言であり、実は何も失われてはいないのだということで説明しているのである。現実であるものはすべて、未来と呼ばれる潜在的な状態から出現している状態（現在）を通って残余の状態（過去）へと変化しているだけなのである。これは存在しなくなることを意味しているわけではない。ただ、出現しない状態になるだけである。対象の特性（ダルマ）はこの過程において変わることはなく、時の位相（ラクシャナ）が変わるだけである。

このため、ヨーガでは時間を否定している。時間もまた、心の中に存在する相対的なものであると言われている。時間は、物事の特性（対象そのもの）を変えることができない限りは、存在するものではないと捉えられているのだ。

ヨーガのプロセスは、事物を認識すること、つまり事物そのものの知識を得ることを目的としている。事物そのもの、つまり知覚された対象の青写真の情報は、潜在的な状態から出現の状態へ、あるいは出現の状態から残余の状態へと動く中で変化するものではない。ヨーギは時間の相を取り去って純粋な対象そのものを残して見ることができるため、ヨーギには未来と過去が見えると言われている。このようにしてものを見ることで、対象に関する完全な知識（プラジュニャー）を得る。これは、対象のある（サンプラジュニャータ）サマーディを通して得るものである。

もし私たちがこうして世界を対象として見れば、世界が出現する前には、世界は潜在的な状態で存在していたことになる。全能の神が世界を創造したのだとしても、ヨーガの考えでは、神の意識の中に世界は潜在的な状態で存在していたことになる。心の中に生じるサンスカーラは、それまではその心の中に潜在的状態で存在していたに違いない。このためヨーガでは、世界もサンスカーラも創造されたものではないと言っているのだ。これは何も、すべてのものが創造されたものでなく永遠のものであると言っているわけではない。人間の心は、まったく現実でないさまざまな考え、たとえば経典の中でよく挙げられているようなウサギの角だとか空中の花だとか雲に浮かぶ城などの考えを、発展させることができる。これらは単なる概念化（ヴィカルパ）である。このようなものに対して熟考すれば、このようなものが存在

しないことは理解できる。これには潜在的状態（未来）も、出現の状態（現在）も、残余の状態（過去）もない。これは、何も対応する対象をもたない幻想なのである。

潜在印象（サンスカーラ）が永遠で創造されていないのと同様に、独存（カイヴァリャ）の状態も永遠で創造されたものではない。つまり、まったく新しいものというのではなく、私たちの中に潜在的状態で含まれているものなのである。特性（ダルマ）が変わることはなく、解脱に到達することで時の位相（ラクシャナ）が潜在的な状態（未来）から出現の状態（現在）へと移行するだけなのである。この移行、進展のことを特性の進路、あるいは特性の道と呼ぶ。スートラにあるその「進路の違いのために」というのは、潜在的、出現、残余の状態という違いを意味しており、このため過去、現在、未来という概念が生まれ、それとともに時間の概念が生まれるのである。

時間というのは、私たちに敏感さがないことを説明するために心が発達させた概念である。物事をそのままの姿で認識することができず、潜在的状態と残余の状態では認識することができないという私たちの無知、敏感さの欠如のためにできた概念なのだ。もはや見ることができなくなったり、あるいはまだ見ることができない場合には、過ぎ去ったとか、これから出てくる状態であるとか言って説明をするのである。

## 4.13 3つの時間の状態は出現している状態、あるいは微細な状態であり、グナによって形成されている。

対象を知覚することができれば、その対象は出現していると言われる。これは、その対象の時間の状態が現在であることを意味している。対象が現在にあれば、粗雑な要素（マハーブータ）から構成されるため、感覚によって知覚することが可能となる。感覚によって直接知覚することができなければ微細な状態にあることになり、この場合の時間の状態は潜在的な状態（未来）か、あるいは残余の状態（過去）かのどちらかである。

この事実を認識するために、適切な例がある。ほとんどすべての人間の文化において、人は悲しみにくれると、愛する人が死んでしまっても実は存在しなくなったわけではなく、単に視界から消えただけなのだという考えに慰められる。さまざまな文化では死んだ人は祖先のもとへ、天国へ、あるいは死後の世界へ行くと考えられるか、あるいは要素に戻っていくと考えられている。こうした考え方のすべてには、1つの共通点がある。それは、死んだ人間は残余を残すということだ。西洋文

化では、これは、死んだ人を追悼するために十字架か墓石を墓地に維持することから理解できる。それぞれの墓、とくに墓石は、この人間はこの世に残余を残したという証なのである。つまり、その人はそのままどこかへ行ってしまったわけではないのだ。祖先の写真を掛けるのも、これらの人々の残余が引き続き存在していることを表している。多くの文化では、死んだ人は適切な形で廃棄され、非常に手の込んだ儀式が行われて、死んだ人の残余が大切なものであることが示されるのである。

土着文化の中には、子どもについての夢を見ることによって、潜在的状態から出現の状態へと至らせるという驚くべき叡智を実行しているところもある。こうした文化では、私たちには出現していようがそうでなかろうが変わらないところがあるということに、気づいているのだ。一人の男性と一人の女性は、どのようにして新しい人間を生み出すことができるだろうか。そんなことは不可能だ。ただ、死んだ肉体を作ることができるだけなのである。肉体は、潜在的状態から出現の状態へと至る人間の入口があってこそ、生み出されるのである。

潜在的状態から出現の状態へ、そして残余の状態へと変わるこれらの対象は、すべてグナからできている。私たち人間の場合であれば、心（チッタ）、潜在意識（ヴァーサナー）、自我（アハンカーラ）、そして知性（ブッディ）は潜在的な状態から出現の状態、そして残余の状態へと変わることができ、根本原質（プラクリティ）の特質（グナ）でできているのである。つまりこれらは、常に一時的で変化しうるものであり、常に対象であって決して主体となることはない。影響を受けることなく、時間の局面や特性の変化によって変わることのない唯一のものが、永遠の意識（プルシャ）なのである。

私たちの中にある意識は、私たちが死んでもまったく変わることはない。残余の状態に変わることさえない。なぜなら意識は、不変のものだからである。このため、クリシュナがアルジュナに、「嘆くことはない。どんな存在も殺されることはない。またあなたも、誰かを殺すことなどできないのだ」と言ったのである。

## 4.14 対象の本質は、転変の統一性によって生み出される。

パタンジャリは続けて、この重要なスートラでヨーガの物理学について説明している。熱心な生徒は、これを深く考え完全に理解する必要がある。この内容は非常に複雑であり、翻訳するのが難しいものだ。このスートラも他の多くのスートラ同様、インド思想史を理解して初めて理解できるものである。

対象の本質（タットヴァン）は、理解しておかねばならない重要な概念である。そ

れは対象そのもの、対象自体とも呼ばれる。これらの言葉はすべて、ヨーガやサーンキヤのように世界を現実のものとして捉える哲学・思想学派に従っていることを示すものである。先に説明したように、ヨーガでは世界も意識も現実のものと見なし、2つの異なる現実があると認めているために二元論的学派と言われている。一元論的学派というのは、1つのカテゴリーだけを現実のものと見なし、他のすべてのカテゴリーはその現実に還元できると考える学派のことである。

　一元論の学派は2つに分けられる。その中でまず唯物論者は、物質のみが存在し、心は物質に還元されるものであると考える。たとえば、共産主義や西洋科学（量子力学の新たな発展を除く）は唯物論の一元論的学派である。一方の唯心論（観念論）は、物質は心／意識の中にのみ生じる概念であると主張する。こういう思想学派では、物質は心に還元されるものと考える。インドにおいて、仏教徒の唯識論者（ヴィジュニャーナヴァーディン）とヴェーダータ信奉者とはよく知られた唯心論であった。ヨーロッパでは、ヘーゲルとフィヒテが観念論を哲学的概念にまで発展させた。

　仏教における虚無主義的な学派（nihilist、ラテン語のnihilは「完全にない」を意味する）であるシューニャヴァーディン（空性論者、空思想の信奉者）は、唯物論でも唯心論でもない。心も物質も現実ではなく、空性という本質の一時的概念のみが現実であると考えるのである。

　このスートラは、唯識論を批判しそれが誤ったものであることを証明しようとする一連のスートラの始まりである。インドは、厳しい論理、強烈な論証、学識ある議論を通して真実に到達するという誇り高い伝統を持っていたし、今も変わらず持っている。不活発な信念や信仰は、決して自由に導くものとは見なされなかったのである。純粋な知性の状態に達するまで心を浄化することが、目的であったのだ。識別知はその名のとおり、信じる人に得られるものではなく、知る人の手に入るものである。しかしながら、この知識ですら神秘体験の前段階にすぎず、その体験自体も解脱への単なる前段階なのである。

　西洋のヨーギは、今日のインドを幸福の状態を授けるグルや神への信仰と関連づけて考えている。この考え方は、古代インドにとっては不当なものである。というのも、深遠な現実に関する正しい考えに行きつこうと何百世代にわたって師が努力をし、これほどうまく働いたものは他の文化にないからである。ヨーガを学ぶ誠実な生徒として、私たちは古代の師が見つけたものを再現しなくてはならず、ただ額面どおりに受け取るだけではだめなのである。そうすれば、師の分析の深遠さに心底恐れ入るはずである。

　対象の「本質（such-ness）」という言葉は、対象には外見の背後により深い現実の

青写真があることを示している。この対象そのものが、高次の認識（サンヤマ）を通してヨーギが見ることのできるものである。「対象そのもの」とは、私たちの外側に本当に存在する対象を指す。仏教の唯識論者とヴェーダーンタ支持者は、対象は私たちに認識されて初めて現実のものとなり、認識されなくなればすぐにも非現実となると主張した。この思想体系では、どこか人里離れた森にある木が倒れるのは非現実であるということになる。そこにいて倒れるのを知覚する人が、誰もいないからである。この主張を支持するため、仏教とヴェーダーンタでは、夢ではそこに対象がなくても光景、音、味など対象の感覚的経験を生み出すことができると言っている。同様に、起きている状態での対象は、眠って夢の対象に取って代わられれば姿を消す。そこから唯識論者は、対象は非現実であるという考えを導くのである。起きている状態であろうと夢を見ている状態であろうと、対象の生じる心、すなわち意識のみが現実のものなのである。

　ヨーガ体系では、心にあるすべてのイメージは、たとえ普通はゆがんだ形としてであったとしても、現実の対象を認識することで生じると捉える。心は、存在する他の対象に対応しないようにイメージを再編成することができる。たとえば、空と花は別々に認識される。ここで想像力を用い、2つを結びつけて空の花、空に育つ花という考えに達することができる。同様に、地面に立つ城を空高くに上げる想像をするのである。この過程が想像（ヴィカルパ）と呼ばれるものであり、これもまた現実の対象から得た印象に依拠するものである。

　すべての印象は心に記憶を作り、潜在意識に印象を形成する。これらは夢の中で、想像と混合されて生き続ける。ヨーガでは、夢の世界はそれまでに得た現実の対象の印象をただ再編成しているものだと考えているのである。もし対象を認識したことがなければ、夢に出てくることもない。このように、夢での経験はそれ自体に基づいた第2の現実なのではなく、目覚めの状態が概念化に結びついた結果にすぎないのである。したがって、夢の状態を第2の現実とし、目覚めの状態という第1の現実の存在も誤りであるとする唯識論の見方をヨーガは否定する。

　他学派の考えを否定するからといって、それが価値のないことだと思っているわけではない。どんな学派であろうと完全に正しいものはなく、すべての哲学・思想学派は人間の心の産物なのである。人間の心自体、宇宙を再生することはできない。宇宙は、心の中に入りきるようなものではない。心の中で到達するものは常に、創造を変化させたコピーである。それならなぜ、私たちはいまだに哲学体系を生み出しているのだろうか。

　哲学体系は、人々を自由の状態へと導く力があることに価値がある。この力は、ヨーガ、ヴェーダーンタ、サーンキヤ、仏教のすべてが証明したものである。すべ

ての体系は、『ウパニシャッド』で表明された1つの真実をさまざまに変形させたものなのである。諸体系が発達したのは、多くの人々が『ウパニシャッド』の高度な真実をもはや理解することができなくなったからだ。すべての体系は1つの真実を説明するものであり、それゆえヴィヤーサ、ヴァーチャスパティミシュラ、ガウダパーダ、シャンカラ、ヴィジュニャーナビクシュなど真の神秘家たちは、すべての哲学・思想体系について解説することが可能だったのである。彼らは、それらの基礎となる真実を理解していたため、すべてに貢献することができたのである。

　どのようにして、同じ3つのグナからきわめて多くの高度に分化した対象が作り出されるのかについては、常に疑問が持たれていた。これに対するパタンジャリの答えは、「転変（パリナーマ）の単一性（エーカトヴァート）のため」である。つまり、グナはそれぞれ別に働くのではなく、常に一緒になって働き、そのさまざまな組み合わせによって何百万もの分化し安定した対象ができるのである。

　このメカニズムを説明するため、3つのグナを原子物理学における3つの素粒子の比喩である、陽子、中性子、電子になぞらえてみよう。すべての原子は3つの素粒子から形成され、さまざまな組み合わせによって108の分子を構成する。これらの分子は、多種多様の組み合わせによって何千もの有機化合物や無機化合物を形成する。これらの化合物から何百万もの形や外観が発達し、それらが宇宙を形成する。さまざまなパターンや軌道を作ることで、中性、そして正電荷、負電荷を帯びた素粒子が、木、石、山、川、大陸、惑星、銀河、宇宙という広大な構造を生み出す。このように多様性を形成する能力が、物質には備わっているのである。私たちに説明できるのは、さまざまな原子がどのように構成されているかということだけである。電子がいかにして、正確に複雑な原子軌道の層を組織し、元素を形成する方法を知るのかについて説明するのは難しい。

　3つの素粒子から物質が作り出されるのと同じように、ヨーガではグナがこの世界を生み出すと捉える。ここでのヨーガと西洋科学の主要な違いは、ヨーガでは3つの素粒子はかたまり（タマス）、活力（ラジャス）、知性（サットヴァ）であると言っている点である。ヨーガでは、これら3つの素粒子が何百万もの要素を形成するのは、単一の転変という過程を通してであると考えている。「単一の転変」というのは、元来備わった特質によって3つの素粒子（グナ）が1つになり、世界を生み出すことである。

## 4.15 同一の対象が、さまざまな心によってまったく違った形で表される。これで、心と対象は2つのまったく異なるものであることが証明される。

　これもまた、世界とは単に心に生じる幻想である、という唯識論者の主張を否定する証明となるものである。別の人によって認識された同一対象は、それらの人々の心の中にまったく異なるものとして表される。ヴィジュニャーナビクシュは、徳の高い態度を通して考えるか、あるいは悪徳を通して見るかによって、美しい女性の見え方が異なることを例に挙げている。夫から見れば、その美しい女性は幸福を生み出すものである。しかし別の男が見れば、欲望という反応を引き起こすものかもしれない。また別の女性が見れば、嫉妬心を呼び起こすかもしれないし、解脱した人物であれば、女性に対して無関心を貫くであろう。

　この例では、4つの心は同一の対象を認識していることになる。なぜなら、髪の色など女性を表す外観を、4つの心が同じように知覚しているのである。自分自身から切り離した本当の対象を見ていたのでなければ、実際に1人の同一の女性が4人の人間によって認識されたと確定することはできないだろう。4つの心がそれぞれ自分自身の女性を作り上げたのであれば、これほど多くの一致が認められることはなかったはずだ。つまり、4人が全員特定の男の妻である同一の女性を知覚したのは確かなのである。

　欲望や嫉妬心など、対象に対して異なる反応を示すのは、仏教の唯識論で言われているように4人の異なる人物が1つの心を通して知覚しているのではなく、知覚しているのはまったく異なる4つの別々の心であるからだと推論できる。さらに、もし4つの心が1つの同一の心を表すものであるなら、一体どうして女は4つのまったく異なる反応を引き起こすことなどできるだろうか。対象の認識の仕方が異なるのは、4つの心がそれぞれ別の歴史と条件づけを持っているからなのである。

　仏教の唯識論者（ヴィジュニャーナヴァーディン）は、対象は認識されて初めて存在し、認識されなくなった時に存在することをやめると述べている。これでは、まったく同一の女性が4つの心に次々と認識されるたびに、4度存在として現れ、4度存在であることをやめたという結論が導き出されることになる。同じ例においてヨーガであれば、女性は4つの異なる心に見られたのであり、彼女は概念化（ヴィカルパ）ではありえず現実のものでなければならないという結論に達する。ヨーガにおける現実とは、心によって認識されようと認識されなかろうと、対象がそれ自体まったく別のアイデンティティを持つものとして存在することを意味すると考えるのである。

## 4.16 対象は、1つの心に依存しているとは言えない。依存しているのなら、その心に認識されない時には対象はどうなると言うのか。

　このスートラは、前のスートラの思考の流れを発展させたものである。仏教の唯識論学派では、対象を支持する唯一のものは対象の生じる心であり、対象はその心と別に存在することはないと言っている。たとえば、私たちがある通りを歩いていて、ある住所に存在する家を見たとしよう。私たちは、その家の建築様式、色、材質、年数などを描写できるだろう。ヴィジュニャーナビクシュによれば、その家を支持する唯一のものを心と考えるのであれば、もし私たちがその家から立ち去れば、その家は存在しなくなるということだ。

　ここで他の人に住所を渡してその家を描写するよう頼んだと仮定すれば、私たちの認識から消えた時に家が存在しなくなったというのにどうやって同じ描写をすることができるのだろうか。唯識論者は、何か神秘的な力で2番目の目撃者は私たちの心にある内容を認識し、描写するのだと言わなくてはならないだろう。

　2番目の人が家に入って中から家の描写をするのなら、その人が最初に家を見た人から情報を得たと考えるのは不可能だと認めざるをえない。ここで唯識論者は、外部と内部の描写は2つの異なる心が作り出した2つの異なる対象の描写であり、偶然にも同一のように思われるだけなのだと言うかもしれない。しかしそうではなく、別々の心が描写し、認識することができる1つの現実の対象が存在しているのだと認めなくてはならないのである。したがって、この対象は、まったく異なるアイデンティティを持つのである。

　ヴィヤーサは、対象にはすべての人に認識可能な特有の存在があると言っている。そうでなければ、次の人が来ても同一の対象が依然として同じ位置にあることをどうやって説明できるのか。もしその対象が存在しなくなるのであれば、次に来る心は同じ場所にある異なる対象を認識することになるだろう。なぜなら次に来る人の心は、異なる過去と条件づけを持っているからである。

　ヴィヤーサの向けたもう1つの非難は、私たちが対象の前面を見れば、必ずしも後ろを見る必要はないという点についてである。ここからは、後ろを知覚したことを立証できるものは何もないのだから、後ろは存在しないという結論が導き出されるのである。もし事物の後ろが存在しないのであれば、前面も存在しないと結論づけなくてはいけなくなる。人、木、家、山など目に見える対象すべてには、常に2面あるからだ。この例から、たとえ認識することができなくても、事物の存在を認めなくてはならないことがわかる。つまり、何かを認識できないからといって、そ

れが存在しないことにはならないのである。

## 4.17 心は、対象が心を色づけしているかどうかによって、対象のことを知っていることもあれば知らないこともある。

　磁石が鉄片を引き寄せるように、対象は心を引きつけるのだとヴィヤーサは述べている。彼が磁力を心のほうではなく、対象になぞらえているところが興味深い。ここには、ヨーガで説かれているように、対象や外的世界の重要性が反映されている。

　また、空性や自己／意識に対する瞑想が持つ問題も反映されている。ヨーガでは、初心者はヴィパッサナーの瞑想で行われているように意識や空性に対する瞑想をしないほうがいいと言われている。心が訓練によって1点集中の状態になり、知性がサットヴァ性になって初めて、このような瞑想の最終段階を試みるべきなのである。

　主体である意識に対する瞑想と他の対象に対する瞑想とのどちらを選ぶかの選択権が心にあれば、心は必ず近くの対象に引き寄せられる。対象が持つ磁石のような特性のため、心は対象の方向へとそらされる。つまり、心は乱されるのである。

　このスートラでは、どのようにして心の中に知識が生じるのかを説明している。それには、単なる知覚だけではなく認識の過程が含まれる。再認識とは、それまでに見た対象を心が認定することである。認識とは、単に初めて見た対象を認定することである。

　ただ対象を見るだけで心が認識をしないのであれば、知識が生み出されることはない。多くの対象が同時に生み出されれば、心は最も強力な磁力を出す対象に引きつけられるだろう（意識には形がなく、磁力を行使することもない）。対象の知識は、その時生み出されるのである。

　広告業界はこのメカニズムを利用して、商品を提示する際に第2の関係のない対象を一緒に提示している。この第2の対象には注意を引くという機能があるだけで、その後注意は最初の対象に向けられる。この第2の関係のない対象には、女性の体が使われることが多い。

　このスートラでは、認識の過程を心の色づけとして説明している。知識が生じる時にはいつも、特定の対象が心の条件づけを修正、すなわち色づけしているのである。これは映画館を訪れればわかることである。気落ちするような映画か、あるいは気持ちが高揚するような映画であるかによって、心の状態は変わるのだ。初心者のヨーギはなおさら、どの対象を心に差し出すかについて賢明な選択をする必要が

ある。ヨーギが止滅（ニローダ）を確立すれば、どんな対象を差し出されても永遠の自由の状態が侵されることはない。１点集中（エーカーグラ）を確立したヨーギは、通常集中を維持するが、それには努力を要する。散漫な（ヴィクシプタ）心を持つ初心者のヨーギは集中を失うが、時間をかければ再び集中を得ることはできる。惑わされた（ムーダ）心、あるいは落ち着きない（クシプタ）心であれば、海でもまれる殻のように、対象から対象へと投げ出される。

色づけの過程もまた、心が完全な知識を得るのは大変難しいことを示すものである。色づけだけでは、完全な知識を達成するために十分ではない。むしろ、心は澄んだ水晶のようにならなくてはならなのだ。そうなって初めて、対象を忠実に反映することができるのである（スートラ1.41）。

また、止滅（ニローダ）の状態にない限り、心は絶えず流動的であることも理解しておかなくてはならない。絶え間なく別の対象が差し出され、それぞれが心の色づけを変えてしまうのである。普通の人の心の色づけは、ロック・コンサートのライトになぞらえることができるだろう。もちろんこれは、毎日感情がジェットコースターに乗るように変化していることに対応する。しかし、私たちの中には心のはたらきとは異なる何かがある。これについては次のスートラで説明される。

## 4.18 不変の意識は、意識を支えるもの、すなわち揺れる心について常に知っている。

心は対象のことを知っている場合もあれば、知らない場合もある。そのため、揺れる心と呼ぶのだ。しかし、意識は常に心の状態について気づいている。このことから、意識の不変性、変化しないことが確立されているのだとヴィヤーサは言っている。そうでなければ、自分の思考について知っている時もあれば知らない時もあることになってしまう。しかし、好むと好まざるとにかかわらず、私たちは常に自分の思考に耳を傾けなくてはならず、これが意識は常に気づいているということなのである。

遭遇するすべての現象を１日中観察すれば、変わらないものがあることに気がつくはずである。私たちの中にあるこの永遠の部分が、気づき（覚醒）である。差し出される対象がすべて変わっても、それらの対象に差し出される気づきが変わることはない。

この気づきは、意識の所有するものである。もし気づきが心の所有するものであるなら、心はすべての対象に関する永遠の知識を持っていなくてはならなくなる。しかしそうではない。心は対象について知識を持っていることもあれば、持ってい

ないこともある。心に気づきを所有することができない重要な理由が、もう1つある。それについては次のスートラで論じる。

## 4.19 心は、気づきの光を持ってはいない。
それが見られるものの本質だからである。

　意識は見る者（ドリシュトリ）とも呼ばれる。意識は、純粋で中身も質も持たない気づきであるため、そう呼ばれるのである。これを理解しておくことは重要である。もし意識が特質、個性、過去などを所有するものであれば、心の中身に永遠に気づいた状態でいることはできないはずだ。特性、個性、記憶、自我は、私たちの精神活動の中の盲点である。物事に関して特定の記憶があるから、新しい経験を色づけする。これは、毎日の生活で見られることである。事象は、それまでに得た考えに従って出現する傾向にあるのだ。信仰体系を変えれば、世界は突如として違ったものに見える。何か自分の信仰体系にそぐわないことがあれば、それをうまく融合させるか、あるいは敢えて見ないようにするかのどちらかの傾向にある。
　たとえば、性差別主義者は女性による偉業や偉大な功績を見落とす傾向にある。白人至上主義者は、有色人種による文化的偉業を見落としがちである。つまり、心の中身とともに単に心の特質によって、完全な自己知識というものは妨げられているのである。意識は常に心について知っていることから、意識は中身のないものであり純粋であることがわかる。気づき以外に中身を持っているのなら、これらの中身のために心を永遠に観照することが妨げられるはずなのである。
　意識は純粋な気づきであるということはまた、私たちが意識を直接観察できないことも意味している。意識とは、観察できるすべてのものを非本質的で一時的なものとして拒絶し、内へと向かう旅の途中で発見されるものなのである。
　私たちは体を観察することができ、それゆえ自分は体ではないことがわかっている。観察できるということは、外にある対象だということだ。心についても同じことが言える。まるでテレビ番組でもあるかのように、ゆったりくつろいでさまざまな面を観察できるのだから、心は対象であり外的な代理人である。これは、意識（見る者）という、より深い層によっても観照される。この見る者を見ることは不可能である。そうでなければ、見る者自体が対象となってしまい、これより深い層を探さなくてはならなくなってしまうからである。
　私たちが見る者を直接認識することはできないが、「真実」とか「本来の姿」とか呼ばれる、その本質の姿の中にとどまることはできる。外側に投影するという人工的な行為をやめれば、対象のない（アサンプラジュニャータ）サマーディへとつ

ながる。見られるものと誤って1つになることをやめるのは、自我－マインド－肉体の集合体との同一化をやめることである。こうした同一化をやめることができるのは、多くの師が示してきたように、私たちが体でも心でもないからだ。

「心のために、私は気が狂いそうだ」や「私は心変わりした」といった考えが存在するのは、心を所有し操作する層、心の中に位置しないもっと深いところにある層が存在することを意味している。気づきとはこの層のことである。もし気づきが心の中に位置するのであれば、私たちは何か動物のようなものであっただろう。つまり、自分の外にある世界のみを意識し、1日中自分の行為を省みることなく衝動と欲求に従うはずである。「何か」という言葉がここで使われているのは、動物は完全にこのパターンに従っているわけではないからである。しかし、誰かに「動物のように行動しているね」と言う時には、その人が内省的になることなく行動し、あたかも気づきが心の中にあって深いところにはなく、そのため自分自身を観察することができないことを示唆しているのである。

## *4.20* そして、心と外にある対象の両方を同時に確かめることはできないのである。

このスートラは、仏教のもう1つの教義、仏教の空性論者（シューニャヴァーディン）が掲げる一瞬という教義に反対するものである。仏教の空思想では唯心論のように物質の存在を否定するか、あるいは唯物論のように心の存在を否定するばかりでなく、その両方をともに否定する。仏教の空性論者は、心も物質も存在を持たないものであると主張する。

ヨーガとサーンキヤでは、心と物質の両方を別々の存在として認めていた。空思想では、心、物質、そして同じく空思想の否定する自己は、一瞬の間だけ生じる概念なのである。物質と心に関する考えがやめば、物質と心は存在も失う。空思想では世界はただ心に生じる概念でしかなく、心も単なる概念であって、考えや思考の中に含まれるものなのである。その思考や考えが静まれば、物質も心も消滅する。この哲学・思想学派によると、認識する人、認識すること、そして対象は別のものではなく、1つの起こっては消える概念の側面でしかない。

このスートラでは、心と外にある世界とを同時に見ることはできないと言うことで、この教えを否定している。たとえば、瞑想をしていて世界を見ていると考えよう。その時私たちの気づきは移り、心を見るのである。つまり、私たちは世界を見ている自分自身を見るのである。この変化は、ほんの一瞬を必要とする。気づきを世界に戻すのであれば、また一瞬が必要となる。もし私たちが強烈な集中の必要な

状況にある時には特に、この一瞬に気づくはずである。こういう時には、自己覚醒が激しく減少する。人が戦時に示す残虐さにはいつも驚かされる。これは、戦いの状況で自己への内省が欠如するために起こる行為なのである。

　同様に私たちは、車を運転することに瞑想すること、あるいは車を運転している自分を見ることができる。何かの必要性に迫られると、より速く反応するために、自分の気づきを外側の世界へ移さなくてはならない。もし私たちが心に焦点をおき、内省的な状態であれば、まず外の世界に移し、その後反応する必要があるのだ。すでに外向的になっていれば、反応の時間は短くなる。

　この瞬時の移動によって、つまり2つを同時に観察することができないことによって、パタンジャリは瞬間説が妥当でないことを推論する。心を観察することと世界を観察することという2つは、一瞬によって分けられているものであり、同じ考え、同じ概念の中に含むことはできない。つまり、心も物質も一瞬の考えであると主張する瞬間説は、否定されるべきものと見なされる。

　心と現象が別のものであるという証拠はもっとある。特に生命を脅かす状況や絶体絶命の経験についての描写を見れば、心を観察することと世界を観察することは2つの異なる事柄であることがわかる。何年か前、オートバイに乗っていた私は30トントラックにぶつかって、強打されるという事故に巻き込まれた。私は田舎道でトラックを追い越そうとし、その時運転手が何の合図もなく私の走る道にそれてきたのである。衝突前の一瞬には、私のできることなどまったく何もなかった。その時私は突如内部に吸い込まれるように感じ、物事が本当にゆっくりと動き始めたのである。私はもはや世界を見てはいず、ただ自分自身を見ているだけであることに気づいた。私の視界の光と展望は変わり、突然完全な超越を感じたのである。自分の生命を眺めているというよりむしろ、まるで映画でも見ているようであった。ショックのため心とのつながりが突如絶ち切れ、心を見る意識だけが存在したのである。私の体と心の反応は、私の関与しないところで起こっているようであった。ゆっくりとしたロボットのような動きで私の手がバイクのタンクを押し、シートに飛び上がってしゃがむ姿勢を取る自分を観察していたのである。衝突の時、私はバイクから飛び降りて、道路わきの安全地帯へと移動した。バイクはトラックの下へと押され、そこで押しつぶされたのである。私は自分の体、いやむしろ、この見知らぬ人間の体が横に滑って転がるのを感じた。そして、ついに落ち着いたのであった。

　ここでは、いくつか興味深いことが観察される。まず、私は『ギーター』で「すべての行為（人間）は、プラクリティによってのみ実行される」と言われていることを経験したのである。私の体も心も、私から何の関与も受けることなくそれ自体を助けたのである。次に古代の文献にあるように、意識はまったく活動することはな

く、行為しているものとはまったく別のもののように思われた。3番目には、心を直接観察する意識と、心を通して世界を観察することには重要な違いがあるということである。この違いは、激しく劇的なものである。極端な状況で、心による時間のシミュレーションが絶たれれば、この2つの違いを認識することができるのである。

多くの人がこれに似た瀕死の経験を語っており、その話から、心と世界を同時に確認することはできず、気づきは心に位置しているものではないことが推測できる。

## 4.21 心への気づきが第2の心から来るものであれば、無限の後退と記憶の混乱へとつながるはずである。

空思想は、心の中に生じる考えと別に存在する心などなく、心に気づくために存在している永遠の自己などないと主張している。もしそうであれば、それぞれの考えとともに別の心が生じ、前に起こった考えを照らし、その考えに気づいていることになる。これは、唯一の堅固な自己（モダニストの考え）に反して文字どおり何千もの連続した自己（ポストモダニストの考え）があるという現在の心理学的概念とよく似たものである。

パタンジャリは、これでは無限の後退へとつながると指摘して、この解答を否定している。無限の後退を含意する主張は、何の解答を差し出すこともないため受け入れられないのである。たとえば、ラマナ・マハルシは心のコントロールのためには最初の心を支配する第2の心が必要となるため、それは不可能であると指摘した。問題は、1つの支配された心があれば、第2の自由な心は好き放題になるということだ。第2の心を支配するために第3の心が必要となり、次には第3の心を支配する第4の心が必要になる。この無限の後退が否定されるのは、これでは常に1つ支配を受けない心が残され、そのためどうにもならないからである。

同様に、ここで挙げられた主張は、1つの心が生じ、その心がその前にやんだ心のことを知っているというものである。空思想によれば、心は存在せず、心とはただ認識とともに生じる考えであるだけだが、それなら一体どうして前の知覚を覚えているのかを尋ねなくてはならない。この答えは、すべての記憶によって前の心を覚えている新たな心が生じるのだが、その合間には何も存在しないというものである。これをパタンジャリは、これでは常に1つの心は気づかないままであるため、解答にはなっておらず、解答の後回し、つまり無限の後退になっているだけだと指

摘して否定しているのだ。

　2つ目の問題は、記憶の混乱についてである。いくつもの考えの存在する1つの心があるのではなく、お互いを支え合っている連続する考えがあるだけだとするなら、記憶が保持されることの説明がつかない。生きている間、私たちの記憶は絶え間なく印象で満たされている。これらの記憶は通常の状況では他の心から接近することはできず、つまり自分の記憶というのは他の人の記憶とははっきりと異なるものである。1つの永続的に存在する心があるのではなく、ただ一瞬の考えがあるだけだとすれば、私たちは一体誰の記憶を見ているのか確認することができないはずだ。しかし、こんなことはない。別々の人間が記憶を書きとめることになれば、どの記憶がどの人物に属するものなのか区別できるはずである。記憶の継続から、心の連続を推論し結論づけることができる。したがって、ただ一瞬の考えがあるだけだとする解答もまた、否定されるのである。

## 4.22 気づきを知性に対して発する過程において、意識は知性の形を帯びるように見える。

　対立する学派の考え方について否定した後、ヨーガ学派の観点がここで述べられている。このスートラは、スートラ2.20で述べたことを繰り返すものである。

　学者の中には、『ヨーガ・スートラ』の第4章を後でつけ足したものと見なす者もいる。第3章は*iti*という言葉で終わっているが、これは第4章が後でつけ足したものであるという考えを支持するものである。*iti*という言葉は、引用の終わりを意味するものなのである。*iti*はその後、第4章の終わりに再び出てくる。さらに、仏教に対する批判の中に、通常パタンジャリの生存年月であると思われている時代より後に栄えた学派に対して書かれているものもある。たとえば、ナーガールジュナの教えを批判していると思われるいくつかのスートラがあるのだが、ナーガールジュナは紀元後400年頃の人であると思われている。これに反論する『ヨーガ・スートラ』はもっと早い時代のものであると提唱する立場においては、ナーガールジュナが概念を発展させたにしろ、その教えはもっと前の時期においても一般的仏教の基盤であったことが強く主張されている。

　伝統的にインドでは、『マハーバーラタ』の主要テーマであるクルクシェートラの戦いは、5000年前に起こったことだと考えられている。『ヴェーダ』の分割者であるヴェーダ・ヴィヤーサは『マハーバーラタ』の作者であり、この叙情詩の主要人物の1人であって、そのため慣習的に紀元前3000年の人と考えられている。また聖仙ヴィヤーサは『ヨーガ・スートラ』に注をつけ、26のカテゴリー（タットヴァ）に分

かれる八支則のヨーガが『マハーバーラタ』の中に言及されているため、昔からパタンジャリはおよそ紀元前4000年頃の人であろうと考えられている。

『ヨーガ・バーシャ』、『ブラフマ・スートラ』、『ギーター』を書いたのは第2のヴィヤーサだと考えても、『ギーター』から考えて可能な年月であればおよそ紀元前450年頃にヴィヤーサは生きていたことになる。パタンジャリの『ヨーガ・スートラ』に注をつけているのだから、パタンジャリの生存を紀元前500年までと考えなくてはならず、これはブッダの誕生後まもなくのことである。以上の考察の結果、『ヨーガ・スートラ』第4章は実際、後で加えられたものであるという推測に幾分思索の余地を残すことになる。

このスートラは繰り返しであるため、このスートラの概念については簡単にのみ説明する。意識自体は見るものであり、形のないものである。心を手段として意識をどんな対象に向けようとも、意識が照らすのはその対象である。その過程で、気づきと混合された対象を認識するのである。熟達した瞑想者でない限り、気づきとは推測できるだけであり直接認識できるものではなく、認識するのは対象の形なのである。表面的な観点では、意識とは自覚するものすべてであるという結論に至る。この考えから見られるものとの結合（サンヨーガ）、つまり苦悩（ドゥフカ）がもたらされるのである。

ヨーガの実践を通して、私たちはゆっくりと体、マインド、自我、そしてやがては知性を真の本質から切り離す。最終段階では、意識は知性に含まれるものではないと認識する。知性に意識があるように思われ、意識が感覚入力を修正しているように見えるのは、近接（proximity）とも呼ばれる観察の過程を通す時のみである。実際は、この2つはまったく異なる。以上が、ヨーガ学派の二元論の観点を簡潔に説明するものである。

## 4.23 見る者と見られるものによって色づけされることが、心の目的である。

心は世界の理解、認識を可能にする器官である。つまり、心は把握すること、見ることの過程に対する責任を負うものなのである。見ることを可能にするためには、あと2つのカテゴリーが必要となる。これが、見る者と見られるものである。

見られるものとは、宇宙と宇宙を構成する対象すべてである。それぞれの対象は、心の中に印象を残して、心を色づけする。この特徴は、心の染色性（stainability）と呼ばれるものである。さまざまな染みが蓄積されれば、現在目の前にある対象よりも、以前に集積したデータのほうにより強く関連づけるようになる。これが条件づ

けと呼ばれるプロセスである。

　一定期間(30兆回の輪廻)の条件づけられた状態の中に存在した後には、幸福と無上の喜びは対象を通して得られるものではないことがわかり、内へと向かうようになる。その時に、見られるものとは別の要素が心を色づけしていたことを理解する。それが気づきである。こうした理解は、ヨーガを通して知性が準備されて可能となる正しい哲学的探究を通して、気づきは心の中に位置することはないことがわかる。心は変化するものであり、気づきはそうではないからだ。

　こうして、私たちは心が内側にあるものと外側にあるものの2つに色づけされていたことを理解するようになる。これが心の目的である。ヴィヤーサは注釈書で、心自体に意識があると信じる人、心だけが現実であると信じる人に対して、哀れみの情を示している。ヴィヤーサは、サマーディでは対象と対象を投射する心とがまったく別のものであることを理解できると言っている。同様に、見られるものは心とはまったく別のものであることも理解するようになる。ヴィヤーサによれば、知る者(意識)、知ること(心)、知られるもの(世界)という3つを分離することができるようになれば、人は意識自体を知るようになり、そして自由になるのである。見る者、見ること、見られるものを1つに結合する者には、これはできないのだ。

## 4.24 心は無数の潜在意識の条件づけに色づけされているが、他のために存在するものである。なぜなら、心は集合して働くからである。

　ここで表される考えは、1つの全体として成るものはすべて、それ自体のために存在しているということである。意識は小さい単位に分けられるものではなく、要素がひとまとめになったものでもない。このため、目的はそれ自体なのである。家や橋のような対象は部品を集めたものであり、外的な代理人、つまり家や橋を使う人の目的を果たすものである。

　世界もまた、分子や原子でできた対象から成るものだ。つまり、ヨーガ哲学によれば、別のものの目的のために存在しているのである。スートラ2.21には、世界は意識のためにだけ存在するとあった。

　すべての進化の過去に色づけをされた心を見れば、心はそれ自体の目的のために存在しているような印象が起こる。これは、私たちの目的は個人として、そして種族として生存することであるという概念に反映されている。しかしヨーガにおいて、心は(構成部分を持つ、存在を別の要素に依存している他のものと同様)他に仕えるために存在しているものなのである。チッタ(心)はマナス(思考器官)、ブッディ

(知性)、アハンカーラ(自我)で構成されるものだ。これら3つの構成要素はすべて、サットヴァ、ラジャス、タマスという3つのグナから成る。

　心もまた、独立して行為することも存在することもできない。それ自体ではどんな結論に至ることもできないが、認識(見ること)が起こる過程で他と一緒になって働かなくてはならないものである。経験を生じさせるためには、感覚器官、外的対象、および気づきを心に加える必要がある。心が構成物であることが確認できれば、心が外側にある存在、つまり意識のために働いていることがわかるはずである。

## 4.25 区別を理解する人は、自分の本質について疑問を抱くことがなくなる。

　探求者は皆、自分の本質、あるいはそれに関する知識の欠如について熟考するところから始める。「自分は一体誰なのか」、「人生における目的は何なのか」、「死んだらどうなるのか」、「私はどこからやってきたのか」などという疑問を持つかもしれない。このように自分自身の本質について考える人は、ヨーガに対する正しい態度を取っていると考えられる。このような疑問を持ったこともなく、ずっと無知の中に溺れていることに満足している人々は、今まで真実の探求とつながりのあったことがない人だと理解されている。アーサナのみを練習し、ヨーガの他の支則をまったく実践していない生徒は、ヨーガに始めて関わるのだと考えられる。一方、自然に八支則すべてに着手する生徒は、これまでの出現(過去世)の際にもヨーガを実践していたのだと思われる。

　しかしこのようにあれこれ考え、疑問を持つこと、探究することは、心の機能にすぎないのである。探求は本質的な出発点であり、自分自身の無知を理解することではあるが、差し出された解答は単に心のひな形(モデル)であって本当に満足のいくものではない。心は永遠に揺らぐものであり、そのひな形やたとえが不変であることはない。しかし、考えることも探究することも、心と意識を区別できる人の中では止まる。

　意識は本来の姿を探すことをしない。意識自体が本来の姿だからである。意識は答えを探し求めることはない。意識が答えなのである。意識は死について尋ねることはない。意識は創造されたものではなく、始まりもないため、破壊されることも終わりもないからである。

## 4.26 その時、心は識別知に傾き、解脱はもはや遠くはない。

「その時」というのは、前スートラで説明したような疑問がやんだ時のことを意味する。これは、このような考えを抑えることを意味しているのではない。人生についての真実を知りたいと思うことは神聖な渇望であり、これを抑えるべきではない。これはヨーガの出発点を記すものであり、この渇望が強くてはじめて旅は成功するのだ。十分な渇望の表れとは、涙で顔が濡れ、髪が逆立つことであり、その時ようやく自由への道について聞くことになるのだとヴィヤーサは説明している。渇きが癒されれば、この渇望は自然に終わる。私たちの本来の姿は永遠で不変の意識であることが理解できて初めて、渇きは癒されるのである。

永遠のものと一時的なものとを区別し始めれば、意識という概念がヨーガ実践者の心の中に確立される。これがやがて永遠の識別知へとつながる。このためには、知性が純粋にサットヴァ性になっていなくてはならない。これが達成されれば、最終的な自由も遠くはない。この最終段階は到達を超えたところにあるが、人は自動的に自由に向かって引き寄せられるのである。

受動性と明け渡しがヨーギには必要とされるため、学派によってはこの解脱という最終段階の達成は至高の存在の恵みによるものであると考えるところもある。

## 4.27 潜在印象によって、隙間には他の思考が起こる。

永遠の識別知とは、まさしくこの言葉どおりでそれ以上のものではない。どんな瞬間でも、永遠なものと一時的なもの、汚されたものと染みのつかないもの、変化するものと不変のものを区別することができることを意味するものである。心の中に矛盾する思考がまったく起こらないことを意味するものではないし、中でもまったく考えることがないことを意味するものでは決してない。これについては深く理解する必要がある。そうでなければ、この誰もが欲する状態を達成しても、落胆することになる。

ヴィヴェーキン（識別知を達成した人）は時に、自我意識に基づく思考を経験することだろう。しかし識別知を確立すれば、その思考は一時的で汚されることもある、変化可能なものの一部であることを理解している。つまり、その思考は自分の本質に関連するものではなく、そのため煩悩（クレーシャ）に基づく行為をもたらすこともない。このような思考は、ヴィヴェーキンの中に苦悩を生み出すことはできないのだ。なぜならヴィヴェーキンは、永遠にこのような思考との非同一性を達成した

からである。

　それではなぜこのような状態ですら、まだ矛盾する思考を経験するのだろうか。識別知というのは、対象に関わるサマーディであるサンプラジュニャータ・サマーディの最も高次の結果である。このサマーディからは、心も含めて対象に関するすべてを学ぶ。そしてようやく、対象とは異なる認識できない何かが存在することを知るのである。また、対象と対象でない唯一のもの、つまり主体（意識）との違いを推測によって知るのである。

　ここでまだ得ていないものが、意識に関する直接の知識である。これは、対象のない（アサンプラジュニャータ）サマーディを通してしか、会得できないものである。対象のある（サンプラジュニャータ）サマーディは、これほど遠くまで私たちを至らしめることはできるというものの、種子のある（サビージャ）サマーディとも呼ばれているものだ。この名前で呼ばれるのは、カルマの種子、煩悩を基盤とした行為の種子、将来生まれ変わる種子がまだ干上がりもせず破壊されてもいないからである。これらの種子とは一体何なのか。

　これは潜在印象（サンスカーラ）と煩悩（クレーシャ）にすぎない。これらの印象は種子のない（対象のない）サマーディの状態を通すことによってのみ、最終的に破壊することができる。ヴィヴェーキンはこの状態をまだ経験してはおらず（もし経験しているのなら、ジュニャーニン、解脱した人と呼ぶことになる）、そのため潜在印象は依然として矛盾する思考を生み出すことが可能なのである。

## 4.28 潜在印象は、煩悩と同じプロセスで除去することができる。

　『ヨーガ・スートラ』第2章には、5つの煩悩を取り除く方法について説明があった。矛盾する思考を生み出す潜在印象（サンスカーラ）を減らすのにも、同様のプロセスが用いられる。しかし、スートラ2.10には、微細な種子の状態の煩悩は、心という煩悩を支持するものが根源へと消滅しなければ破壊されないと説明があった。しかし、心の根源はプラクリティであり、事物を生み出す根本原質である。解脱に際して、心は停止してプラクリティの中に消滅する。『カタ・ウパニシャッド』では、これをもっと詩的に表現して「心が魂（ハート）に吸収される」と述べている。

　この内容に関わるもう1つ重要なスートラが、1.50である。ここでは、知識に関わる潜在印象（プラジュニャー）が、煩悩を生み出す心のはたらきに関する潜在印象を消すために使われると書かれている。スートラ3.9においてパタンジャリは、心のはたらきに関する潜在印象は、ゆっくりと条件づけを解く過程となる静寂という

潜在印象によって圧倒されると述べている。

　復注者たちは、このスートラの解釈においては意見が一致しているものの、実際どこの時点でこの条件づけを解く過程が起こるのかについては対立している。ヴィジュニャーナビクシュは、洞察力の火（プラジュニャー）がゆっくりとサンスカーラを破壊すると言っている。しかし、もっと早く結果を得るために、彼は対象のないサマーディを勧めている。ヴァーチャスパティミシュラは、問題はただ識別知の成熟度であると考え、「識別の思考が成熟している人の場合は、潜在印象（サンスカーラ）は縮小して他に考えを生み出すことができない」と述べている[7]。H.アーランヤも、洞察力に関する潜在印象（プラジュニャー）は、心の揺らぎに関する潜在印象を生み出さないようにするのに十分なものであると言っているのである。

## 4.29 永続的な識別知の中において、瞑想から得たどんなものからも自分自身を切り離せば、雲という特質を散り散りにするサマーディに入る。

　ここまでで説明したヨーガの形態すべては、瞑想やサマーディを含めて目的や到達地点（つまり、達成されたり獲得するもの）があった。すべての段階における対象のある（サンプラジュニャータ）サマーディは、対象に関する完全な知識と理解を得るためのものである。この知識（プラジュニャー）があれば、人は世界そのものを経験することが可能となる。『ヨーガ・スートラ』第3章で説明のあったサンヤマは、力（シッダ）を生み出すために行うものであった。対象のない（アサンプラジュニャータ）サマーディの究極の達成は、識別知だったのである。

　スートラ2.27ですでに暗示されていたように、努力、実践、生成、発達、成長、そして成功によってもはや前に進むわけではなく、そういうものを手放す必要が出てくる時点が来る。この時点で、ヨーガが自分をどこかに連れて行ってくれるという考えを完全に捨て去らねばならないのだ。単なる進歩や獲得という考えは、捨て去らねばならない。どこかへ到達したいと思っている限り、依然として階段を上っているのである。それが会社での出世の階段であろうが、スピリチュアルな階段であろうが関係ない。階段を上ることには自我、努力、意志、そして心が含まれる。自分がまだなっていないものになるためには、努力が必要である。しかし、ただ何かになりたいと望むことは、意識という自分本来の姿を否定することを意味するのである。意識は不変である。それは永遠の自由の状態である。この最後のサマーディ

---

7　J.H. Woods, trans., *The Yoga System of Patanjali*, p.340.

である対象のないサマーディの中で、自分はすでにあるものすべてなのだという偉大な神秘的理解が立ち現れるのである。

　外観、対象、現象は、多くの生の中で私たちの周りに雲を形成してきた。その雲によって、自己という太陽の光や意識という広がる青い空を見ることは妨げられてきた。自己の光とは形のないものであり、特質を持たない。一方で心は、形あるもののすべてに引き寄せられ、それゆえ特質を持つ。本来の姿から目をそらせ、獲得のために現象を見るという心の機能は、雲の特質と呼ばれる。この雲が自己を隠すのである。ダルマ・メーガ・サマーディによって散り散りになるのは、この雲なのである。こうして私たちは、本来の姿、意識の中にとどまることができる。そのためこのサマーディは、雲という特質を散り散りにするサマーディ（ダルマ・メーガ・サマーディ）と呼ばれるのだ。

　ダルマという言葉は、少なからず混乱を起こしてきた。この言葉は、サンスクリット語でこのサマーディを表す語の一部を成すものである。スートラ3.13、3.14にあったように、パタンジャリはダルマという言葉を特質、属性を意味する語として使っている。ダルマは、対象が経験する3つの転変（パリナーマ）形態の1つである。パタンジャリは対象の本質（対象そのもの）をダルミンと呼んでいる。多くの翻訳家が、ダルマを公正さや徳を意味するものと考えているのは驚きである。『マハーバーラタ』ではダルマはこの意味で使われているのだが、『ヨーガ・スートラ』ではそうではない。この誤解は、パタンジャリの『ヨーガ・スートラ』で「ヨーガ」を「結合」を意味するものと捉える流れに沿うものであり、またアディアートマを本来の自己と関連するものと考えるのに沿うものである。

　現代の一部の注釈者のようにダルマ・メーガ・サマーディを「美徳の降りそそぐ雲」と解釈するのでは、あまり意味を成さない。さまざまな機会でヴィヤーサは、真のヨーガは美徳も悪徳も超えるものであると述べているからである。スートラ4.7によれば、邪悪な行為に関連してカルマを集める人もいれば、徳の高い行為に関連してカルマを集める人もいるが、たいていは両方を合わせたカルマを集めるのである。しかし、ヨーギはどちらを集めることもない。美徳と悪徳は、スートラ2.48にあった相反する対を成すものである。美徳と悪徳は、心が世界を判断するために使われるカテゴリーである。この最も高度なサマーディで心を超えているというのに、美徳の降りそそぐ雲と呼ぶことがあるだろうか。これでは、条件づけられた存在へ戻ることになるだけである。

　解脱の全体像を見渡せば、そこには美徳も悪徳もない。聖仙アシュタヴァクラは、次のように説明している。「空は煙の影響を受けることはない。同様に、意識を知っている人の魂は、美徳にも悪徳にも影響を受けることはない」[8]。すべての人間は、

幸福を達成したいという必死で悲痛な衝動から行為を起こす。嫌悪による行為の多くは、その行為者には愛を表現することができないために起こるものである。『ウパニシャッド』によれば、それぞれの時代（カルパ）の終わりにはすべての宇宙はブラフマンに吸い込まれ、全宇宙の絶滅となる。すべての存在が終結するのである。犠牲者の立場で考えると悪徳な行為に思われるが、全体を捉えて見ると存在と非存在という振り子の揺れであり、心臓の鼓動や脳脊髄液の鼓動のような自然なものなのである。これは確かに美徳でも悪徳でもなく、中立なのである。意識もそうである。意識が徳の高いものであれば、特質と中身を持つはずである。しかし、意識の定義は純粋な気づきである。気づきが純粋なものとなるには、中身も特質もあってはならないのだ。

スートラ3.13、3.14で見たように、パタンジャリはダルマという言葉を美徳ではなく特質を意味するものとして使っている。雲や霧の特徴とは、間違って世界と見るものを混合することを言及している。雲という特質のサマーディでは、その雲が明らかになり、初めて認識される。神秘体験では、意識という太陽がその後霧を追い散らす。無知という痕跡によって見る者（意識）が特質、性質、対象、心という世界と混合されるのだが、この無知という痕跡が取り除かれ、見る者は自身の中にとどまるのである。これが真のヨーガの状態である。

このサマーディが生じるのに対象は必要なく、主体すなわち意識に依拠するものである。対象のあるサマーディの問題は、対象が一時的なものであり、対象に基づくサマーディもまた一時的なものであるという点にある。対象のないサマーディは意識に基づくものであり、意識は永遠で不変のものなので、サマーディもまた永遠で不変なのである。現象という霧を散り散りにした瞬間から、意識という太陽と1つになったのである。意識という本来の姿を認識すれば、永遠の状態に達する。なぜなら意識には、始まりも終わりもないからである。

## 4.30 このサマーディから、煩悩の形態とカルマがやむ。

ヴィヤーサは、この雲という特質を散り散りにするサマーディ（ダルマ・メーガ・サマーディ）によって、依然として体に存在しながら自由の状態が得られると断言している。つまり、雲という特質を散り散りにするサマーディは種子のないサマーディ（ニルビージャ）、対象のないサマーディ（アサンプラジュニャータ）サマーディ

---

8 『アシュタヴァクラ・ギーター』4章3節

なのである。この2番目に高次のサマーディだけが、解脱をもたらすことができる。注釈者の中には、雲という特質を散り散りにするサマーディもまた対象のあるサマーディの一形態であると誤って理解している者もいる。

ヴィヤーサは、この解脱を導くサマーディがようやく無知（アヴィディヤー）と無知によって生み出されたすべての煩悩（クレーシャ）の形態を破壊すると述べている。さらに、貯蔵庫（カルマーシャヤ）の中に蓄積されたカルマは邪悪なものも徳の高いものも、間違った知識（ヴィパリャヤ）とともに破壊されることになる。再生の原因であり種子である間違った知識が破壊されれば、将来的にこれ以上、条件づけられた具現は必要ではなくなる。いや、不可能でさえあるのだ。

このサマーディが「種子のない」と呼ばれるのは、未来の再生、無知、煩悩の種子が破壊されるからである。ここで明らかなのは、すべてのサマーディの中で最も力強いこのサマーディのみが、このような種子を発芽しなくできるということである。現代の注釈者の一部が主張しているような、力の弱い対象のある（サンプラジュニャータ）サマーディでは、これは無理なのである。この点を覚えておくことは重要である。もし間違って対象のあるサマーディに対してこのような期待をしてしまったら、対象のあるサマーディが生じたときに、それを認識できなくなってしまう。また、対象のあるサマーディを経験した人に、あまりに多くのことを期待してしまうだろう。

広範にわたる対象のないサマーディを通してのみ、心（チッタ）は習慣的に止滅（ニローダ）の状態になる。つまり、プラクリティの中に再吸収されるのである。もしヨーギがこの時点の後に心を必要とすれば、適切な折にのみ心は提示される（ニルマーナ・チッタ）。心を必要としない合間には、無限のニローダ、つまり意識の中に戻る。つまり、こういうヨーギは魂の中に自然な状態で存在し、永久に本来の姿にとどまるのである。

このため、ニローディン、つまり止滅の心を持つ人の教えと発言だけが、拘束力のあるものなのである。このような教えの例が、『ウパニシャッド』である。ウパニシャッド期の聖人はニローダの状態にあり、魂の奥底まで見ることができた。このため、こういう人々の教えはシュルティ、聞こえるものと呼ばれたのである。これらの人々の心は静かであったため、自由に魂からの神聖な叡智を聞くことができたのである。「魂」は、ここでは意識を比喩したものであり、聞こえてきた叡智とはブラフマン（意識）によって生み出された聖音オームに含まれるものである。

ここでも、この違いを理解しておくことが非常に重要なのである。ダルマ・メーガ・サマーディの前は、ヨーギの心はただ1点集中（エーカーグラ）であるだけだ。初心者からしてみれば、これも信じられないほどの達成ではあるが、師としては1

点集中の心を持つエーカーグリンでは、まだ神聖なる権威とは言えない。おそらくこういう人の発言も、大変深く意味あるものではあるのだが、それらは人間の心から出てきたものであって魂の奥深くから来たものではない。1点集中の心を持つ指導者は、スムリティと呼ばれる素晴らしい教えの規範集を付与してくれた。スムリティとは記憶されたことを意味し、伝統を表す言葉である。スムリティはすべて人間に起源があるとされ、一方シュルティの起源は神にあると考えられている。

## 4.31 その時、覆いとなる不純物が知識の無限性から取り除かれ、知りうる事柄は取るに足らないものになる。

「その時」というのは、雲という特質を散り散りにするサマーディが達成された時のことを意味している。覆いとなる不純物とは、無知（アヴィディヤー）と誤った認識（ヴィパリヤヤ）である。これらの覆いとなる不純物が取り除かれた時、知識の無限性が見えるとパタンジャリは言っている。では、知識の無限性とは何だろうか。

『ウパニシャッド』では、深遠な現実（ブラフマン）を3つの言葉を使って表現している。真実（サット）、意識（チット）、そして歓喜（アーナンダ）である。しかし、『タイッティリーヤ・ウパニシャッド』2章1節1のように、古い節の中には、サット、チット、アナンタ（無限）が言及されている[9]。アナンタ（無限）に代わってアーナンダ（歓喜）が使われたのは、その後のことなのである。古い選集の『ウパニシャッド』は、『ヨーガ・スートラ』以前のものである。パタンジャリの頃には、まだアナンタがブラフマンの描写に使用されていたのだ。

パタンジャリは、ブラフマンの概念を用いてはいない。ブラフマンはプルシャやプラクリティよりも深い1つの統一体を示唆するものであり、2つの違いを消してしまうものだからである。パタンジャリは、プルシャという言葉を個人の意識を言及するものとして使っている。パタンジャリが個人という枠に縛られない意味で意識について話をする時には、「無限」（アナンタ）という言葉を用いている。パタンジャリ自身、無限のヘビ、アナンタの具現化であると考えられているのである。

つまり「知識の無限性」という言葉は、無限の意識という海の中にとどまること、あるいは1つになることを意味している。ヴェーダーンタの影響を強く受けた今日の言い方を用いれば、ブラフマンと1つになることである。

その状況では意識の無限性が知られ、知りうる事柄は取るに足らないものになる。

---

9　S.Radhakrishnan, ed., *The Principal Upanishads*, HarperCollins Publishers India, New Delhi, 1994, p.541.

知りうる事柄とは、心、自我、知性、グナなど、すべての対象と現象のある世界である。意識の無限性に比べ、これらの知りうる事柄は取るに足らないものとなり、ヴィヤーサはこれを空のホタルになぞらえている。意識の無限性に関する知識という広大な空に比べれば、対象について知りうることなどすべて小さな虫のようなものなのである。

ヨーギはこれで、世界とすべての存在を保つ入れ物である意識という自分本来の状態にとどまる。入れ物の無限性に比べれば、その中身である対象の世界はほんの小さなものである。ヨーギは今や、意識の無限性についての知識に比べれば、世界の知識は赤々と燃える太陽の前に置かれたろうそく、あるいは広大な空の前のホタルのようなものであるということを理解するのである。

## 4.32 このようにしてグナは目的を達成し、一連の転変は終結する。

雲という特質を散り散りにするサマーディ(ダルマ・メーガ・サマーディ)によるもう1つの結果について、ここで説明がなされる。初めは根本原質(プラクリティ)と意識(プルシャ)が接近して、経験と解脱という二重の機能を働かせている。意識への接近で行動が始まった「母なる」プラクリティは、終わりなく思われる変化の連続を、グナを通して起こす。「転変」(パリナーマ)という言葉は、ここでは世界は永遠であっても決して安定した状態にあることはなく、常に流れているものであることを確認するために使われている。どこかの時点でグナが行動をやめれば、世界は写真のように止まるのではなく、出現しなくなるのである。ヨーガでは「出現しない(unmanifest)」というのは、「存在しない」ことを意味しているのではない。存在するものが存在しなくなったり現実でなくなったりすることは不可能であり、存在しないものが現実になることもない。

雲という特質を散り散りにするサマーディを通してヨーギが解脱を得れば、グナの目的は達成される。『サーンキヤ・カーリカー』に説明があるように、プラクリティは見られれば踊ることをやめる。グナによる一連の変化は、根本原質(プラクリティ)のダンスに他ならない。解脱したヨーギに関しては、プラクリティは踊ることをやめ、グナは根源(プラクリティ)に再び吸収され、世界は出現の状態から非出現の状態へと戻るのである。これは世界の現実を変えるものではなく、世界は存在したままで、ただ出現しなくなるだけである。他の人にとっては、世界は依然として出現したままなのだ。

## 4.33 転変の終結を通して、瞬間が構成する連続は終わる。

　このスートラでは、グナが活動を終結し、それゆえ1つの現象から次の現象へと絶え間なく転変（パリナーマ）することがなくなれば、時間もまたやむと述べている。これは、最初は心をかき乱される概念かもしれないが、よく調べて明らかになれば、それほど脅威を示すものではない。

　私たちが時間を知るのは、性質が変わることによってのみである。私たちは地球が軸の周りを回ることを観察し、それを1日と呼ぶ。こうした動きとその結果、つまり日光の変化なしでは、1日という概念に正当性はない。時間、分などは、「日」という概念を細分化したものにすぎない。地球が太陽の周りを回ることを観察し、それを1年と呼ぶ。自然の特定の動きを見て、過ぎた瞬間の集合を「時間」と呼ぶのである。何かの理由で地球と太陽の関係がなくなれば、この時間のまとまりは意味のないものとなり、性質の他の変化を探さなくてはいけなくなる。時間とは概念化（ヴィカルパ）である。ヴィカルパは、対応する対象を持たない言葉と定義されている。時間は、本質の中に対応する対象を持たないのである。それは単に観察に基づき、人間の心によって推論されたものなのである。

　宇宙は何十億年も存在してきたと言われ、この先150億年は続くだろうと予測されている。ビッグバン以前には、すべての物質は1ヵ所に凝縮されていた。時間は変化の観察、すなわち外的な参照点と観察者に依拠するものである。ビッグバン以前では、こういうものは何も確認されていない。つまり、時間もなかったという結論に至るのである。

　始まりのあるものすべてには、終わりがある。150億年後に宇宙が途絶えれば、時間もまた途絶えるだろう。アインシュタインの相対性理論からわかるように、時間は観察者に依拠している。宇宙の終わりに観察者が残されていなければ、時間はないのである。しかしインド人の論理によると、初めあるいは終わりに現実でないものは、中間でも現実でない。

　ヨーガでは、時間は可変性（mutability）に関わるものである。意識は不変であり、意識の中に時間はない。時間は心が知的に構築したもの、つまり概念化である。時間は心から生まれるものであり、心の産物なのである。心がプラクリティの中に消えれば、時間も心とともに消えるのである。

　時間に真の現実というものがないのであれば、時間とは何なのか。前スートラで説明があったように、グナは世界を絶え間ない転変として出現させる。たとえば、体などの対象を観察すれば、それが常に変化していることがわかる。グナの絶え間

ない流れを通して、体は最初若く、その後成熟して、後に年老いていく。若さから老齢への変化を、「状態の転変」(アヴァスタ・パリナーマ)と呼ぶ。やがて肉体は死んで消えてなくなり、出現から残余の状態へと変わる。同様に、生まれる時には潜在的な状態から出現の状態へと変わるのである。こういう形態の変化を「出現の転変」(ラクシャナ・パリナーマ)と呼ぶ。これは、時間とは心理的概念であり、出現の変化を説明するものであることを意味している。

　これはまた、別の視点から見ることもできる。体は実は消えるのではなく、その形が消えるだけなのである。体を形成していたすべての素粒子は存在し続け、ただ別の合成物を形成する。こういう形態の変化を「特質の転変」(ダルマ・パリナーマ)と呼ぶ。これら3形態の変化の根本となるものが「連続」(クラマ)である。若さから老齢への変化は、急に起こるのではない。ある一定のクラマを観察した後に、変化と呼ぶのである。変化を観察できる最小単位を瞬間(クシャナ)と呼ぶ。瞬間は、たとえ呼吸あるいは時計の鳴る音であろうと、何か変化が起こるからこそ認識できる。どんな変化も認識できなければ、瞬間が過ぎて連続が起こっていることには気づかないことだろう。連続を観察することのできない状況に隔離されたなら、時間が過ぎたと言うことはできないのである。

　つまり、時間とは変化から引き出されるものである。3形態の転変のいずれも観察することができず、変化の連続を観察できなければ、時間の経過を推論することはできない。連続と瞬間がやめば、時間の概念化はなくなる。転変(パリナーマ)がやめば、連続と瞬間はなくなる。グナが働きをやめれば、パリナーマはなくなる。目的が達成されれば、グナは働きをやめる。雲という特質を散り散りにするサマーディを経験すればグナの目的は達せられ、見る者は自分自身の形(意識)の中にとどまるのである。

## 4.34 グナが目的を失って根源へと戻れば、その時独存が起こり、純粋な意識が本来の姿のうちに安住する。

　グナの目的は、世界、つまりプルシャに経験を与える過程を出現させることである。経験から束縛が起こる。これが、誤って見る者と見られるものを結合させることである。束縛から快楽と苦痛を与えられることによって、やがて自己本来の姿として意識(プルシャ)の存在を認識するようになる。

　この時点で、グナが最も高度に具現化した知性は、意識に混合されたことは一度もなく、意識は常に自由で影響を受けないものであったことを理解するのである。

この認識がカイヴァリャと呼ばれるものであり、意識の独存である。

　解脱したヨーギは、意識としての本来の姿である自己のうちに安住する。これが、無限の自由と超認識の歓喜という永遠の状態である。ここでの超認識とは、現象、出現、世界に対する要求を超えたことを意味する。これらがそれまで歓喜と自由を制限していたものなのである。

　これで、私たちが生まれ変わったことも、無知に縛られたことも、孤立した利己的な実体であったことも決してなかったということが自由に認識できるのである。今私たちが安住する意識は永遠で不変のものであり、思い違いをしていた時には認識できなかったけれど、無限の自由という状態でずっと存在していたものなのである。

　目的を達成したグナは、グナの根源である根本原質（プラクリティ）の中に再び吸収される。これは、解脱したヨーギに関しては、世界が残余の状態に変わったことを意味している。これは、世界が存在しないということではない。他の人々に仕えるため、世界は変わらず出現しているのである。

◇　◇　◇　◇

　ここで、ヨーガの道は終わる。解脱したヨーギは永遠に意識の中にとどまり、肉体が自然に終わりを遂げるまでは具現化された状態を保つ。その後ヨーギは、永遠で形のない、超認識の歓喜と1つになる。
　もはや何も、すべきことは残されていない。

　ヨーガ学派は、これより一層高次の状態に関しては何も語ってはいない。より高次の状態とは、至高の存在と同一の状態（シャンカラの状態）、あるいは至高の存在と異なるアイデンティティを持つ状態（ラーマーヌジャの状態）である。これは、ヨーガやヨーガの基になったサーンキヤ学派が、その状態を無視していることを意味するものではない。
　両学派の「創始者」である、師パタンジャリと聖仙カピラは、まさしくこの至高の存在の具現化であると考えられている。それにもかかわらず、彼らの目的は、至高の存在を知ることに依存しない（ヨーガの場合）、あるいは至高の存在に明け渡すことに依拠しない（サーンキヤの場合）自由への道を考案することだったのである。
　ヨーギは、心が誤った認識から解放されるやいなや、ヨーガの道を歩み続けるのではなくヴェーダーンタの探究を始めるかもしれない。
　あるいは、自己の意識を認識した後、無知であったことのない存在に気づくようになるかもしれない。
　すべての師の中で、最も古く、最も偉大な存在に気づくかもしれない。
　ブラフマン、道、神、本源などさまざまな名前で知られてきた存在——この存在は、すべての名前を置き去りにしても、無限で光り輝き、力強く、静かで、広大な〈空〉として、私たちの魂の中に依然として存在するものなのである。

# 用語解説

アヴァターラ　神の化身。
アヴィディヤー　無知。
アーカーシャ　空間、空。
アーサナ　ポーズ。
アサンプラジュニャータ　対象のないサマーディ、超認識のサマーディ。
アシュタディヤーイー　パーニニの著したサンスクリット文法に関する古典文献。
アスミター　文字どおりは「私であること」の意味。
　1．見る者と見られるものとを1つのものとする自我意識（苦悩の5形態のうちの1つ）。
　2．純粋な私であることが観照された時に生じる対象のあるサマーディの一形態。
アーチャーリヤ　指導者。書物を研究し、技法を実践し、成果を残し、それを伝えられる人。
アドヴァイタ・ヴェーダーンタ　個人の自己（アートマン）と深遠な現実（ブラフマン）は同一であるとする徹底的な一元論（不二一元論）を提唱するウパニシャッド哲学。ガウダパーダが創始し、シャンカラが発展させた。
アートマン　本当の自己、意識。ヴェーダーンタにおいて「プルシャ」の代わりに使われる語。
アナーハタ・チャクラ　心臓のチャクラ、微細なエネルギーの中枢。
アナーハタ・ナーダ　耳に聞こえない音、心臓に位置する蓮華の音、瞑想の対象。
アナンタ　無限、無限性を表すヘビの名前。
アーナンダ　歓喜、無上の喜び。
アハンカーラ　自我意識、私を作るもの、認識を所有するもの。フロイドの言う「自我」とは異なる。
アーユルヴェーダ　古代インドの医学。4分割された『ヴェーダ』の1つ。
意識　意識のあるもの、観照者、気づき。
イーシュヴァラ　至高の存在、属性のあるブラフマン。
イシュタデーヴァター　瞑想の神、至高の存在に祈念を捧げる関係を確立することを可能にする個人的投影。
イダー　月のエネルギー経路。
イティハーサ　かつてあったもの、歴史を扱う経典。
　『マハーバーラタ』、『ラーマーヤナ』、『ヨーガ・ヴァシシュタ』。
ウパニシャッド　古代の諸経典。ここからインドの哲学体系すべてが発展した。ウパニシャッドは魂で理解される（シュルティ）。
ヴァーサナー　条件づけ、潜在印象の蓄積。
ヴァータ　アーユルヴェーダにおける3つの気質のうちの1つ。「風」と訳されることもある。
ヴィヴェーカ・キャーティ　識別知、見る者と見られるものの違いに関する知識。
ヴィヴェーキン　違いを知る者、識別知を得た人。
ヴィカルパ　概念化。言及する対象のない言葉。
ヴィクシプタ・チッタ　散漫な心。ヨーガの実践を始めるのに適した心。
ヴィシシュタ・アドヴァイタ・ヴェーダーンタ　限定的一元論を唱えるウパニシャッド的哲学。ラーマーヌジャが発展させた。個人の自己（アートマン）と深遠な現実（ブラフマン）は同一であってなおかつ異なるとしている。
ヴィシュヌ神　至高の存在の名。属性のあるブラフマン。

ヴィシュヌ派　ヴィシュヌ神の崇拝者。
ヴィディヤー　正しい知識。無知（アヴィディヤー）の逆。
ヴィパリャヤ　誤った認識、間違い、認識した対象の誤った認定。
ヴィンヤサ　ポーズをつなげて、持続的な流れを作る連続した動き。すべての形は永遠ではなく、執着すべきものではないということを明らかにする、動きの瞑想を生む。
ヴェーダ　人類最古の聖なる書。ヴィヤーサが『リグ・ヴェーダ』、『ヤジュル・ヴェーダ』、『サーマ・ヴェーダ』、『アタルヴァ・ヴェーダ』の4つに分割し、さらにそれぞれがサンヒター（賛歌）、ブラーフマナ（儀式）、アーラニヤカ（崇拝）、ウパニシャッド（神秘主義）に分割された。アーユルヴェーダ（医学）、アルタヴェーダ（経済）、ダヌルヴェーダ（軍事科学）、ガンダールヴァヴェーダ（音楽）という4つの補助的ヴェーダがある。ヴェーダにはヴィヤーカラナ（サンスクリット文法）、ジョーティシュ（占星術）、ニルクタ（語源学）、シクシャー（音声学）、チャンダス（計測）、カルパ（儀式、任務）の6つの部門がある。『リグ・ヴェーダ』の初期の賛歌は、8000年以上も昔のものである。古代より、『ヴェーダ』は永遠であり、それぞれの時代の始まりに聖仙たちによって見られると考えられている。
ヴェーダーンタ　文字どおりの意味は、ヴェーダの終わり。ウパニシャッドの内容の分析、主な専門書が『ブラフマ・スートラ』である。ここから、アドヴァイタ・ヴェーダーンタ、ヴィシシュタ・アドヴァイタ・ヴェーダーンタ、ドヴァイタ・ヴェーダーンタなどの学派が派生した。
ヴリッティ　文字どおりの意味は回転。（心の）はたらき、様態。
エーカーグラ・チッタ　1点集中の心、高次のヨーガの実践に適切な心。
エントロピー　システム内の無秩序の量。
カイヴァリャ　自由、独立、ヨーガの目的地。
カパ　アーユルヴェーダの3つの気質のうちの1つ。「粘液」と訳されることもある。
カリ・ユガ　現在の時代、暗黒の時代。紀元前3102年、クリシュナ神の死とともに始まる。このあと40万年は続くと考えられる。
カルマ　行為、業。
カルマーシャヤ　行為の結果が蓄積される貯蔵庫。
カルマの法則　因果の法則。
クシプタ・チッタ　落ち着きのない心。ヨーガには適していない。
クシャナ　瞬間、時間の最小単位。
グナ　ラジャス、タマス、サットヴァ。プラクリティの特質、要素。さまざまな組み合わせによって、すべての現象を形成する。
クラマ　瞬間の連鎖、連続。
クリシュナ神　至高の存在の1つの形。ヴィシュヌ神の化身、『バガヴァッド・ギーター』の中の指導者。
クレーシャ　苦悩の形態。無知、自我意識、欲望、嫌悪、死への恐怖がある。
クンダリーニ　1．スシュムナーの出入口をふさぐ障害物。
　　　　　　　2．時に、スシュムナーの中でのシャクティの上昇を指す。
クンバカ　呼吸の保持。
解脱　自己の本来の姿が、永遠で不変の意識であることを認識すること。
サグナ・ブラフマン　至高の存在、属性のあるブラフマン。
サットヴァ　光、叡智、知性、プラクリティのグナの1つ。
サマーディ　没入。
サマーパッティ　心と対象の同一化。対象のあるサマーディの時の心の状態。

**サンスカーラ** 潜在印象。

**サーンキヤ** 聖仙カピラが創始した最古の哲学体系。

**サーンキヤ・カーリカー** イーシュヴァラクリシュナが著した、サーンキヤ哲学体系を説明する専門書。カーリカーは、ヨーガの基礎となったサーンキヤ哲学についての現存する最古の書であり、その点で大変重要である。しかし、この書は『ヨーガ・スートラ』に比べれば新しく、もっと古い元来のサーンキヤの形を記すものではない。

**サンサーラ** 条件づけられた状態、終わりのない輪廻。

**サンプラジュニャータ** 対象のあるサマーディ、認識のサマーディ。

**サンヤマ** ダーラナー、ディヤーナ、対象のあるサマーディを一緒に行うこと。

**シヴァ派** シヴァ神の崇拝者。

**シヴァ神** 至高の存在の名前、純粋な意識、属性のあるブラフマン。

**ジーヴァ** 現象となる自己、現象と接触することで形成される自分自身のイメージ。本当の自己ではない。

**ジュニャーニン** 知る者、本書では自己を知る者。

**シッダ** 成就した人間。

**シッディ** 完成、超自然力。

**シャクティ** 1．母なる女神、シヴァの配偶者、プラクリティの人格化。
2．エネルギー、生命力、プラーナ。

**シャーストラ** 経典、真実への道。

**シャットクリヤー** 文字どおりの意味は6つの行為。ハタ・ヨーガで使用される、肉体の3つの気質（ドーシャ）のバランスを取り戻すための一組の浄化行為。

**ジュニャーナ** 知識、ここでは自己に関する知識。

**シュルティ** 『ヴェーダ』と『ウパニシャッド』。神聖な本源を明らかにする経典。聖仙が見た、あるいは聞いたもの。

**シューニャヴァーディン** すべての現象の生来の特質は空（シューニャター）であるとする、仏教の空思想の信奉者。

**シューニャター** 無、空。

**スヴァーディヤーヤ** 聖典の研究。

**スシュムナー** 中央エネルギー経路。ハタ・ヨーガでは心臓の隠喩。

**スムリティ** 1．聖なる伝統、啓典を説明するために、人間によって表された経典。
2．記憶、心の5つのはたらきのうちの1つ。

**束縛** 誤って一時的なものと同一視すること。現象と固く結びつくこと。

**対象** 主体（意識）でないものすべて。自我、知性、宇宙を含む。

**対象のあるサマーディ** 対象に依存して生じるサマーディ。

**対象のないサマーディ** 対象に依存せずに生じるサマーディ。主体、すなわち意識を明らかにすることができる。

**魂（heart）** サンスクリットのフリダヤ。すべての現象の中核を言及し、ヴェーダーンタ哲学では意識と考える。身体構造上の指示に使用される場合は、胸郭の中心（心臓）を意味する。

**タマス** 重さ、怠惰、かたまり。プラクリティのグナの1つ。

**ダーラナー** 集中。

**ダルシャナ** 哲学の概説、哲学体系。ダルシャナは『ヴェーダ』の権威を認めるか否定するかによって、正統なものと異端なものに分けられる。正統なダルシャナには、サーンキヤ（論理的探究）、ヨーガ（心の科学）、ミーマーンサー（行為の科学）、ニャーヤ（論理学）、ヴァイシェーシカ（分類）、ヴェーダーンタ（『ウパニシャッド』の分析）がある。これらのダルシャ

ナは、理論上はお互いに対抗することなく、異なる問題を解決するものである。ヨーガの師、T.クリシュナマチャリヤは、6つの体系すべてにおいて学位を持っていた。異端のダルシャナは、ジャイナ教、仏教、物質主義である。タントラは特別な例であり、正統なものとして受け入れられるわけでもなければ、異端と見なされるわけでもない。シャンカラはおそらく、10種類の哲学体系すべてを習得した最後の人間であると思われる。

ダルマ　　1．特質、属性。　2．高潔、美徳。
ダルミン　対象そのもの、対象の基本的性質、対象の本質。
タントラ　1．神秘的思索よりも行為を正確に施行することに焦点を置いた体系。
　　　　　2．この体系を説明した書物。
タンマートラ　微細な要素、超微細な素質、物質の最小微粒子。
知性　知能の中心。
チャクラ　微細なエネルギーの中枢。
チャラカ・サンヒター　アーユルヴェーダについての専門書。著者のチャラカは、パタンジャリの生まれ変わりであると言われている。
超認識のサマーディ　対象の認識を超えたサマーディ、対象のないサマーディ、主体、つまり意識を明らかにするサマーディ。
ディヤーナ　瞑想。
ドリシュティ　焦点。
ナーディー　文字どおりの意味は川。エネルギー経路。
ニルグナ・ブラフマン　属性のないブラフマン、深遠な現実、無限の意識。
ニローダ・チッタ　止滅の心、本来の状態、ヨーガの目的地点。
認識のサマーディ　対象を認識することによって生じるサマーディ、対象のサマーディ。
認識　感覚に与えられたデータを確定して解釈しようとする心の努力。
バーガヴァタ・プラーナ　シュリーマッド・バーガヴァタムとも呼ばれる。ヴィシュヌ神の形を取る至高の存在への祈念を扱う『プラーナ聖典』。クリシュナも含めてヴィシュヌの化身すべての説明がある。
バガヴァッド・ギーター　神の歌。すべてのシャーストラのうち、最も影響力を持つもの。クリシュナ神の形を取る至高の存在は、サーンキヤ、ヨーガ、ヴェーダーンタの教えを融合している。
バクティ　愛のヨーガ、至高の存在への献身の実践。
ハタ・ヨーガ　ゴーラクナータがおよそ紀元後1100年に創設したヨーガについてのタントラ学派。文字どおりの意味は、太陽／月のヨーガ。体内の太陽と月のエネルギー経路のバランスを取ることに重点を置く。ハタ・ヨーガは、神秘主義と古ウパニシャッド的なヨーガ哲学から離れて、体を道具として使うことに焦点を置く。
ハタ・ヨーガ・プラディーピカー　スヴァートマーラーマの著したタントラの専門書。
パラヴァイラーギャ　最高の明け渡し、完全に身を任せること、最高の離欲。
パリナーマ　転変。
バンダ　縛ること、エネルギーの閉じ込め。
微細　現実ではあるが感覚で知覚できないもの。対象のあるサマーディでは、直接知覚することができる。微細な体、微細な要素、微細な組織などのように、さまざまなところで用いられる。
ピッタ　アーユルヴェーダの3つの気質のうちの1つ。「かんしゃく」と訳されることもある。
ピンガラー　太陽エネルギーの経路。
復注　元来の書に注をつけたものに関して、さらに説明を加えた注釈書。インドの師は自分よ

りも前の時代の思想に対して大変な敬意を払い、自身の哲学・思想学派を始めるよりむしろ、元来の学派に一層の説明と解釈を加えて書を編集した。

**ブッディ** 知性、知能の中心。

**プラクリティ** 母体、生み出すもの、根本原質、マトリックス、子宮。意識とは別の微細な宇宙、粗雑な宇宙全部を生み出すもの。

**プラジュニャー** プラクリティの生み出す現象に関する完全な知識。

**プラティヤーハーラ** 感覚刺激からの独立。

**プラーナ(Prana)** 生命力、内呼吸。身体構造上の呼吸、外呼吸を言及することもある。

**プラーナ(Puranas)** 文字どおりは古代の意味。神秘主義と哲学に関する神聖な書物。一般人には寓話と物語の形を取る。

**プラーナーヤーマ** 呼吸の拡張、生命力の流れを調和させるための呼吸練習。

**ブラフマ・スートラ** 聖仙ヴィヤーサが著した、ヴェーダーンタに関する主要専門書。

**ブラフマチャリヤ** すべてのものにブラフマンを認識すること。後に禁欲を意味する。

**ブラフマランドラ** ブラフマンの扉、スシュムナーの上端。

**ブラフマン** 無限の意識、深遠な現実、それ以上深い層になりえない現実。

**プルシャ** 純粋な意識。永遠で不変である。サーンキヤとヨーガで「アートマン」の代わりに用いる言葉。

**ボーガ** 達成、経験、束縛。

**煩悩** 苦しみの5形態(クレーシャ)。

**マハーバーラタ** 人間の作った最大の文学。聖仙ヴィヤーサの著したダルマ・シャーストラ(正しい行いを扱う経典)、『バガヴァッド・ギーター』を含む。

**マハーブータ** 地、水などの粗雑な要素。

**マンダラ** 円形の図、神聖な幾何学模様、瞑想の対象。

**マーンドゥーキャ・カーリカー** 『マーンドゥーキャ・ウパニシャッド』の注釈書。ガウダパーダが著した。アドヴァイタ・ヴェーダーンタ学派の初めを築くものである。ガウダパーダは、目覚め、夢、深い眠りという3つの状態には現実はなく、意識という4番目の状態(トゥリーヤ)に依存しているのだと主張した。

**ムーダ・チッタ** 物質的な麻痺状態で惑わされた心。ヨーガをするには適していない。

**ムドラー** 封印、通常はアーサナ、プラーナーヤーマ、バンダとともに行う。

**ムーラ・バンダ** 肛門の引き締め。

**瞑想の対象** サットヴァの特質を持つ対象。たとえば、マントラ、オームのシンボル、ヤントラ、マンダラ(神聖な幾何学模様)、蓮華の花、呼吸、各自の瞑想する神、空無、心臓にある光や音、知性、微細な要素。

**モークシャ** 束縛からの解脱。

**モークシャ・シャーストラ** 解脱を扱う経典。

**ヤントラ** 最終的に視覚化される神聖な絵。タントラ学派で使用される瞑想対象。

**ヨーガ・ヴァシシュタ** 聖仙ヴァシシュタの非二元論的教えが3万の節の中で言い渡されている古代の文献。

**ヨーガ・コールンタ** 聖仙ヴァーマナが記したアーサナの連続を重視するヨーガに関する書。

**ラジャス** 熱狂、エネルギー、活動力。プラクリティのグナのうちの1つ。

**ラーマーヤナ** 文字どおりの意味はラーマの道。ヴィシュヌ神の化身、ラーマの人生を語った古代叙事詩(イティハーサ)。

**リシ(聖仙)** ヴェーダでの賢者、解脱した聖者。心の止滅を通して、自分の魂の奥底まで見ることのできる者。

## ヨーガの師と聖仙の紹介

**アシュタヴァクラ**
　「八重に曲がった」『アシュタヴァクラ・ギーター』編纂者。
　母親の子宮の中ですでに、バラモンである父が『ヴェーダ』を誤って暗唱しているのを聞いて母体の中から叫び、父親を非難したと言われている。怒ったアシュタヴァクラの父は、8か所湾曲して生まれてくるようにとアシュタヴァクラに呪いをかけ、実際、彼はそのとおりに生まれてきた。アシュタヴァクラの父は学術的議論への参加を求められて王宮に呼ばれ、名高いインドの賢者に敗れて投獄された。その後わずか12歳であったアシュタヴァクラがその高名な賢者を論争で破り、父を釈放したのであった。父は呪いを解いてアシュタヴァクラに神聖なる川で水浴びをするように言い、それによってアシュタヴァクラの体の湾曲はなくなった。

**イーシュヴァラ・クリシュナ**
　サーンキヤに関する現存する最古の書『サーンキヤ・カーリカー』の著者。

**ヴァーチャスパティミシュラ**
　10世紀の学者。インドの6大哲学体系すべてについて注釈書を記したことで知られる。『タットヴァ・ヴァイシャラディ』(『ヨーガ・スートラ』復注書)の著者。

**ヴァシシュタ**
　『ヴェーダ』の一部、および『ヨーガ・ヴァシシュタ』の著者。
　叙事詩『ラーマーヤナ』に出てくるラーマ王の父、ダシャラタ王の宮廷祭司。

**ヴァーマナ**
　『ヨーガ・コールンタ』の著者。

**ヴィシュヴァーミトラ**
　最も神聖なマントラ、ガーヤトリーを見る者。
　ヴィシュヴァーミトラは困難をいとわず、最も厳しく、なおかつ長期にわたる苦行を行った聖仙である。しいたげられた人々に助けを請われれば拒絶することはなく、そのため「世界の友」を意味するヴィシュヴァーミトラという名を得た。

**ヴィジュニャーナビクシュ**
　14世紀のヨーガの師、哲学者。
　『ヨーガ・スートラ』の復注書である『ヨーガ・ヴァーティカ』の著者。

**ヴィヤーサ**
　『ヴェーダ』の分割者、『マハーバーラタ』、『ブラフマ・スートラ』、『ヨーガ・スートラ』注釈書、『プラーナ』の著者。誕生当時の名はクリシュナ・ドゥヴァイパヤナ。

## ヨーガの師と聖仙の紹介

**ガウダパーダ**
アドヴァイタ・ヴェーダーンタを体系的な哲学に発展させた。『マーンドゥーキャ・カーリカー』、『サーンキヤ・カーリカー』注釈書の著者。

**カピラ**
人類初の体系的哲学、サーンキヤ学派の開祖。『バガヴァッド・ギーター』、『バーガヴァタ・プラーナ』に、至高の存在の具現として記されている。

**T.クリシュナマチャリヤ**
シュリ・クリシュナ・パタビ・ジョイスの師、ラーマモーハン・ブラフマチャーリの弟子。

**シャンカラ**
アドヴァイタ・ヴェーダーンタの主唱者。神秘家、哲学者、ヨーギである。神聖なる生まれであると考えられている。『ウパニシャッド』、『バガヴァッド・ギーター』、『ブラフマ・スートラ』の注釈者。おそらく、インドにおける師たちの中で最も大きな影響力を持つ。

**パーニニ**
古代のサンスクリット文法学者。『アシュターディヤーイー』の著者。

**パタビ・ジョイス**
現代におけるアシュタンガ・ヨーガの師。T.クリシュナマチャリヤの弟子。

**パタンジャリ**
『ヨーガ・スートラ』、パーニニ作文法書の注釈書、アーユルヴェーダについての教本『チャラカ・サンヒター』の著者。無限を表すヘビの具現化であると考えられている。

**ハリハラーナンダ・アーランヤ**
ビハールにあるカピラ僧院の僧院長であった。『ヨーガ・スートラ』復注書の著者。

**パンチャシカ**
聖仙カピラの教えを発展させた、古代のサーンキヤの師。
サーンキヤに関する書があるが現存しない。

**ヤージュニャヴァルキヤ**
ウパニシャッド期で最も卓越した聖仙。すべての出現はブラフマンに他ならないという『ウパニシャッド』の核となる教えを確立した。

**ラーマーヌジャ**
『ブラフマ・スートラ』等の注釈書の著者。ヴィシシュタ・アドヴァイタ・ヴェーダーンタを発展させた。個人の自己(アートマン)と無限の意識(ブラフマン)は同一であってなおかつ異なると説いた。バクティ・ヨーガの信奉者。

**ラマナ・マハルシ**
解脱した聖者。現代におけるアドヴァイタ・ヴェーダーンタの師。

# 参考文献

Adams, G. C., Jr., translator and commentator, *Badarayana's Brahma Sutras*, Motilal Banarsidass, Delhi, 1993.

Agehananda Bharati, Sw., *The Light at the Center*, Ross-Erickson, Santa Barbara, 1976.

Agehananda Bharati, Sw., *The Ochre Robe*, 2nd rev. ed., Ross-Erickson, Santa Barbara, 1980.

Agehananda Bharati, Sw., *The Tantric Tradition*, Anchor Books, New York, 1970.

Aranya, Sw. H., *Yoga Philosophy of Patanjali with Bhasvati*, 4th enlarged ed., University of Calcutta, Kolkata, 2000.

Ashokananda, Sw., translator and commentator, *Avadhuta Gita of Dattatreya*, Sri Ramakrishna Math, Madras.

*Ashtavakra Gita*, 8th ed., Sri Ramanasramam, Tiruvannamalai, 2001.

Baba, B., translator and commentator, *Yogasutra of Patanjali*, Motilal Banarsidass, Delhi, 1976.

Bachhofer, J., *Milarepa Meister der Verrueckten Weisheit*, Windpferd.

Bader, J., *Meditation in Sankara's Vedanta*, Aditya Prakashan, New Delhi, 1990.

Balantyne, J. R., translator and commentator, *Yoga Sutra of Patanjali*, Book Faith India, Delhi, 2000.

Banerjea, A. K., *Philosophy of Gorakhnath*, 1st Indian ed., Motilal Banarsidass, Delhi, 1983.

Bernard, T., *Heaven Lies Within Us*, Charles Scribner's Sons, New York, 1939.

Bernard, T., *Hindu Philosophy*, Jaico Publishing House, Mumbai, 1989.

Bhatt, G. P. (ed.), *The Skanda Purana*, part 1, trans. G. V. Tagare, Motilal Banarsidass, Delhi, 1992.

Bhattacharya, V., editor and translator, *The Agamasastra of Gaudapada*, Motilal Banarsidass, Delhi, 1943.

Bose, A. C., *The Call of the Vedas*, Bharatiya Vidya Bhavan, Mumbai, 1999.

Bouanchaud, B., *The Essence of Yoga*, Rudra Press, Portland, Oregon, 1997.

Briggs, G. W., *Goraknath and the Kanphata Yogis*, 1st Indian ed., Motilal Banarsidass, Delhi, 1938.

Calais-Germaine, B., *Anatomy of Movement*, rev. ed., Eastland Press, Seattle, 1991.

Calasso, R., *Ka — Stories of the Minds and Gods of India*, Vintage Books, New York, 1999.

Chaitow, L., *Positional Release Techniques*, 2nd ed., Churchill Livingstone, London, 2002.

Chandra Vasu, R. B. S., translator, *The Gheranda Samhita*, Sri Satguru Publications, Delhi, 1986.

Chandra Vasu, R. B. S., translator, *The Siva Samhita*, Sri Satguru Publications, Delhi, 1984.

Chang, G. C. C., translator, *Teachings and Practice of Tibetan Tantra*, Dover Publications, Mineola, New York, 2004.

Chapple, C., translator, *The Yoga Sutras of Patanjali*, Sri Satguru Publications, Delhi, 1990.

Clemente, C. D., *Anatomy — A Regional Atlas of the Human Body*, 4th ed., Williams & Wilkins, Baltimore, Maryland, 1997.

Cole, C. A., *Asparsa Yoga — A Study of Gaudapada's Mandukya Karika*, Motilal Banarsidass, Delhi, 1982.

Coulter, D., *Anatomy of Hatha Yoga*, Body and Breath Inc., Honesdale, Pennsylvania, 2001.

Dahlke, P., translator, *Buddha — Die Lehre des Erhabenen*, Wilhelm Goldmann Verlag, Munich, 1920.

Dasgupta, S., *A History of Indian Philosophy*, 1st Indian ed., 5 vols., Motilal Banarsidass, Delhi, 1975.

Dasgupta, S., *Yoga as Philosophy and Religion*, Motilal Banarsidass, Delhi, 1973. ※1

Desikachar, T. K. V., *Health, Healing and Beyond*, Aperture, Denville, New Jersey, 1998.

Desikachar, T. K. V., *The Heart of Yoga*, Inner Traditions, Rochester, Vermont, 1995.

Desikachar, T. K. V., translator, *Yoga Taravali*, Krishnamacharya Yoga Mandiram, Chennai, 2003.

Deussen, P., *The Philosophy of the Upanishads*, translated by A. S. Geden, Motilal Banarsidass, Delhi, 1997.

Deussen, P., editor, *Sixty Upanisads of the Veda*, translated by V. M. Bedekar & G. B. Palsule, 2 vols., Motilal Banarsidass, Delhi, 1997.

Deutsch, E., *Advaita Vedanta — A Philosophical Reconstruction*, University of Hawaii Press, Honululu, 1973.

Digambarji, Sw., editor and commentator, *Vasishta Samhita*, Kaivalyadhama, Lonavla, 1984.

Doniger O'Flaherty, W., *Siva — The Erotic Ascetic*, Oxford University Press, London & New York, 1973.

Douglas, N., *Tantra Yoga*, Munshiram Manoharlal, New Delhi, 1971.

Dvivedi, M. N., translator and commentator, *The Yoga Sutras of Patanjali*, Sri Satguru Publications, Delhi, 1890.

Egenes, T., *Introduction to Sanskrit*, part 1, 3rd rev. ed., Motilal Banarsidass, Delhi, 2003.

Egenes, T., *Introduction to Sanskrit*, part 2, Motilal Banarsidass, Delhi, 2000.

Eliade, M., *Yoga — Immortality and Freedom*, 2nd ed., Princeton University Press, Princeton, New Jersey, 1969. ※2

Evans-Wentz, W. Y., editor, *The Tibetan Book of the Dead*, Oxford University Press, London, 1960.

Evans-Wentz, W. Y., editor, *Tibetan Yoga and Secret Doctrines*, Oxford University Press, Oxford, 1958.

Evans-Wentz, W. Y., editor, *Tibet's Great Yogi Milarepa*, 2nd ed., Munshiram Manoharlal, Delhi, 2000.

Feldenkrais, M., *Awareness through Movement*, HarperCollins, San Francisco, 1990.

Feuerstein, G., *The Shambhala Encyclopedia of Yoga*, Shambhala, Boston, 1997.

Feuerstein, G., *The Yoga Tradition*, Hohm Press, Prescott, Arizona, 2001.

Feuerstein, G., translator and commentator, *The Yoga-Sutra of Patanjali*, Inner Traditions, Rochester, Vermont, 1989.

Frawley, D., *Ayurvedic Healing — A Comprehensive Guide*, 1st Indian ed., Motilal Banarsidass, Delhi, 1992.

Frawley, D., *From the River of Heaven*, 1st Indian ed., Motilal Banarsidass, Delhi, 1992.

Frawley, D., *Gods, Sages and Kings*, 1st Indian ed., Motilal Banarsidass, Delhi, 1993.

Frawley, D., *Tantric Yoga and the Wisdom Goddesses*, 1st Indian ed., Motilal Banarsidass, Delhi, 1996.

Frawley, D., *Wisdom of the Ancient Seers*, Motilal Banarsidass, Delhi, 1994.

Frawley, D., *The Yoga of Herbs*, 1st Indian ed., Motilal Banarsidass, Delhi, 1994.

Freeman, R., *The Yoga Matrix* (audio casettes), Sounds True, Boulder, Colorado, 2001.

Freeman, R., *Yoga with Richard Freeman* (video and handbook), Delphi Productions, Boulder, Colorado, 1993.

Friend, J., *Anusara Yoga — Teacher Training Manual*, Anusara Press, Spring 1999.

Gambhirananda, Sw., *Bhagavad Gita with Commentary of Sankaracarya*, Advaita Ashrama, Kolkata, 1997.

Gambhirananda, Sw., translator, *Brahma Sutra Bhasya of Sri Sankaracarya*, Advaita Ashrama, Kolkata, 1965.

Gambhirananda, Sw., translator, *Eight Upanisads*, Advaita Ashrama, Kolkata, 1996.

Ganganatha, J., translator, *Yoga-Sara-Sangraha of Vijnana — Bhiksu*, rev. ed., Parimal Publications, Delhi, 1995.

Ganguli, K. M., translator, *The Mahabharata*, 12 vols., Munshiram Manoharlal, New Delhi, 1998.

Gharote, M. L., translator, *Brhadyajnavalkyasmrti*, Kaivalyadhama, Lonavla, 1982.

Godman, D., editor, *Be As You Are — The Teachings of Ramana Maharshi*, Penguin Books India, New Delhi, 1985. ※3

Gopal, L., *Retrieving Samkhya History*, D. K. Printworld (P) Ltd., New Delhi, 2000.

Gosh, S., translator, editor, and commentator, *The Original Yoga*, 2nd rev. ed., Munshiram Manoharlal, New Delhi, 1999.

Govinda, L. A., *Der Weg der weissen Wolken*, Scherz Verlag, Bern, 1975.

Grabowski, T., *Principles of Anatomy and Physiology*, 10th ed., John Wiley & Sons, Hoboken, New Jersey, 2003.

Guenther, H.v., translator, *Juwelenschmuck der geistigen Befreiung*, Eugen Diederichs Verlag, Munich, 1989.

Guenther, H.v., translator and commentator, *The Life and Teaching of Naropa*, Shambala, Boston, 1995.

Gupta, A. S., *The Evolution of the Samkhya School of Thought*, 2nd rev. ed., Munshiram Manoharlal, New Delhi, 1986.

Gupta, S. R., translator and commentator, *The Word Speaks to the Faustian Man*, vol. 2, *A Translation and Interpretation of the Prasthanatrayi*, Motilal Banarsidass, Delhi, 1995.

Gurdjieff, G. I., *Beelzebub's Erzaehlungen fuer seinen Enkel*, Sphinx Verlag, Basel, 1981. ※4

Gurdjieff, G. I., *Begnungen mit bemerkenswerten Menschen*, Aurum Verlag, Freiburg, 1978. ※5

Gurdjieff, G. I., *Das Leben ist nur dann wirklich wenn ich bin*, Sphinx Verlag, Basel, 1987. ※6

Hamill, S. & Seaton, J. P., translators and editors, *The Essential Chuang Tzu*, Shambala, Boston, 1998.

Isayeva, N., *From Early Vedanta to Kashmir Shaivism*, 1st Indian ed., Sri Satguru Publications, Delhi, 1997.

Iyengar, B. K. S., *Light on Pranayama*, HarperCollins Publishers India, New Delhi, 1993.

Iyengar, B. K. S., *Light on the Yoga Sutras of Patanjali*, HarperCollins Publishers India, New Delhi, 1993. ※7

Iyengar, B. K. S., *Light on Yoga*, 2nd ed., Allen & Unwin, London, 1976. ※8

Iyengar, B. K. S., *The Tree of Yoga*, HarperCollins Publishers India, New Delhi, 1995.

Jacobsen, A. J., *Prakrti in Samhkya-Yoga*, 1st Indian ed., Motilal Banarsidass, Delhi, 2002.

Jagadananda, Sw., translator, *Upadesa Sahasri of Sri Sankaracarya*, Sri Ramakrishna Math, Madras.

Jagadananda, Sw., translator, *Vakyavrtti of Sri Sankaracarya*, Sri Ramakrishna Math, Madras.

Jois, K. P., *Ashtanga Yoga with K. Pattabhi Jois*, 1st series (video), Yoga Works Productions, Santa Monica, California, 1996.

Jois, K. P., *Yoga Mala*, 1st English ed., Eddie Stern / Patanjala Yoga Shala, New York, 1999. ※9

Kale, M. R., *A Higher Sanskrit Grammar*, Motilal Banarsidass, Delhi, 1972.

Kalu Rinpoche, *The Gem Ornament*, Snow Lion, Ithaca, New York, 1986.

Kanshi, R., *Integral Non-Dualism*, Motilal Banarsidass, Delhi, 1995.

Kendall, F. P., *Muscles Testing and Function*, 4th ed., Lippincott Williams & Wilkins, Philadelphia, 1993.

Krishnamacharya the Purnacharya, Krishnamacharya Yoga Mandiram, Chennai.

Krishnamurti, J., *The Awakening of Intelligence*, HarperCollins, San Francisco, 1987. ※ 10

Krishnamurti, J., *The First and Last Freedom*, HarperCollins, San Francisco, 1975. ※ 11

Krishnamurti, J., *Krishnamurti's Journal*, 2nd rev. ed., Krishnamurti Foundation Trust India, Chennai, 2003.

Krishnamurti, J., *Krishnamurti to Himself*, HarperCollins, San Francisco, 1993. ※ 12

Kumar, S., translator and annotator, *Samkhyasara of Vijnanbhiksu*, Eastern Book Linkers, Delhi, 1988.

Kunjunni Raja, K., editor, *Hathayogapradipika of Swatmarama*, The Adyar Library and Research Centre, Madras, 1972.

Kuvalayananda, Sw., *Asanas*, Kaivlayadhama, Lonavla, 1933.

Kuvalayananda, Sw., *Pranayama*, 7th ed., Kaivlayadhama, Lonavla, 1983.

Lad, V., *Ayurveda, The Science of Self-Healing*, 1st Indian ed., Motilal Banarsidass, Delhi, 1994.

Larson, G. J., *Classical Samkhya*, 2nd rev. ed., Motilal Banarsidass, Delhi, 1979

Larson, G. J. & Bhattacharya, R. S., *Encyclopedia of Indian Philosophies*, vol. 4, *Samkhya*, 1st Indian ed., Motilal Banarsidass, Delhi.

Leggett, T., *Realization of the Supreme Self*, New Age Books, New Delhi, 2002.

Leggett, T., translator, *Sankara on the Yoga Sutras*, 1st Indian ed., Motilal Banarsidass, Delhi, 1992.

Lester, R. C., *Ramanuja on the Yoga*, Adyar Library and Research Centre, Madras, 1976.

Long, R. A., *The Key Muscles of Hatha Yoga*, Bandha Yoga Publications, 2005.

Lorenzen, D. N., *Kabir Legends and Ananta Das's Kabir Parachai*, 1st Indian ed., Sri Satguru Publications, Delhi, 1992.

Lorenzen, D. N., *The Kapalikas and Kalamukhas*, 2nd rev. ed., Motilal Banarsidass, Delhi, 1991.

Madgula, I. S., *The Acarya*, 2nd rev. ed., Motilal Banarsidass, Delhi, 2001.

Madhavananda, Sw., translator, *The Brhadaranyaka Upanisad*, Advaita Ashrama, Kolkata, 1997.

Madhavananda, Sw., translator and commentator, *Minor Upanisads*, Advaita Ashrama, Kolkata, 1996.

Madhavananda, Sw., translator and annotator, *Vedanta Paribhasa*, Advaita Ashrama, Kolkata, 1997.

Mahadevan, T. M. P., *The Hymns of Sankara*, Motilal Banarsidass, Delhi, 1980.

Mani, V., *Puranic Encyclopedia*, 1st English ed., Motilal Banarsidass, Delhi, 1975.

Mascaro, J., translator, *The Upanishads*, Penguin Books, New Delhi, 1994.

Miele, L., *Ashtanga Yoga*, International Federation of Ashtanga Yoga Centres, Rome. ※ 13

Mitchiner, J. E., *Tradition of the Seven Rsis*, Motilal Banarsidass, Delhi, 2000.

Mohan, A. G., *Yoga for Body, Breath and Mind*, Shambala, Boston & London, 2002.

Mohan, A. G., *Yoga Therapy*, Shambala, Boston & London, 2004.

Mohan, A. G., translator, *Yoga Yajnavalkya*, Ganesh & Co, Madras.

Monier-Williams, M., *A Sanskrit English Dictionary*, Motilal Banarsidass, Delhi, 2002.

Mueller, M., editor, *The Sacred Books of the East*, vol. 38, *Vedanta Sutras*, trans. G. Thibault, Motilal Banarsidass, Delhi, 1962.

Muktananda, Sw., *Der Weg und sein Ziel*, Deutsche Erstausgabe, Droemersche Verlagsanstalt, Munich, 1987.

Muktibodhananda, Sw., translator and commentator, *Hatha Yoga Pradipika*, 2nd ed., Yoga Publications Trust, Munger, 1993.

Nalanda Translation Committee, *The Life of Marpa the Translator*, Shambala, Boston, 1982.

Natarajan, A. R., *Ramana Maharshi — The Living Guru*, Ramana Maharshi Centre for Learning, Bangalore, 1996.

Natarajan, A. R., *Timeless in Time — A Biography of Sri Ramana Maharshi*, 2nd ed., Ramana Maharshi Centre for Learning, Bangalore, 2000.

Natarajan, N., translator and annotator, *Tirumantiram*, Sri Ramakrishna Math, Madras.

Neumann, D. A., *Kinesiology of the Muskuloskeletal System*, Mosby, St Louis, 2002.

Nikhilananda, Sw., translator, *The Mandukya Upanishad with Gaudapada's Karika and Sankara's Commentary*, Advaita Ashrama, Kolkata, 1987.

Nikhilananda, Sw., translator, *Vedanta-sara of Sadananda*, Advaita Ashrama, Kolkata, 1997.

Niranjanananda, P., *Yoga Darshan*, Sri Panchdashnam Paramahamsa Alakh Bara, Deoghar, 1993.

Norbu, N., *Dream Yoga*, Snow Lion, Ithaca, New York, 1992.

Pandey, K. C., editor, *Isvara Pratyabhijna Vimarsini — Doctrine of Divine Recognition*, 3 vols., Motilal Banarsidass, Delhi, 1986.

Panoli, V., translator and commentator, *Gita in Shankara's Own Words*, Shri Paramasivan, Madras, 1980.

Percheron, M., *Buddha*, Rowohlt Verlag, Hamburg, 1958.

Perry, E. D., *A Sanskrit Primer*, 4th ed., Motilal Banarsidass, Delhi, 1936.

Powell, R., editor, *The Experience of Nothingness — Sri Nisargadatta Maharaj's Talks on Realizing the Infinite*, 1st Indian ed., Motilal Banarsidass, Delhi, 2004.

Powell, R., editor, *The Nectar of Immortality — Sri Nisargadatta Maharaj's Discourses on the Eternal*, 1st Indian ed., Motilal Banarsidass, Delhi, 2004.

Prabhavananda, Sw., *Yoga and Mysticism*, Vedanta Press, Hollywood, 1969.

Prabhavananda, Sw., translator, *Bhagavad Gita*, Vedanta Press, Hollywood, 1987.

Prabhavananda, Sw., translator, *The Upanishads*, Vedanta Press, Hollywood, 1983.

Prabhavananda, Sw., translator and commentator, *Patanjali Yoga Sutra*, Sri Ramakrishna Math, Madras.

Prakashanand Saraswati, Sw., *The True History and the Religion of India*, 1st Indian ed., Motilal Banarsidass, Delhi, 2001.

Prasada, R., translator, *Patanjali's Yoga Sutras*, Munshiram Manoharlal, New Delhi, 2003.

Pungaliya, G. K., *Yoga Sastra*, Yoga and Allied Research Institute, Pune, 1998.

Radhakrishnan, S., *Indian Philosophy*, Indian ed., 2 vols., Oxford University Press, New Delhi, 1940.

Radhakrishnan, S., editor, *The Principal Upanisads*, HarperCollins Publishers India, New Delhi, 1994.

Radhakrishnan, S., translator and commentator, *The Bhagavad Gita*, HarperCollins Publishers India, New Delhi, 2002.

Rajneesh, O., *The Book of the Secrets*, 2nd ed., Rajneesh Foundation International, Antelope, Oregon, 1982. ※ 14

Rajneesh, O., *Tantra: The Supreme Understanding*, The Rebel Publishing House, Portland, Oregon, 1997.

Ram Das, *Miracle of Love*, Munshiram Manoharlal, New Delhi, 1999. ※ 15

Rama, Sw., *Path of Fire and Light*, vol. 1, The Himalayan Institute Press, Honesdale, Pennsylvania, 1988.

Rama, Sw., translator and commentator, *The Mystical Poetry of Kabir*, The Himalayan International Institute of Yoga, Honesdale, Pennsylvania, 1990.

Ramachandra Rao, S. K., *Yoga and Tantra in India and Tibet*, Kalpatharu Research Academy, Bangalore, 1999.

Ramakrishnananda, Sw., *Life of Sri Ramanuja*, Sri Ramakrishna Math, Madras.

Ramanasramam, S., *Sri Ramana Gita*, 8th ed., Sri Ramanasram, Tiruvannamalai, 1998.

Ramaswami, S., *Yoga for the Three Stages of Life*, Inner Traditions, Rochester, Vermont, 2000.

Reich, W., *Die Massenpsychologie des Faschismus*, Kiepenheuer & Witsch, Cologne, 1971. ※ 16

Rieker, H. U., commentator, *Hatha Yoga Pradipika*, Aquarian/ Thorsons, London, 1992.

Rolf, I. P., *Rolfing — The Integration of Human Structures*, Dennis-Landman, Santa Monica, 1977.

Rukmani, T. S., translator, *Yogavarttika of Vijnanabhiksu*, 4 vols., Munshiram Manoharlal, New Delhi, 1998–2001.

Sangharakshita, *The Thousand-Petalled Lotus: The Indian Journey of an English Buddhist*, Sutton Pub. Ltd., 1988.

Satyananda Saraswati, Sw., *Moola Bandha*, 2nd ed., Bihar School of Yoga, Munger, 1996.

Scott, J., *Ashtanga Yoga*, Simon & Schuster, Roseville, NSW, 2000. ※ 17

Sharma, A., *Advaita Vedanta*, Motilal Banarsidass, Delhi, 1993.

Sharma, C., *The Advaita Tradition in Indian Philosophy*, Motilal Banarsidass, Delhi, 1996.

Sharma, V. S., *Essentials of Ayurveda*, 2nd ed., Motilal Banarsidass, Delhi, 1998.

Shastri, J. L., editor, *The Kurma Purana*, trans. G. V. Tagare, 2 vols., Motilal Banarsidass, Delhi, 1981.

Shastri, J. L., editor, *The Linga Purana*, 2 vols., Motilal Banarsidass, Delhi, 1973.

Shastri, J. L., editor, *The Narada Purana*, trans. G.V. Tagare, 5 vols., Motilal Banarsidass, Delhi, 1980.

Shastri, J. L., editor, *The Siva Purana*, 4 vols., Motilal Banarsidass, Delhi, 1970.

Shrikrishna, *Essence of Pranayama*, 2nd ed., Kaivalyadhama, Lonavla, 1996.

Silburn, L., *Kundalini Energy of the Depths*, State University of New York Press, Albany, 1988.

Singh, J., translator and annotator, *Para Trisika Vivarana of Abhinavagupta*, Motilal Banarsidass, Delhi, 1988.

Singh, J., translator and annotator, *Siva Sutras — The Yoga of Supreme Identity*, Motilal Banarsidass, Delhi, 1979.

Singh, J., translator and annotator, *Spanda Karikas — The Divine Creative Pulsation*, Motilal Banarsidass, Delhi, 1980.

Singh, J., translator and annotator, *Vijnanabhairava*, Motilal Banarsidass, Delhi, 1979.

Sinh, P., translator, *The Hatha Yoga Pradipika*, Sri Satguru Publications, Delhi, 1915.

Sinha, N., *The Samkhya Philosophy*, Munshiram Manoharlal, New Delhi, 2003.

Sivananda Radha, Sw., *Kundalini Yoga*, 1st Indian ed., Motilal Banarsidass, Delhi, 1992.

Sjoman, N. E., *The Yoga Tradition of the Mysore Palace*, Abhinav Publications, New Delhi, 1996.

Sparham, G., *Dzog Chen Meditation*, Sri Satguru Publications, Delhi, 1994.

Sri Yukteswar, Sw., *Die Heilige Wissenschaft*, Otto Wilhelm Barth Verlag, Munich, 1991.

Stiles, M., *Structural Yoga Therapy*, Samuel Weiser, York Beach, Maine, 2000.

Stoler Miller, B., translator, *Yoga Discipline of Freedom*, Bantam Books, New York, 1998.

Subramaniam, K., translator, *Mahabharata*, Bharatiya Vidya Bhavan, Mumbai, 1999.

Subramaniam, K., translator, *Srimad Bhagavatam*, 7th ed., Bharatiya Vidya Bhavan, Mumbai, 1997.

Subramaniam, V. K., translator, *Saundaryalahari of Sankaracarya*, Motilal Banarsidass, Delhi, 1977.

Sullivan, B. M., *Seer of the Fifth Veda*, 1st Indian ed., Motilal Banarsidass, Delhi, 1999.

Swahananda, Sw., translator, *Chandogya Upanisad*, Sri Ramakrishna Math, Madras, 1956.

Swenson, D., *Ashtanga Yoga "The Practice Manual,"* Ashtanga Yoga Productions, Houston, 1999.

Taimni, I. K., translator and commentator, *The Science of Yoga*, The Theosophical Publishing House, Adyar, 1961.

Tapasyananda, Sw., translator, *Prasnottara-ratna-malika of Sri Sankaracarya*, Sri Ramakrishna Math, Madras.

Tapasyananda, Sw., translator, *Sankara-Dig-Vijaya*, Sri Ramakrishna Math, Chennai.

Tapasyananda, Sw., translator, *Sivanandalahari of Sri Sankaracarya*, Sri Ramakrishna Math, Madras.

Tapasyananda, Sw., translator and annotator, *Srimad Bhagavad Gita*, Sri Ramakrishna Math, Madras.

Thie, J. F., *Touch for Health*, rev. ed., DeVorss & Co., Marina del Rey, California, 1979.

Thurman, R., translator, *The Tibetan Book of the Dead*, HarperCollins Publishers India, New Delhi, 1998.

Tola, F., & Dragonetti, C., translators, *The Yogasutras of Patanjali*, Motilal Banarsidass, Delhi, 1987.

Torwesten, H., *Ramakrishna — Schauspieler Gottes*, Fischer Taschenbuch Verlag, Frankfurt, 1981.

Tsogyal, Y., *The Lotus Born — The Life Story of Padmasambhava*, trans. E. Pema Kunsang, Shambala, Boston, 1993.

Turiyananda, Sw., translator, *Vivekacudamani of Sri Sankaracarya*, Sri Ramakrishna Math, Madras.

Tyagisananda, Sw., translator and annotator, *Narada Bhakti Sutras*, Sri Ramakrishna Math, Madras.

Van Lysbeth, A., *Die grosse Kraft des Atems*, O. W. Barth Verlag, Munich, 1991.

Veda Bharati, Sw., *Meditation and the Art of Dying*, The Himalayan Institute Press, Honesdale, Pennsylvania, 1979.

Veda Bharati, Sw., translator and commentator, *Yoga Sutras of Patanjali*, vol. 2, Motilal Banarsidass, Delhi, 2001.

Venkatesananda, Sw., translator, *The Supreme Yoga [Yoga Vashishta]*, 2 vols., The Divine Life Society, Shivanandanagar, 1995.

Venkatesananda, Sw., translator and commentator, *The Yoga Sutras of Patanjali*, The Divine Life Society, Shivanandanagar, 1998.

Verma, V., *Ayurveda — der Weg des gesunden Lebens*, Taschenbuchausgabe, Heyne Verlag, Munich, 1995.

Vimalananda, Sw., translator and annotator, *Mahanarayanopanisad*, Sri Ramakrishna Math, Madras.

Vimuktananda, Sw., translator, *Aparokshanubhuti of Sri Sankaracharya*, Advaita Ashrama, Kolkata, 1938.

Vireswarananda, Sw., translator, *Brahma Sutras According to Sri Sankara*, Advaita Ashrama, Kolkata, 1936.

Vireswarananda, Sw., translator, *Srimad Bhagavad Gita*, Sri Ramakrishna Math, Madras.

Virupakshananda, Sw., translator, *Samkhya Karika of Isvara Krsna*, Sri Ramakrishna Math, Madras.

Wasson, R. G., *Soma: Divine Mushroom of Immortality*, Harcourt Brace Jovanovich, 1970.　※18

Whicher, I., *The Integrity of the Yoga Darsana*, 1st Indian ed., D. K. Printworld, New Delhi, 2000.

White, D. G., *The Alchemical Body*, The University of Chicago Press, Chicago, 1996.

Woodroffe, J., *Sakti and Sakta*, 10th ed., Ganesh & Co., Madras, 1994.

Woods, J. H., translator, *The Yoga System of Patanjali*, Motilal Banarsidass, Delhi, 1914.

Wu, J. C. H., translator, *Tao Teh Ching*, Shambala, Boston, 1990.

*Yoga Journal*, San Francisco, November/December 1995.

※1　『ヨーガとヒンドゥー神秘主義』高島淳訳　せりか書房
※2　『ヨーガ1、2』（エリアーデ著作集／ミルチャ・エリアーデ著；第9,10巻）　　立川武蔵訳　せりか書房
※3　『あるがままに：ラマナ・マハルシの教え』
　　　　　　　　　　福間巖訳　ナチュラルスピリット
※4　『ベルゼバブの孫への話：人間の生に対する客観的かつ公平無私なる批判』　浅井雅志訳　平河出版社
※5　『注目すべき人々との出会い』星川淳訳　めるくまーる社
※6　『生は「私が存在し」て初めて真実となる』
　　　　　　　　　　　　　　　浅井雅志訳　平河出版社
※7　『ハタヨガの真髄：600の写真による実技事典（新装版）』
　　　　沖正弘監訳／後藤南海雄・玉木瑞枝訳　白揚社
※8　『ヨガ呼吸・瞑想百科：プラーナによる心身のバランス回復』沖正弘監訳／後藤南海雄・玉木瑞枝訳　白揚社
※9　『ヨガ・マーラ：アシュタンガ・ヨガの実践と哲学』
　　　　　　　　ケン・ハラクマ監修／中園順子訳　産調出版
※10 『最後の日記』高橋重敏訳　平河出版社

※11 『クリシュナムルティの日記』
　　　　　　　　　　　　　　宮内勝典訳　めるくまーる社
※12 『自我の終焉：絶対自由への道』
　　　　　　　　　根木宏・山口圭三郎訳　篠崎書林
※13 『アシュタンガヨガ-YOGA CHIKITSAの効用と指南書』
　　　　　　　　　　　ケン・ハラクマ監修　インフォレスト
※14 『存在の詩：バグワン・シュリ・ラジニーシ、タントラを語る』
　　　　　　　　スワミ・プレム・プラブッダ訳　めるくまーる社
※15 『愛という奇蹟：ニーム・カロリ・ババ物語』
　　　　　　　　大島陽子・片山邦雄共訳　パワナスタ出版
※16 『ファシズムの大衆心理（上・下）』
　　　　　　　　　　　　　　　平田武靖訳　せりか書房
※17 『アシュタンガ・ヨーガ：心身と魂のプレッシャーをやわらげるヨーガ行法』
　　　　　　　　　木村慧心監修／竹田悦子訳　産調出版
※18 『聖なるキノコ—ソーマ』
　　　　　　　　　徳永宗雄・藤井正人訳　せりか書房

日本語版付録3

# 『ヨーガ・スートラ』関連文献と本書の特徴

伊藤 雅之

　これまで欧米においては、英訳書も含め、『ヨーガ・スートラ』に対する注釈書、復注書（注釈書への注釈）が数多く刊行されてきている。それに対して、『ヨーガ・スートラ』に直接関連する日本語文献はそれほど多くない。一般に入手可能なおもな文献に簡単な解説をつけて紹介したのが次のリストである。

## Ⅰ．入門書
（1）『ヨーガの哲学』ミラ・メータ　産調出版〔2005年〕
　　ハタ・ヨーガの基本的アーサナの説明、および『ヨーガ・スートラ』にかかわる哲学の解説が1章おきになされている。『ヨーガ・スートラ』が立脚する哲学的基盤をおおまかに把握するには、大変わかりやすい入門書となっている。
（2）『インドの叡智』成瀬貴良　善本社〔1999年〕
　　インドの思想、ヨーガの諸体系、近現代のインドにおける聖者など、多くのテーマが章ごとに分かりやすくまとめられている。『ヨーガ・スートラ』を解説した「ラージャ・ヨーガ」の章も簡潔かつきわめて的確に解説されている。
（3）『ヨーガの哲学』立川武蔵　講談社新書〔1988年〕
　　現在、日本を代表するインド哲学、仏教学の専門家によるヨーガ哲学についての入門書である。『ヨーガ・スートラ』の哲学からハタ・ヨーガの行法、さらには仏教思想とヨーガの関連について平易に概説している。

## Ⅱ．一般書
（1）『インテグラル・ヨーガ：パタンジャリのヨーガ・スートラ』
　　　　　　　　　　　　スワミ・サッチダーナンダ　めるくまーる社〔1989年〕
　　インドの聖者サッチダーナンダが『ヨーガ・スートラ』の内容を弟子に向けて語った講話録である。身近な例を織りまぜながらヨーガ哲学を解釈する本書は、日本語文献の中で最も分かりやすい一般書であると思われる。ただし、本書はスートラ全章句の詳細な解説ではなく、あくまでサッチダーナンダの個人的体験や洞察に負うところが大きい。

(2)『ラージャ・ヨーガ』
　　　　　　スワミ・ヴィヴェーカーナンダ　日本ヴェーダーンタ協会〔1997年〕
　近代インドでもっとも有名な聖者の一人である、ヴィヴェーカーナンダによる『ヨーガ・スートラ』に関する講話集である。全章句への包括的な解説ではないが、『ヨーガ・スートラ』を特徴づける「心の科学」としての側面を理解するには大変有益である。なお、本書以外にも、カルマ・ヨーガ、バクティ・ヨーガ、ジュニャーナ・ヨーガについての講話録が刊行されている。

(3)『魂の科学：パタンジャリのヨーガ・スートラ』Osho　ＬＡＦ瞑想社〔2007年〕
　現代インドを代表する神秘家、和尚ラジニーシによる『ヨーガ・スートラ』のいくつかの章句への講話録である。本書は、ヨーガを題材とした英語版全10巻の講話録のうちの１巻分の翻訳である。そのため、本書で扱っている章句は少ないが、読者を魅了するOshoの語り口によって、パタンジャリの示すヨーガの世界に比較的容易に触れることができる。

## Ⅲ．研究書

(1)『解説ヨーガ・スートラ』佐保田鶴治　平河出版〔1980年〕
　インド哲学の研究者であるとともに、ハタ・ヨーガの実践者でもあった著者が長い年月をかけて完成させた『ヨーガ・スートラ』の解説書である。日本語文献のなかでもっとも詳細に論じられた概説書と言ってよいだろう。ただし、大正生まれのインド哲学者が、仏教に関する専門用語も織りまぜながら論じているため、日本語自体が難しく難解な箇所も少なくない。

(2)『ヨーガ根本教典』佐保田鶴治　平河出版〔1973年〕
　『ヨーガ・スートラ』と『ハタ・ヨーガ・プラディーピカー』の注釈を一冊にまとめた解説書である。そのため、『ヨーガ・スートラ』に関する解説は、(1)よりもかなり簡潔になっているが、ハタ・ヨーガの経典も参照したい読者にはおすすめである。

(3)『ヨーガとサーンキヤの思想』(中村元選集 第24巻)　中村元　春秋社〔1996年〕
　インド哲学の世界的権威、中村元による『ヨーガ・スートラ』およびその背景となるサーンキヤ哲学の研究書。ヴィヤーサによる注釈書の翻訳も含まれている。

　このほかにも以下の研究書がある。
(4)『ヨーガ１，２』(エリアーデ著作集　第9,10巻)
　　　　　　　　　　　　ミルチャ・エリアーデ　せりか書房〔1975年〕

(5)『宗教神秘主義 ― ヨーガの思想と心理』岸本英夫　大明堂〔1958年〕
(6)『神秘主義とヨーガ』岸本英夫　渓声社〔1975年〕
(7)『ヨーガ書註解 ― 試訳と研究』本多恵　平楽寺書店〔1978年〕
(8)『ヨーガ経註』(上・下) 本多恵　平楽寺書店〔2007年〕

## 本書の特徴

　こうした『ヨーガ・スートラ』関連文献のなかで、メーレによる本書は、サッチダーナンダ著『インテグラル・ヨーガ』のもつ現代性と具体性、そして佐保田著『解説ヨーガ・スートラ』に匹敵する専門性と体系性を兼ね備えたきわめて重要な文献であると思われる。以下に本書の特徴を4つまとめておきたい。

　メーレによる本書の第1の特徴は、過去に記された権威ある注釈書の大半を参照しつつ自身の解釈を展開している点にある。メーレは、『ヨーガ・スートラ』への最も古い注釈をしたヴィヤーサをはじめ、シャンカラ、ヴィジュニャーニャビクシュ、ヴァーチャスパティミシュラ、アーランヤといった権威ある注釈書を実に幅広く、また深く掘り下げて研究している。実際、各章句の解釈をする際には、注釈書の内容への具体的な言及をしつつまとめられている。『ヨーガ・スートラ』の各章句はあまりに簡潔に記されているため、いかようにも解釈し、論を展開できてしまう危うさを持つ。そうした問題を避けスートラを的確に理解するためには、信頼のできる注釈書が必携となる。本書は現代人による、きわめて信頼性の高い解説書と言えるだろう。

　本書の第2の特徴は、現代社会の状況や身近な歴史に関連する数々の具体例を提示しつつ、『ヨーガ・スートラ』の各章句の解釈を示している点にある。本書は元来、アシュタンガ・ヴィンヤサ・ヨーガの実践者に向けた書であるため、その創始者であるパタビ・ジョイスやその師であるクリシュナマチャリヤ、さらにはアーサナの実践に関わる具体的な言及が少なからずある。しかしながら、それらに終始することなく、現代人にわかるように、西洋で発達した宇宙物理学や量子力学、臨床心理学などの知見、さらには日常生活における多くの出来事にも触れつつ論を展開している。したがって、現代に生きる私たちがヨーガ哲学の叡智を役立てていくための指針を容易に得ることができると言えるだろう。

　第3の特徴として、本書は『ヨーガ・スートラ』の示す二元論に忠実に立脚しながら、現代ヨーガに対する明確な批判を展開している点が挙げられる。20世紀後半から世界的に広がりを見せるヨーガにおいては、その典型的なメッセージとして、

「心と体の結びつき」、「心と体と魂の一体化」といった一元論的なメッセージが掲げられている。こうしたメッセージは、1960年代後半以降に欧米や日本などに広がったニューエイジ思想に典型的に見られるものである。本書では、プルシャ（意識／気づき、真の自己）は、心や体という偽りの自己とは根本的に異なるという『ヨーガ・スートラ』の示す二元論的立場から、現代ヨーガの典型的なメッセージは、誤った一体化を志向するために有害であると強く批判している。インドにおいても12、13世紀以降に発展したハタ・ヨーガでは、こうした一元論的な傾向が見られる。だがメーレは、アシュタンガ・ヴィンヤサというハタ・ヨーガを実践しつつも『ヨーガ・スートラ』の立場を遵守して、心と体の一体化を理想するアプローチは、スートラの掲げる目的と逆行するものとして幾度となく批判している。この明確な立場は本書の基底をなすものと言えるだろう。

　本書の第4の特徴は、メーレの歴史観、それに基づく『ヨーガ・スートラ』の位置づけに見出される。彼はインドで広く浸透した歴史観に基づき、人類は現代に近づくにつれて、その意識の開花の面では退廃してきているという立場をとる（より詳しくは「ヨーガの系譜」参照）。こうした人類史とその時期ごとでの心の状態の特徴をふまえたうえで、『ヨーガ・スートラ』は散漫な心の状態の人間が一点集中の心に向かうために記された、いわば初心者向けの書であるとメーレは捉える。そして、すでに心の散漫さのない上級者は、意識を直接扱った『ウパニシャッド』を学ぶことを提唱している。一般に研究者たちは、哲学・思想の流れを歴史的文脈に位置づけて、その特徴を優劣をつけることなく相対的に捉える傾向が強い。

　これに対して、メーレのアプローチは、『ウパニシャッド』の一元論を真理とする、インド六派哲学のなかで現在圧倒的な勢力をもつヴェーダーンタ学派の立場に近いとも言える。しかし、彼はヴェーダーンタ哲学に対する批判も本書のなかで展開している。したがって、メーレの立場は、あくまで人類の意識の衰退段階とそれに対応する経典の特徴づけを徹底化したものと捉えるほうがよいだろう。

　以上簡単にまとめた本書のいくつかの特徴をふまえたうえで、『ヨーガ・スートラ』への理解を深めていただければ幸いである。

# 索　引

## 【あ】
アヴィディヤー ……………………… 95他
アーサナ ……………………………… 163他
アーサナのみの練習 ………………… 270
アシュタンガ・ヴィンヤサ・ヨーガの瞑想
　………………………………………… 123
アージュニャー・チャクラ ……………… 9
アスミター ……………………… 99, 243
アディシェーシャ …………………… 166
アディヤートマ ……………………… 84
アートマン …………………………… 127
アナーハタ・チャクラ …………………… 9
アナンタ ………………………… 4, 277
アパーナ ……………………………… 224
アパリグラハ ………………………… 157
アパロクシャーヌブーティ ………… 165
アハンカーラ …………………… 18, 243
誤った視点 …………………………… 62
誤った認識 …………………………… 29
アーランヤ …………………………… 172
アングリマーラ ……………………… 152
アンタハカラナ ………………… 18, 119
医学の4部門 ………………………… 119
意識 ……………… 21, 123, 128, 219,
　　　　　　　　 232, 237, 262, 275, 280
イーシュヴァラ・プラニダーナ … 92, 163
イシュタデーヴァター ……………… 162
イダー ………………………………… 34
一元論 ………………………………… 256
ヴァーサナー ………………… 109, 247, 248
ヴァーチャスパティミシュラ
　………………… 6, 96, 162, 202, 212
ヴィヴァラナ ………………………… 65
ヴィヴェーカチューダーマニ ……… 197
ヴィクシプタ・チッタ ……… 3, 7, 15, 251
ヴィジュニャーナヴァーディン …… 256, 259
ヴィシュッダ・チャクラ ………………… 9
ヴィジュニャーナビクシュ
　……………… 9, 22, 189, 193, 199, 212
ヴィジュニャーナ・バイラヴァ … 70, 227

ヴィシュヌ ……………………… 4, 166
ヴィヤーサ ……………………… 5, 205, 243
ヴェーダ ………………………… 2, 5
ヴェーダーンタ ……………………… 56
疑い …………………………………… 60
ウパニシャッド ………………… 3, 277
ヴリッティ …………………………… 24
エーカーグラ・チッタ ………… 2, 16
オーム …………………………… 32, 57

## 【か】
カイヴァリャ …………… 89, 131, 234, 281
概念化 ………………………………… 30
ガウダパーダ …………………… 32, 56
鏡の比喩 ……………………………… 129
カタ・ウパニシャッド ………… 57, 272
ガルダ ………………………………… 209
カルマ
　… 108, 109, 117, 203, 207, 245, 247, 248, 249
カルマーシャヤ ……… 53, 109, 207, 248, 276
川の比喩 ……………………………… 235
感覚遮断タンク ……………………… 105
カンダ ………………………………… 214
記憶 …………………………………… 79
気づき …………………… 21, 125, 262
恐怖 …………………………………… 103
禁戒 …………………………………… 140
禁欲 …………………………… 144, 156
苦 ……………………………… 114, 117, 118
空思想 …………………………… 256, 264
クシプタ・チッタ ……………………… 15
グナ …………………… 39, 116, 258, 280
クリシュナ ……………… 106, 143, 204, 255
T.クリシュナマチャリヤ
　………………… 19, 51, 135, 163, 169, 175, 225
J.クリシュナムルティ ………………… 211
クリヤー・ヨーガ ……………………… 90他
クレーシャ …………………………… 95他
クンダリーニ ………………………… 125
クンバカ ……………………………… 170他

299

経験 …………………………… 86, 219
嫌悪 ………………………………… 103
厳格さ ……………………………… 60
心 ………………………… 13, 14, 16, 73,
　　　　　　　76, 77, 180, 191, 261, 262, 266
心からの自由 ……………………… 135
心の極端 …………………………… 33
孤独 ………………………………… 131

【さ】
サヴィタルカー・サマーパッティ ……… 78
サットヴァ ………………………… 14
サトカーリヤヴァーダ …………………… 252
サハスラーラ・チャクラ …………………… 9
サマーディ ………………… 19, 20, 272
サマーパッティ ………………… 73他
サーンキヤ ……………… 4, 51, 55, 127
サーンキヤ・カーリカー
　　　………… 18, 45, 55, 121, 124, 188, 237
サンスカーラ …………… 108, 189, 248, 272
サンヤマ …………………………… 184
シヴァ神 …………………………… 125
シヴァ派 …………………………… 125
ジーヴァ …………………………… 219
時間 ………………… 234, 235, 237, 253, 279
自我 …………………………… 216, 244
自我意識 …………………………… 99
識別知 ……………… 88, 133, 134, 271
至高の存在 ………… 50, 90, 92, 149, 162
実践 ………………… 33, 34, 35, 36
シッダ ……………………………… 243
シッディ …………………………… 210
シャクティ ………………………… 125
ジャパ ……………………………… 177
シャンカ・ムドラー ……………… 171
シャンカラ ……… 7, 65, 185, 186, 215, 223, 243
シャンカラーチャーリヤ …………… 7, 165
自由 ………………………… 88, 131, 281
熟考のサマーパッティ ……………… 77
種子のあるサマーディ ……………… 83
種子のないサマーディ ………… 187, 275
シューニャヴァーディン ……… 256, 264
シューニャター ………… 99, 128, 182
シュルティ ………………… 91, 277

障害 ………………………………… 59
条件づけ …………………………… 109
信念 …………………………… 47, 53
心理療法 …………………………… 115
スヴァーディシュターナ・チャクラ ……… 9
スヴァーディヤーヤ ……… 91, 92, 97, 161
スクリーンの比喩 …………… 130, 133
スシュムナー ……………………… 35
スムリティ …………… 33, 81, 91, 277
することからの自由 ……………… 135
聖仙アガスティア ………………… 207
聖仙アシュタヴァクラ …………… 274
聖仙ヴァシシュタ …… 117, 156, 204, 207, 214
聖仙ヴィヤーサ …………… 13, 268
聖仙カシャパ ……………………… 209
聖仙カピラ ……………… 3, 18, 51, 55
聖仙ゲーランダ …………………… 140
聖仙パンチャシカ ………………… 123
聖仙ヤージュニャヴァルキヤ ……… 145
荘子 ………………………………… 32
ゾウの比喩 ………………………… 183
束縛 ………………………………… 40
粗雑な対象 ………………………… 81

【た】
退屈 …………………… 80, 136, 151
退行 …………………………… 9, 82
対象 ………………………………… 181
対象そのもの ………………… 196, 256
対象のあるサマーディ ……… 40, 41, 42他
対象のないサマーディ
　　　………… 43, 87, 179, 188, 275, 276
怠惰 ………………………………… 61
タイッティリーヤ・ウパニシャッド
　　　……………………………… 165, 277
太陽と花の比喩 …………………… 121
S.ダスグプタ …………………… 17, 22
正しい認識 ………………………… 26
タパス …………… 90, 150, 161, 240
タマス ……………………………… 14
ダーラナー ……………………… 176, 180
ダルマ ……………………… 253, 274
ダルマ・メーガ・サマーディ …… 89, 274
断食 ………………………………… 175

タントラ ……………………………… 8
知性 ………………… 19, 123, 219, 232, 268
チャーンドーギャ・ウパニシャッド …… 218
超熟考のサマーパッティ ……………… 79
直接体験 …………………………… 183
月の態度 ……………………………… 34
ティローパ ………………………… 135
哲学体系 ……………………… 127, 257
転変 ………………………………… 279
ドゥヴァーダシャーンタ …………… 174
統合失調症（精神分裂病） ………… 138
トゥリーヤ …………………………… 32
トゥンモ …………………………… 225
時の位相 …………………………… 253

【な】
ナーガールジュナ ………………… 267
ナーローパ ………………………… 136
ナーローパの6つのヨーガ ……… 224, 227
肉体 ………………………………… 230
二元論的学派 ……………………… 256
ニルヴィタルカ・サマーパッティ …… 79
ニルヴィチャーラ・サマーパッティ … 81他
ニローダ ……………………………… 19
ニローダ・チッタ ………………… 3, 16

【は】
バーガヴァタ・プラーナ …………… 51
バガヴァッド・ギーター
　………… 12, 37, 106, 120, 131, 162, 166
バクティ・ヨーガ …………………… 50, 58
K.パタビ・ジョイス ……… 51, 64, 145, 177
ハタ・ヨーガ・プラディーピカー … 169, 173
パタンジャリ ………… 4, 213, 215, 218, 243, 268
パーニニ …………………………… 12
ハヌマーン ………………………… 156
ハリハラーナンダ・アーランヤ …… 9, 212
ビーシュマ ……………………… 142, 143
美徳 ………………………………… 247
非暴力 ……………………… 140, 151
ピンガラー …………………………… 34
G.フォイヤーシュタイン ……… 17, 92, 158
物質主義 …………………………… 62
ブッダ ……………………… 152, 157

プラクリティ ………………… 13, 39
プラサンキャーナ ………………… 107
プラジュニャー ……………… 49, 185
プラティヤーハーラ ……………… 177
プラーナ ……………………… 67, 169
プラーナーヤーマ …………… 67, 169
ブラフマ・スートラ ……… 12, 188, 217
ブラフマチャリヤ ………………… 144
ブラフマン …………………… 57, 180
ブリハッド・アーラニヤカ・ウパニシャッド
　………………………………… 145
プルシャ ……………………… 21, 127
放縦 ………………………………… 61
ボワ ………………………………… 225

【ま】
マイトリー・ウパニシャッド ……… 57, 218
マインドの知性への転変 ………… 87, 193
マートラ …………………………… 173
マナス ……………………………… 18
マニプーラ・チャクラ ……………… 9
マハーバーラタ ……… 142, 205, 208, 267
麻薬 ………………………………… 101
マンダナ・ミシュラ ……………… 223
マーンドゥーキャ・ウパニシャッド
　……………………………… 25, 32, 57
マンドゥーキャ・カーリカー ……… 32
マントラ …………………………… 240
3つの素粒子の比喩 ……………… 258
ミラレパ …………………………… 111
見られるもの ……………… 124, 125
見る者 ……………………………… 123
無限 ……………………… 277, アナンタ参照
無限への瞑想 …………………… 165
無限の後退 ……………………… 266
ムーダ・チッタ …………………… 8, 15
無知 ……………………………… 95他
ムドラー …………………………… 172
ムーラーダーラ・チャクラ ………… 9
ムンダカ・ウパニシャッド …… 57, 145, 219
瞑想 ………………… 20, 181, 226, 261
瞑想の対象 ………………………… 71
A.G.モーハン ……………………… 169

## 【や】

病 …………………………………… 60
唯識論 ……………………………… 256
ユディシュティラ …………… 142, 205, 208
夢 …………………………………… 70
夢の状態 …………………………… 257
ヨーガ・アーチャーリヤ ………… 28
ヨーガ・ヴァシシュタ …… 117, 136, 166, 186
ヨーガ・スートラの年代 ………… 267
ヨーガ・タラワリ ………………… 65
ヨーガ・バーシャ ………………… 6
ヨーガ・ヤージュニャヴァルキヤ ……… 169
欲望 ………………………………… 101

## 【ら】

W.ライヒ …………………………… 156
ラジャス …………………………… 14
ラマナ・マハルシ ………………… 106
ラーマーヌジャ …………………… 162
ラーマモハン・ブラフマチャーリ … 135, 225
リグ・ヴェーダ …………………… 2
離欲 ………………………… 33, 38, 39
J.リリー博士 ……………………… 105
倫理 ………………… 111, 112, 113, 140
老子 ………………………………… 112
論理学 ……………………………… 122
私であること ………………… 99, 242, 243

○著者について
**グレゴール・メーレ（Gregor Maehle）**
　歴史、哲学、比較宗教学をドイツの大学で学んだグレゴール・メーレは、ヨーガ、瞑想、哲学を学ぶため、1984年よりインドに毎年足を運んでいる。また、ドイツ自然療法士（ハイルプラクティカー）の免許に必要な資格を取り、解剖学的知識もある。1990年以降、ヨーガの中でも主にアシュタンガ・ヨーガを実践。現在は、サンスクリット語学習に熱意を注いでいる。オーストラリア、パースの 8 limbs Ashtanga Yoga の共同創設者であり、ディレクターでもある。

　　www.8limbs.com
　　www.ashtangayogabooks.com


○監訳者について
**伊藤　雅之**（いとう まさゆき）
　愛知学院大学　文学部　宗教文化学科・文学研究科　宗教学仏教学専攻　教授。1998年、米国ペンシルヴァニア大学大学院社会学博士課程修了（Ph.D.）。日本トランスパーソナル心理学／精神医学会理事。専門は宗教社会学、とくに現代世界に広がるスピリチュアリティ文化に関する研究をおこなう。おもな著書に『現代社会とスピリチュアリティ』（渓水社、2003年）がある。東京、名古屋、大阪などにて『ヨーガ・スートラ』の理論と実践に関する講座を定期開催している。


ASHTANGA YOGA  Practice & Philosophy
Copyright © 2006 by Gregor Maehle
Originally published in Austrailia by Kaivalya
Publication in 2006

著　者：**グレゴール・メーレ**（Gregor Maehle）
　　　　※略歴はp.303参照

監訳者：**伊藤　雅之**（いとう　まさゆき）
　　　　※略歴はp.303参照

翻訳者：**加野　敬子**（かの　けいこ）
　　　　神戸大学教育学部英語科卒業。訳書に『ヨーガの真実』、『自然ヨーガの哲学』、『アシュタンガ・ヨーガ実践と探究』、『ヨガアナトミィ』（いずれもガイアブックス）など。

QRコードよりアクセスし、
ぜひ「**あなたの声**」をお聞かせください。
ご登録いただくと、イベントなど最新情報を
いち早くお届けいたします。

## 現代人のためのヨーガ・スートラ

発　　　行　2009年6月20日
第　7　刷　2023年7月10日
発 行 者　吉田　初音
発 行 所　株式会社 ガイアブックス
　　　　　〒107-0052 東京都港区赤坂1丁目1番地 細川ビル2F
　　　　　TEL.03(3585)2214　FAX.03(3585)1090
　　　　　https://www.gaiajapan.co.jp
印刷製本　日経印刷株式会社

Copyright GAIABOOKS INC. JAPAN2023
ISBN978-4-88282-712-2 C0011

落丁本・乱丁本はお取り替えいたします。
本書は細部まで著作権が保護されています。著作権法の定める範囲を超えた本書の利用は、出版社の同意がない限り、禁止されており違法です。特に、複写、翻訳、マイクロフィルム化、電子機器によるデータの取込み・加工などが該当します。